HET GEHEIM

Jelle Tjalsma

Het geheim

Spiegelserie

Zomer &Keuning

ISBN 978 90 5977 343 1
NUR 344

www.spiegelserie.nl
Omslagillustratie: Bas Mazur

1

HET IS ONGEWOON, HEEL APART ZELFS. AAN DE BUITENKANT VAN DE ramen van het klaslokaal zoeken sneeuwvlokken tastend hun weg naar de aarde en toch is het rustig in klas zes. Gebogen hoofden, gekromde ruggen, af en toe wat gekuch en gezucht, dat is alles.

Vanachter zijn tafel, dicht bij het raam, overziet meester Eelke Couperus zijn kudde. Hij heeft een beetje medelijden met de schaapjes. Nou ja, schaapjes? Hij weet maar al te goed dat ze op slag kunnen veranderen in wolfjes. Of in bokken. Maar nu is de klas doordrongen van de ernst van deze ochtend, daar kan geen sneeuwvlok tegenop. De schoolvorderingentest! Wie krijgt als zesdeklasser geen klemmetje om zijn hart als je hebt te maken met een soort examen? Het gaat er nu om hoe goed je bent, wat je allemaal kent en kunt – en wat niet. Na dit schooljaar volgt het voortgezet onderwijs, een beladen benaming van een ietwat griezelige toekomst. Naar welke school ga je straks? En heb je daar wel zin in?

Eelke voelt wat zijn leerlingen voelen. Hij kruipt om zo te zeggen in hun huid, zelfs zo dat het binnen in hem ook begint te trillen. Vreemd eigenlijk, want hij heeft zijn leerlingen nog zo gezegd dat ze nergens bang voor hoefden te zijn, zó belangrijk was het nu ook weer niet. Wie iets niet begreep moest dat vooral zeggen, één keer de vinger omhoog was genoeg. En rustig blijven natuurlijk, je niet laten afleiden, nee, ook niet door dwarrelende witte vlokken die soms even aan de buitenkant van het glas blijven plakken tot ze een gedaanteverwisseling ondergaan en verder door het leven moeten als waterdruppel.

Er gaat een aarzelende vinger de lucht in. Vanonder blonde krullen en vanuit een rood hoofd kijken ongeruste ogen hem aan. Annelies.

'Meester, bij som vijf: 'Twee negende van een kapitaal is 150 gulden, wat is dan het hele kapitaal?' Moet je daar de rente ook bijrekenen?'

Ach, die arme Annelies. Ze heeft er weer niets van begrepen. Wie heeft het nou over rente als er naar het kapitaal gevraagd wordt? Eelke onderdrukt een zucht en trakteert het meisje op een milde glimlach.

'Wat dacht je zelf?' vraagt hij en schudt bijna onmerkbaar zijn hoofd. Annelies heeft hem begrepen en knikt dankbaar.

Maar niet alleen Annelies heeft zijn signaal opgevangen, praktisch de hele klas had bij haar vraag de antenne in zijn richting. Er verschijnen kort achtereen meer vingers.

Dat kan natuurlijk niet. Eelke remt de nieuwe geest dan ook snel af. 'Had ik al gezegd dat je vooral goed moet lezen wat er staat?'

De klas begrijpt ook die vraag, de ruggen krommen zich weer over het werk.

Een tijdje later schuift Annelies wanhopig op haar stoeltje heen en weer. Hulpzoekend kijkt ze haar meester aan. Ze weet dat hij niet helpen mag, toch blijft ze zijn ogen zoeken.

'We moeten ons vooral niet bezorgd maken, we weten allemaal dat er in maart nóg zo'n vorderingentest komt,' zegt Eelke in het algemeen.

Even later staat hij naast het tafeltje van Annelies. 'Het gaat wel, hè, je hebt de slag al aardig te pakken, geloof ik.' Het meisje knikt gehoorzaam. Er staan minidruppeltjes op de randjes van haar neus.

Eelke begrijpt haar wel. Er staat bij haar een dikke stok achter de deur. Een paar weken geleden is hij bij hen op huisbezoek geweest en daar heeft hij ontdekt dat haar ouders het als een diepe teleurstelling of zelfs als een vernedering zouden ervaren als hun dochtertje naar de huishoudschool werd verwezen.

'Daar zijn we het wel over eens, hè, meester, Annelies is geen kind voor de huishoudschool. Het zal de brugklas van de Scholengemeenschap moeten worden, anders gaat ze eronderdoor. Alleen in de brugklas zal ze zich volledig kunnen ontplooien. Volgens ons zit er havo in. Ja toch?'

Eelke wrong zich in verschillende bochten. Hij maakte duidelijk dat het niet alleen om intelligentie ging, maar vooral ook om karakter. 'Iemand met doorzettingsvermogen bereikt nu eenmaal meer dan iemand die algauw de moed laat zakken. Ik bedoel, hoe pak je de moeilijkheden aan, ben je geneigd snel angstig te worden, heb je voldoende zelfbewustzijn?'

Terwijl hij sprak kreeg hij het gekke gevoel dat hij het over zichzelf had. Maar hij ging verder: 'Ben je optimistisch ingesteld of bekijk je de dingen van de sombere kant? Ben je aardig zeker van jezelf of sla je gauw aan het twijfelen? Dat zijn allemaal factoren...'

'Jaja,' knikten de ouders bereidwillig, 'maar met wat u nu noemt zit het bij Annelies wel goed. Ze is dan wel enig kind, maar we hebben haar naar behoren opgevoed, geen verwennerij of zo, en we willen dat ze eruit haalt wat erin zit. Slabakken heeft ze van ons niet geleerd. Aanpakken, optreden als het nodig is, en grijpen wat binnen je bereik ligt.'

'Maar niet hoger,' zei Eelke, 'want daar kun je aan kapotgaan.'

Hóórden die ouders nu wat hij zei? Met andere woorden, hadden ze aan een half woord genoeg? Wilden ze luisteren naar een ongeveer veertigjarige onderwijzer, iemand die dus al een tijdje meeliep?

De vader en moeder veerden tegelijk iets naar voren. 'Natuurlijk, natúúrlijk, een mens moet zijn grenzen kennen, dat moeten kinderen ook. Maar nog eens, wij zijn er zeker van dat mavo voor Annelies niet te hoog gegrepen is, waarschijnlijk is havo de juiste keuze. Dat moet haalbaar zijn volgens ons.'

'Ach, arme Annelies,' mompelde Eelke toen hij eenmaal weer buiten stond, 'ik heb met je te doen.'

Diezelfde woorden denkt hij nu hij naast haar tafeltje staat. Maar er gaat nog meer in hem om. Annelies, ik denk dat je niet gelukkig wordt op de mavo, gesteld dat het je lukt er te komen. Je bent nu eenmaal niet zoals je ouders je graag willen hebben. Dat wreekt zich de een of andere keer, let maar op. En verder ben je een heel onzeker kind, dat weinig zelfvertrouwen heeft, dat angstig op opdrachten reageert en dat zich het liefst afzijdig houdt van alle dreigende gevaren. Hoe ik dat zo goed weet? Nou, Annelies, ik weet waarover ik het heb, ik ken mezelf. Jij en ik, Annelies, wij lijken op elkaar. Je ervaart dit schoolonderzoek als een examen. Annelies, zal ik je eens een geheimpje toevertrouwen? Ik háát examens.

'Wie altijd goed zijn best doet komt er wel, Annelies.'

Het is een nietszeggend zinnetje, hij had beter wat anders kunnen bedenken. Ja, maar wát dan? Hij kan moeilijk zeggen dat ze zich maar niks van haar ouders aan moet trekken. Maar als ze zíjn dochtertje was, dan... ja, wat dan? Zou zijn advies rechtstreeks lhno, de voormalige huishoudschool, inhouden?

In de personeelskamer ruikt hij de koffie. Pauze, een gezellig kwartiertje, dat meestal dreigt uit te lopen op twintig minuten. Stommelend, kwekkend of zwijgzaam, al naargelang de muts staat, nemen de collega's hun eigen plek in. Behalve hij of zij die pleinwacht heeft, die moet staand of gaand op de tegels zijn bakje nuttigen. Niet gezellig, maar iedereen krijgt zijn beurt.

'En, Eelke, hoe ging het?' Dat is de bas van Datema, het hoofd der school. 'Heb je de druk wat kunnen verlichten?' Hij wacht welwillend op een verslag van Eelke, die dit jaar voor het eerst de zesde klas heeft en voor wie deze ochtend dus ook spanning met zich meebrengt. 'Ikzelf was trouwens elke keer weer reuze benieuwd hoe klas zes zou reageren. Dat is in geen klas hetzelfde, hoor, ik spreek uit ervaring.'

Alle ogen zijn op Eelke gericht, de gesprekken verstommen, een kopje tikt op het schoteltje.

Eelke vindt het niet leuk, al die aandacht. Maar hij steekt van wal en brengt kort en goed verslag uit. 'Ik brand zelf ook van nieuwsgierigheid. Ik zou graag gauw willen weten hoe mijn klas het gedaan heeft en of wij boven het gemiddelde van de scholen in de regio uitsteken of juist niet. De uitslag is dus niet alleen voor mijn leerlingen van groot belang, ook mijn eigen kwaliteiten als onderwijzer staan op het spel.'

Dat is zo, knikken de collega's. Iemand die de zesde heeft loopt de kans op het schild te worden geheven óf aan de schandpaal te worden genageld.

'Voor mij een reden om maar mooi in de onderbouw te blijven bivakkeren,' zegt Marie Koning, die al jaren voor klas één staat.

'Het gaat niet alleen om het resultaat van de onderwijzer, de goede naam van de school is ook gediend met een mooie uitslag,' brengt Henk Datema in het midden met zijn gemoedelijke, zware stem. 'Ik bedoel, het product dat wij afleveren is de vrucht van onze gezamenlijke inspanning.' Echt iets voor hem om zich zo uit te drukken en er tegelijk op een milde manier lering in te leggen. Zo zijn de leden van zijn club, zoals hij zijn medewerkers graag noemt, het van hem ook gewend. Trouwens, hoort hij als hoofd van de school ook niet zo overkoepelend te spreken?

Eelke kijkt op zijn horloge. Is de pauze nog niet voorbij? Hij wil zijn klas niet tekortdoen met straks te weinig tijd voor Nederlands.

Maar nee, Sietse Baarda van klas vier heeft nog iets te vertellen. Hij heeft gisteren in een onderwijsblad een artikel gelezen over onderwijs-vernieuwing. Natuurlijk Sietse, wie anders?

'Ik was het roerend met de schrijver eens. Eigenlijk is het te gek dat wij alle kinderen gelijk behandelen. Ja, ik weet het, dat klinkt je in eerste instantie vreemd in de oren, want alle kinderen hebben recht op dezelfde manier van omgaan van de leerkracht met zijn leerlingen, maar...'

'Maar je wilt dat alle kinderen onderwijs krijgen dat op hen persoon-lijk toegesneden is,' valt Gerda Kramer hem in de rede. 'Vertel eens, Sietse, hoe wou je dat doen? Elk kind individueel lesgeven?'

Het wordt wat rommelig in de personeelskamer, iedereen praat nu door elkaar. Schuddende en knikkende hoofden maken duidelijk dat er geen eensluidende mening valt te bespeuren.

'Dus elk kind persoonlijk begeleiden en hem zijn gang maar laten gaan?' 'Dan is de een de ander zomaar een boekje voor.' 'Heb je dan nog overzicht?' 'Het klassikaal onderwijs het raam maar uitmikken?' Sietse krijgt het zwaar te verduren. Alleen Roel Bijlsma uit klas drie kan zich verplaatsen in zijn gedachtegang.

Eelke vangt de ogen van Henk Datema en tikt op zijn horloge. Die staat bereidwillig op om de bel te laten gaan, maar in de deur keert hij zich even om en zegt: 'Onderzoek alle dingen en behoud het goede.' Hij werpt een vaderlijke blik over de zijnen en glimlacht welwillend. Dat mag hij doen, hij is nu eenmaal behoudend en bovendien haast zestig.

Eelke zit op zijn lijn. Ook hij laat niet graag de dingen los waarvan hij weet dat ze goed zijn. Verder betekent alles wat nieuw is voor hem een sprong in het duister. Hij begrijpt dan ook niet waarom sommige col-lega's zomaar het klassikale onderwijs de deur uit willen hebben. Hoe zouden ze dan verder moeten? Bij elke leerling aanschuiven en de les-stof persoonlijk aanbieden? Kom nou.

Lopend naar zijn lokaal bedenkt hij nog dat hij thuis dit onderwerp maar beter niet kan aanroeren. Zijn vrouw Dorien is namelijk nogal vooruitstrevend en vindt alles wat nieuw is prachtig. Hij hoort het haar al zeggen: 'Man, durf eens wat aan!'

De schoolvorderingentest roept zijn gedachten met spoed terug. Nederlands! 'Klaar ervoor? Daar gaan we dan.'
In het lokaal hangt al niet meer de bangelijke sfeer van het begin. Dingen wennen gauw, ook het afleggen van een proef. Eelke moet zelfs manen tot stilte. 'Anders storen we elkaar, weet je nog?'
Tegen twaalven, als de vellen papier verzameld zijn, laat hij de teugels even vieren en de tongen loskomen. Annelies glundert. 'Ik vond het helemaal niet moeilijk, meester!'
Toch wel een schooldag om te onthouden, die derde dinsdag van januari van het jaar 1970.

Thuis heeft Dorien de tafel al gedekt voor de broodmaaltijd. Bedrijvig scharrelt ze van keuken naar kamer en vraagt Eelke hoe het ging.
'Het viel vast wel mee, hè? Je maakte je er nogal zorgen over, maar wat zag je vanmorgen? Je had alle stof wel goed met de klas doorgenomen, is het niet? O zo, dat zei ik je al. Roep je je vader even?'
'Je vader', zegt ze. Dat doet ze altijd. Niet 'pa' maar 'je vader'. Het spreekt boekdelen. Age Couperus, Eelkes vader dus, woont sinds de dood van zijn vrouw bij hen in, een jaar of drie nu al. En Dorien kan het niet laten duidelijk te maken dat dat haar niet zint. Het is van haar kant een gedogen van een situatie waar ze niet onderuit kan.
Eelke loopt de trap op en klopt op een slaapkamerdeur. Daar bivakkeert zijn vader het grootste deel van de dag, en uiteraard ook de nacht.
'En? Hoe ging het?' wil ze opnieuw weten als iedereen aan tafel is. Ze heeft een kleurtje, leuk. Het steekt af tegen haar blonde krullen, die bijeengehouden worden door een vrij zware paardenstaart. Haar armen onder de opgestroopte mouwen ogen krachtig, maar wel vrouwelijk.
'Wachten, Yvonne,' vermaant ze hun dochter van negen die al wil beginnen aan haar boterham. Ze zijn even stil. Eelke prefereert aan tafel een stil gebed, hij moet op school al vaak genoeg hardop bidden.
'Ja,' zegt hij dan, 'ik kreeg niet de indruk dat mijn klas voor een onmogelijke opgave stond.' In korte trekken brengt hij verslag uit van zijn bevindingen van deze morgen. 'In de pauze kregen we het ook weer over de nieuwe manier van werken met de klas,' meldt hij dan. Kijk,

daar heb je het weer, nu vertelt hij het tóch. Hij weet alvast de reactie van zijn vrouw.

'Ah! En daar was iedereen redelijk enthousiast over?' Vanaf de overkant van de tafel kijken een paar blauwe ogen hem vorsend aan. Of is het spottend?

'Och,' zegt hij, 'ik weet niet...'

'Daar word ik niet veel wijzer van,' stelt Dorien vast.

'Over twee jaar mag ik ook meedoen met de test,' zegt Yvonne. Het klinkt als een heerlijk vooruitzicht dat haar streelt. 'Het zal wel havo worden,' besluit ze.

Een dochter van haar moeder! denkt vader Eelke. En: het kind kan nog wel eens gelijk krijgen ook.

Hij ziet in Doriens voorhoofd een denkrimpeltje groeien. Er zal dus zo meteen iets komen. Dat klopt. Dorien schuift haar intussen lege bord een eindje voor zich uit, alsof ze iets hinderlijks weg wil duwen.

'Bij vernieuwingen in het onderwijs gaat het er volgens mij om moedig te zijn en onnutte dingen opzij te zetten. Ik ben bang dat jíj bang bent. Voor het loslaten van het oude vertrouwde. Maar een mens moet in het leven iets aandurven. Bovendien, is het niet zo dat elk kind een individu is? Ja, hè? Nou, als dat kind dan ook individueel benaderd wordt krijgt het toch alleen maar waar het recht op heeft? Waarin zit dan het probleem?'

Eelke kan wel een stuk of wat moeilijkheden opnoemen, maar besluit om dat toch maar niet te doen. Hij weet van tevoren dat zijn vrouw ze stuk voor stuk zal ontzenuwen en dat hij daar niet veel tegen in weet te brengen.

'Wat vind jij het mooiste vak bij jullie in de klas, Yvonne?' gooit hij het over een andere boeg.

'Gym,' antwoordt Yvonne. 'Maar dat wist je toch wel?'

'Je smakt,' vermaant opa Age zijn kleindochter.

Meteen is er een misprijzende trek om de mond van Dorien. En ze kijkt haar man aan met een waarschuwende blik. Ook nu begrijpt Eelke haar onmiddellijk. Ze zou willen zeggen: Hadden we niet goed afgesproken, Eelke, dat wíj onze kinderen zouden opvoeden en niet híj?, maar ze houdt die woorden binnenboord; ze vertrekt alleen maar even een schouder. Verwacht ze nu dat hij, Eelke, wel woorden van die strekking zal spreken? Dan kan ze lang wachten, hij zal zijn vader niet vernederen door hem op zo'n kleinigheid te corrigeren.

'Hoe laat komt Egbert vanmiddag thuis?' vraagt opa Age.

'Om kwart voor vier. Dat is op dinsdag altijd zo. Dat weet u toch?' antwoordt Dorien kortaf.

Het is weer 'u' tegen haar schoonvader. Terwijl alle leden van het gezin elkaar tutoyeren houdt Dorien opa Age hardnekkig op afstand met 'u'. 'Ik wou iets met hem bespreken,' licht de grootvader zijn vraag toe. Hij is erg gesteld op zijn kleinzoon en dat niet alleen omdat de jongen naar hem genoemd is. Maar omdat Dorien de naam Age maar niks vond, is de roepnaam van hun zoon Egbert geworden. 'Age? Wat is dat nou voor naam? Het is gewoon een Engels woord voor leeftijd. Nee hoor, Egbert klinkt veel beter. Kun je altijd nog Bert van maken. Bert Couperus. Dat klinkt wel goed.'

Grootvader en kleinzoon zoeken elkaar vaak op. Als je hen scherp observeert zie je dat ze op elkaar lijken, vindt Eelke. Niet alleen qua uiterlijk, ook hun karakters komen overeen. Allebei gemakkelijk in de omgang, ze weten zich aan de omstandigheden aan te passen en slaan zich zo te zien aardig goed door moeilijkheden heen. Dat ze allebei ietwat onzeker zijn weten ze kunstig te verbloemen.

'Wat gaan jullie samen bespreken?' vraagt Yvonne. 'Mag ik er ook bij zijn of is het weer geheim? Net wat voor Egbert, hij doet altijd tegen mij alsof ik een klein kind ben. En opscheppen kan hij ook.'

Daar wil opa Age op reageren, maar moeder Dorien is hem voor. 'Dat is niet waar, Yvon, en dat weet je zelf ook. Voortaan beter op je woorden passen.'

De grootvader knikt instemmend. Dat ziet Dorien niet, ze kijkt tenminste zijn kant niet uit.

Lijkt Eelke op zijn vader? Soms wel, vindt hij. Hij constateert vaak een zelfde zachtmoedigheid die vader Age ook typeert. Net als zijn vader kan hij veel van de mensen hebben en probeert hij een heel eind met hen mee te denken. Iemand die met een of andere moeilijkheid zit kan bij hem terecht.

Zijn vader was vroeger veehandelaar. Niet in het groot, hoor, en nooit zwaaiend met een goed gevulde portefeuille. Integendeel, hij stond bij de boeren te boek als een gewone jongen, betrouwbaar en eerlijk; gewiekst ook op zijn tijd. Hij was op hun dorp een gezien persoon, een aimabele man, die het goede in de mens wilde zien.

En Eelke? Tja, sommige van die karaktertrekken herkent hij bij zichzelf. Maar er is ook een levensgroot verschil tussen hun tweeën. Daarbij ziet Eelke zichzelf door de mand vallen. Hij zit opgescheept met een enorm minderwaardigheidsgevoel. Hij denkt te laag over zichzelf en dat weet hij. Onzekerheid, twijfel, weifelachtigheid, wankelmoedigheid, het zijn allemaal begrippen waar hij dagelijks met de neus op gedrukt wordt.

Hij heeft weleens gelezen dat hoogmoed in wezen een verkapt inderwaardigheidsgevoel inhoudt. Je bent bang om in precaire omstandigheden af te gaan als een gieter en het laatste wat je wilt is te kijk staan voor Jan en alleman.

Neem nou het grote trauma dat hem dagelijks plaagt. Tot en met de kweekschool voor onderwijzers ging het nog wel. In 1951 haalde hij vrij soepel de lagere akte. Ook zijn militaire dienst leverde geen grote problemen op, hij werd zelfs sergeant.

Maar daarna! Iedereen die iets wilde betekenen in het onderwijs ging studeren voor de hoofdakte. Eelke dus ook. Het was een studie in twee delen, A en B. Hij koos ervoor om eerst B te doen, natuurkunde en aardrijkskunde. Hij zakte. In 1955 slaagde hij wel voor dat deel, maar het ging daarbij wel om de spreekwoordelijke hakken over de sloot. Het volgende jaar, 1956, moest hij op voor deel A, Nederlands, opvoedkunde en geschiedenis.

Of het nu kwam doordat hij in datzelfde jaar trouwde met Dorien en dus andere dingen aan zijn hoofd had óf doordat hij zich te weinig voorbereid had: het resultaat was tenhemelschreiend.

'Gewoon volgend jaar opnieuw proberen,' zei zijn kersverse bruid. En, giechelend: 'Je hebt je te veel met míj bemoeid.'

Er kwam een nieuwe spanning in zijn leven. In 1957 werd Egbert geboren. Een heerlijke tijd, maar ook met veel drukte – de baby eiste veel aandacht en liet dat duidelijk weten! Het verschil tussen dag en nacht interesseerde hem geen biet. Was het een wonder dat vader Eelke opnieuw zakte?

Het jaar daarna kreeg hij te maken met de wrede regeling die toen nog gold: wie voor een deel van de hoofdakte geslaagd was, moest binnen drie jaar ook het andere deel halen, anders was het eerste stuk ongeldig en stond je met lege handen. Het betekende dat Eelke het volgende jaar, 1958 dus, beslist móest slagen.

Het werd een afschuwelijke tijd. Het twee keer per week naar de stad reizen om de cursus te volgen was hij zo langzaamaan wel gewend. Ook het elke avond blokken nam hij voor lief. Maar die druk! Omstreeks de jaarwisseling had hij er genoeg van en had hij de brief aan de cursusleiding al in zijn hoofd: 'Geachte heren, tot mijn spijt moet ik u berichten dat ik vanaf nu wegens bijzondere omstandigheden uw lessen niet meer zal bijwonen.' Wat die omstandigheden precies inhielden wou hij maar niet schrijven.

Dorien stak er een dik stokje voor. 'Ja, kom nou, je bent zowat op de helft en nu wil je opgeven? O, ben je bang dat je opnieuw sjeest? Weet je wat jij moet doen? Ga naar de stad en koop een grote portie zelfvertrouwen. Goed, dat is onzin, dat weet ik ook wel. Maar wat ik je nu ga zeggen is realiteit: met jouw verstand is niks mis, en je kunt veel meer dan je denkt.'

In feite wist Eelke dat ze gelijk had. Met zijn intelligentie was het redelijk goed gesteld, dus waarom zou een ander wel slagen en hij niet? En hij vertrok elke avond weer braaf naar boven, naar zijn bureau.

Maar toen in juni de officiële oproep voor het examen op de mat lag, kreeg hij weer het ijskoude gevoel om zijn hart dat hij zo goed kende. '... heb ik de eer u te berichten dat het schriftelijk gedeelte zal worden gehouden op 5 juli 1958... De datum van het mondeling examen vindt u in bijgaand rooster.'

Met bevende handen zocht Eelke zijn groepsletter en -nummer op – hij mocht op 19 juli een praatje maken met de examinatoren. De koude hand om zijn hart wilde maar niet weg en Eelke kromp ineen bij de gedachte die hem overviel: daar gá je weer, jongen.

'Wat ben je stil de laatste dagen, is er wat?' wilde Dorien weten. Ze keek hem aan zoals alleen zij dat kon: onderzoekend en tegelijk liefde-

vol. Toen hij onwillig schokschouderde ging ze verder: 'Niet opgeven, hè? Enne, mij alles vertellen wat je op je hart hebt, hè?'
Ze bedoelde het zo goed, Eelke voelde het haast lijfelijk. Hij knikte en produceerde een glimlach.
'Hier,' zei Dorien, 'alsjeblieft, een pakketje. Speel er maar een tijdje mee.' Ze overhandigde hem de kleine Egbert. Maar de harteloze hand in zijn binnenste liet zich slecht verdrijven.

Eelke kon maar moeilijk oordelen over het schriftelijk examen dat hij op 5 juli had afgelegd. Soms dacht hij er wel aardig uitgekomen te zijn, andere keren speelde het zwarte scenario hem weer parten.
'Ik denk dat je het goed gedaan hebt,' zei Dorien, die de schriftelijke opgaven meteen nageplozen had. Ze had dan wel geen idee over de materie, maar dat weerhield haar niet om haar man bemoedigende kusjes te geven en te zeggen: 'Zie nou wel? Wat zei ik je?'
Eelke zag het niet. Maar haar kleinemeisjeskusjes vond hij lief.

Het was mooi weer, die negentiende juli. Eelke fietste met een steen in zijn hart naar de stad, een afstand van zo'n tien kilometer. Hij zag de koeien grazen in het verse gras, hier en daar rikketikte een maaimachine voor een tweede hooioogst, kinderen op weg naar school fietsten met z'n vijven naast elkaar en kwetterden door elkaar heen.
Eelke wou dat hij een van hen was, wat zou het leven dan onbezorgd zijn. Hij wilde ook wel op een trekker zitten en het gemaaide gras ruiken. Desnoods wou hij wel een koe zijn; dan kon hij onbekommerd door het weiland lopen en genieten van de vrijheid van het bestaan – alles beter dan de dreiging van het mondeling examen.
Bij het gebouw waarin de proeve van bekwaamheid moest worden afgelegd, voegde Eelke zich bij de bedremmelde kleine schare die stond te wachten op de beproeving. Sommigen praatten hard en druk, de meeste kandidaten deden er het zwijgen toe.
De glanzend gelakte zware deur ging open, er verscheen een indrukwekkende heer met een uilenbril en stekelig, grijzend haar, die hen met een afgemeten gebaartje gebood binnen te komen.
In een soort wachtruimte haalde de meneer, die de voorzitter van de

examencommissie bleek te zijn, een lijst met namen tevoorschijn.

'Dames en heren, welkom. Namens de commissie wens ik u veel sterkte voor de komende uren. Ik verzoek u wel stipt op tijd bij de verschillende examentafeltjes te verschijnen, anders kan het examen geen goede voortgang hebben. Ik lees nu de lijst van de examinandi van deze dag voor en verzoek u als u uw naam hoort te reageren.' Zijn ogen gingen van links naar rechts langs de groep, alsof hij wilde constateren dat het deze keer weer niet veel zaaks was. Hij zuchtte en begon de namen op te lezen. Onderdanig meldde ieder zich met 'ja, meneer'.

Het was negen uur en ze mochten hun plaats opzoeken in een zaal vol met strenge rijen tafeltjes. Eelke werd begroet door twee heren, die hem verzochten te gaan zitten. Kon hij zijn groepsnummer even zeggen? Mooi zo, dan wilde de ene meneer maar direct van start gaan. Dit was het tafeltje van Nederlands, dat klopte toch, hè? Goed, dan wilde hij beginnen met grammatica.

'U weet uiteraard het verschil tussen verbuiging en vervoeging. Kunt u van beide begrippen een voorbeeld geven?'

'Eh... ja... verbuiging en vervoeging horen allebei bij... eh, werkwoorden, dacht ik zo,' stamelde Eelke.

Het hoofd tegenover hem schudde. 'Ik ben bang dat u werkwoorden verwart met naamwoorden.'

'Verbuiging is het vervormen van werkwoorden naar wijze en tijd,' zei Eelke, nu wat beslister.

'En persoon,' vulde de examinator aan. 'Maar u geeft helaas de definitie van vervoeging. Onder verbuiging verstaan we de verandering van de uitgang van een naamwoord. Maar laat maar, we nemen wel iets anders.'

Eelke voelde een dun straaltje over zijn hoofd kronkelen, net onder zijn haargrens.

'U weet natuurlijk wat contaminatie is,' kwam de volgende vraag. 'Kunt u daar een voorbeeld van geven?'

Eelke wist het, maar hij kon met geen mogelijkheid een voorbeeld van contaminatie bedenken. Het bleef een tijdje stil aan zijn tafeltje. Eelke voelde zich diep ongelukkig. Ook toen zijn onderzoeker het opnieuw over een andere boeg gooide. Hij wilde het over naamvallen hebben.

Hoeveel kenden we in het Nederlands? 'Vier, zegt u, goed zo. Wilt u ze even noemen?'

'Nominatief, genitief...' zei Eelke. 'Dat zijn er al twee,' zei de man, 'nu de beide andere nog.'

Eelke schudde vertwijfeld zijn hoofd.

'Datief en accusatief, hè,' zei de man met verholen korzeligheid.

'O ja,' zei Eelke.

Goed, ze zouden overstappen op een ander onderdeel. Letterkunde. 'Kunt u een bekende dichter uit de Gouden Eeuw noemen?' Er was een luikje gevallen in het hoofd van Eelke. 'Een bekende dichter?' vroeg hij onnozel.

'Ja, een beroemde dichter zelfs.'

Eelke kon het niet bedenken, alles in zijn hoofd was zwart.

'De prins van onze dichters?' drong de man aan.

'Vondel!' riep Eelke.

De beide heren schoten in de lach en Eelke grinnikte beleefd mee.

Het doorzagen duurde drie kwartier. Af en toe wist Eelke een goed antwoord te produceren. Maar hij wist dat dit ellendige gesprek zou uitlopen op een dikke onvoldoende. Hoe was het ook alweer met zijn schriftelijk deel gegaan? Zou dat een zes gehaald hebben?

Na Nederlands kwam opvoedkunde.

De heren wilden graag weten wanneer ongeveer de Nederlandse scholen waren overgestapt van het hoofdelijk naar het klassikaal onderwijs. Nee? Wist hij dat niet? Wist hij dan te zeggen wie de grondlegger van het klassikaal onderwijs was geweest? Dat was Pestalozzi, hè?

'Kunt u iets vertellen over de werkwijze van Comenius?'

Volgens Eelke was hij een van de voormannen van de klassikale lessen. De heren wachtten op een vervolg. Eelke wachtte op een nieuwe vraag.

'Goed, wilt u dan de voor- en nadelen van dat onderwijs tegen elkaar afwegen?'

Eelke zei dat hij de voorkeur gaf aan de klassikale vorm. Het ontging hem niet dat de heren bijna onmerkbaar schokschouderden.

'Volgende vraag. Wat is apperceptie?'

Dat wist hij. Alleen kon hij moeilijk de juiste woorden vinden voor zijn antwoord. 'Het begrijpen van de begrippen?' vroeg hij op zijn beurt.

'Het is het begrijpend verwerken van de waarnemingen,' zei de man met een ietwat strakke mond.

Eelke wist genoeg. Ook dit onderdeel mislukte. Toen de drie kwartier voorbij waren zag hij aan de blik van zijn examinatoren dat het een hopeloze zaak was.

De volgende drie kwartier had hij vrij. Daarna zou geschiedenis aan de beurt zijn. Hij zocht een restaurant op, dronk een kop koffie en grasduinde in zijn aantekeningen.

Was dat eigenlijk nog nodig? Zou hij er stiekem vandoor gaan? Maar hoe moest hij zo'n vroege thuiskomst verklaren? Wat zou Dorien daarvan zeggen?

Goed. Best. Hij zou geschiedenis doen, wat kon het hem nog schelen? Even over halftwaalf nam hij plaats aan het bewuste tafeltje.

De heren waren vriendelijk. Waar zouden ze mee beginnen, oudheid of middeleeuwen?

Eelke koos oudheid. Hij zat er ontspannen bij. Wat kon hem nog gebeuren? De uitslag stond toch al vast.

De ene meneer hield een kort inleidinkje over de heerschappij van de farao's. Kon hun kandidaat zeggen wanneer ongeveer farao Necho leefde?

'Zevenhonderd jaar voor Christus,' antwoordde Eelke vlak. De heren knikten verrast. Dit was een goed begin.

Eelke leunde achterover en beantwoordde bijna onverschillig de vragen. De meeste antwoorden kregen een goedkeurend knikje vanaf de overkant van de tafel. Ook toen de heren overschakelden naar de Nederlandse geschiedenis en zich met hem wilden verdiepen in de Gouden Eeuw, bleek Eelke van vele markten thuis te zijn. Zéker wel kon hij de kenmerken opnoemen van die tijd op het gebied van de schilderkunst, de beeldhouwkunst, de architectuur en de dichtkunst. Hij vertelde over de prins van onze dichters, Joost van den Vondel, met een gemak dat zijn examinatoren verschillende knikjes ontlokte.

Deze drie kwartier gingen vlug voorbij en de heren zwaaiden hem vriendelijk uit.

Een halfuur later stond de groep van slachtoffers opnieuw in de wacht-

ruimte. Er werd weinig gezegd. Wel werden er veel duimen in hand-
palmen geknepen, veel voeten schuifelden.

Daar verscheen de voorzitter, weer met een lijst met namen.

'Ik ga nu eerst de namen noemen van hen die het niet gehaald hebben,'
meldde hij, nu toch met een ietsje mededogen in zijn stem. 'Degenen
die ik noem verzoek ik met mij mee te gaan. De anderen mogen zich
als geslaagd beschouwen. Hier komen de namen.'

Ik ben gauw aan de beurt, dacht Eelke, de C is de derde letter van het
alfabet.

'De heren Baarda, Van Bunnik, Casteleyn, Couperus...'

In weer een andere zaal zaten nu alle examinatoren aan een lange tafel.
De voorzitter stond in het midden en deelde mee dat het hem smartte
mee te moeten delen enzovoort.

Schiet nou maar op, man, dacht Eelke, ik wil hier weg, ik wil naar huis.
Hij was gezakt en had nu niets meer. In zijn hart leek iets bevroren te
zijn. Wat kon hem alles nog schelen? Dat hij een acht had voor
geschiedenis? Ach ja, leuk.

Maar wat een geluk dat hij zijn muziek nog had. Thuis. Zijn piano.
'Weet je wat jij gaat doen?' mompelde hij op zijn fiets tegen zichzelf.
'Jij gaat de hele middag, misschien ook wel de hele avond, pianospelen.
Bach, Mozart, Chopin. Dat is iets wat je wél kunt!'

2

Toen Dorien op een novemberdag van 1933 geboren werd, loeide de wind in de schoorsteen van het huis aan de Turfkade en af en toe teisterde de slagregen de ramen. Al was het nog maar halfvier in de middag, toch liet het daglicht zich almaar sneller verdrijven. Soms kwam er van de zolder een rammelend geluid dat de aanstaande vader hogelijk verontrustte. Lagen alle dakpannen nog op hun plaats? Bij elke nieuwe woedeaanval van de jagende wolken stond hij even als gebiologeerd te luisteren, de ogen een beetje geloken, de kin omhoog. De dokter, die de moeder bij het ter wereld brengen van de nieuwe wereldburger terzijde stond, liep geregeld even naar het raam om zich ervan te vergewissen dat zijn auto, die aan de rand van de gracht geparkeerd stond, vooralsnog ongedeerd was – nog steeds geen vallende zware takken op de carrosserie, ook geen scherven van dakpannen, de wagen stond alleen maar nu en dan mee te deinen op het geweld van de wind. De arts kon zich weer naar de bedstee begeven, waar de baby haar intrede in het ondermaanse trachtte te doen.

Het duurde overigens niet lang voordat Dorien haar beschutte plekje verwisselde voor een ander stekje: de veiligheid van moeders armen, waar ze luidkeels liet weten dat ze er wás.

Vanaf het moment dat Dorien haar eerste kreetjes slaakte, luwde de storm. Binnen een kwartier waren de elementen tot rust gekomen. Mocht men daar een betekenis in zien? vroeg de dokter zich glimlachend af. 'Als dat zo is mag u ervan uitgaan dat uw dochter een rustgevende inbreng in het leven zal hebben,' stelde hij. En hij lachte vrolijk, temeer omdat zijn auto onbeschadigd het zware weer doorstaan had.

Nog veel jaren daarna zouden de gelukkige ouders elkaar herinneren aan de woorden van de arts. Voorlopig waren ze alleen maar blij met hun Godsgeschenk.

Het gezin De Haan woonde nog maar kort in het Friese stadje, een maand of drie. Per augustus was vader Roelof de Haan benoemd als leraar aan een uloschool en hij was nog bezig zich in te werken. Een hele verandering, dat was het wel. En niet alleen wat betreft het leraarschap, dat nogal verschilde met zijn functie als onderwijzer van klas vier van een lagere school, ook het wonen tussen en leven met de stadsmensen moest nogal wennen. In het begin hadden zijn vrouw en hij zich 'unheimisch' gevoeld, zoals De Haan zich graag uitdrukte – hij had niet voor niets de akte Duits gehaald, naderhand trouwens gevolgd door de akte Engels.

'Het is ook een kwestie van aanpassen,' had De Haan zijn vrouw Mieke voorgehouden. 'Wij moeten maar zo gauw mogelijk leren het Fries te verstaan. Misschien kunnen we het mettertijd wel spreken. Met het Stadsfries, een mengeling van Fries en Hollands, heb ik alvast geen moeite.'

Mieke wilde daarin wel met hem meegaan, ze had zich algauw aangemeld als lid van de vrouwenvereniging. Verder had ze contact gezocht met verschillende buren. Maar het nam niet weg dat hun gedachten vaak een zwerftocht ondernamen die eindigde in hun dorp in de buurt van Hoogeveen. Was er eigenlijk een betere provincie te bedenken dan het goede Drenthe?

Na die novemberstorm nam de kleine Dorien een groot deel van hun denken en voelen in beslag. Dat was maar goed ook, oordeelden de beide ouders naderhand herhaaldelijk. Was het niet zo dat het kleine ding hen over drempels in het leven heen had geholpen? Onbewust dan natuurlijk, want sturing mocht je van een peuter of kleuter niet verwachten. Maar toch!

Dorientje liet zich kennen als een blij kindje. Ze was het zonnetje in huis, ook toen er na een paar jaar een broertje een plek opeiste in het gezin en nog later weer een jongetje zich meldde. Toegegeven, ze had een vrij sterk ontwikkeld willetje, koppig kon ze soms ook zijn en bij een berisping kon ze verontwaardigd reageren. Maar tegelijk was ze ook volgzaam. En ondernemend, dat zéker. Ze zat vol plannetjes en vertelde haar pop geregeld dat er weer een reis op stapel stond. Naar de achtertuin of zo, waar ze een virtuele winkel had ingericht.

'En dan mag Lies een boek kopen,' beloofde ze de pop die haar vertrouwelinge was. 'Kom maar mee.' Aan fantasie geen gebrek, haar ouders genoten ervan.

Op de lagere school was zij het meisje waarmee de kinderen graag speelden. Ze lieten toe dat zij de leiding nam, het werd zelfs de gewoonste zaak van de wereld.

'Wat zullen we doen, Dorien? Hinkelen? Tikkertje? Verstoppertje?' Dorien wilde touwtjespringen. En haar wil was wet!

Toen Nederland overvallen werd door de Duitsers was Dorien zes jaar. Ze stond met grote ogen bij het stadhuis toe te kijken hoe de zware Duitse vrachtauto's voorbij rolden. En plotseling was de straat vol met trappelende paarden die bereden werden door mannen met geweren. Indrukwekkend, Doriens mond zakte er een beetje van open. Even later hield een nieuwe colonne vrachtauto's halt. Mannen sprongen eruit en maakten een praatje met elkaar. Sommigen probeerden contact te maken met het toekijkende publiek. Uit een kleinere, open wagen stapte een man met een pet op in plaats van een helm. Hij bleef voor Dorien staan, lachte haar toe en zei dat hij haar een aardig meisje vond. Ze verstond hem niet, maar lachte wel terug. De officier deed een greep in het dashboardkastje van zijn auto en hield een blokje chocola omhoog.

'*Möchstu das?*' vroeg hij vriendelijk.

Doriens moeder greep snel in. 'Niet aannemen! Die man is onze vijand.' Ze trok haar dochtertje stevig terug. Dorien had echter geen idee wat 'vijand' betekende en ze protesteerde hevig, want chocola was lekker.

Moeder Mieke probeerde haar duidelijk te maken dat die mannen in die gekke kleren en met die gevaarlijke geweren geen aardige kerels waren en dat ze hier de baas wilden spelen. 'En papa probeert hen tegen te houden, hij zit in ons leger.'

Weer iets onbegrijpelijks, maar één ding klopte wel: papa was de laatste tijd niet thuis. Heel soms verscheen hij opeens wel en dan had hij ook zulke gekke kleren aan. 'Hoe heette zijn jas ook alweer, mama?'

'Uniform,' antwoordde Mieke.

'U-ni-form,' zei Dorien haar na. Ze proefde het woord op haar lippen alsof het chocola was.

Toen ze een jaar of acht was maakte ze op een zondag na kerktijd met haar vader en haar broertjes een ommetje naar het park. Dat deden ze wel vaker, het park bood veel mogelijkheden voor leuke spelletjes, waaraan vader Roelof zich niet onttrekken mocht. Desnoods werd van hem verlangd de klimboom te belagen.

Deze keer bleef Dorien bij het toegangshek van het park staan. Haar aandacht werd getrokken door een groot, wit bord met zwarte letters. 'Voor Jo-den ver-bo-den,' las ze halfluid. 'Wat betekent dat, papa?' Haar vader legde uit dat Joden mensen waren die hier niet meer mochten komen.

'Waarom niet?' wilde het meisje weten.

'Omdat de Duitsers niets van Joden moeten hebben,' was het antwoord. Hij had kunnen weten dat zijn dochtertje daar niet tevreden mee was. 'Waarom niet?' herhaalde ze.

Het klopte. Dorien wilde bij moeilijke dingen het naadje van de kous weten. Dus legde vader Roelof zo goed en zo kwaad als het ging uit dat de Duitsers eigenlijk alleen maar mensen van het Germaanse ras in ons land wilden hebben. 'Daar horen wij wel bij, maar Joden niet. Daarom pesten ze die mensen, ze mogen haast niks meer. En tja, de Duitsers zijn hier de baas.'

Dorien was verontwaardigd. 'Wat gemeen van die moffen!' riep ze, want dat scheldwoord kende ze ook al. Ze liep een tijdje in gedachten met haar groepje mee en vuurde toen ineens de vraag die binnen in haar gerijpt was af: 'Moeten wij die Joden dan niet helpen?'

Daar had haar vader voorlopig even geen antwoord op. 'Ja... eh... ja,' kwam er toen moeizaam, 'maar het mag niet van de Duitsers. En verder moet jij oppassen met dat woord moffen, want als de Duitsers het horen worden ze kwaad.'

Het meisje keek hem ongelovig aan. Iedereen noemde die kerels toch zo? Maar direct daarop had ze alleen maar aandacht voor de kooi met parkieten. 'Het is net alsof die beestjes met elkaar zitten te praten. Leuk, hè?'

Kort na de zomervakantie van 1943 kwam er een nieuwe leerling in de klas van Dorien. Een meisje. Niks bijzonders, er verscheen wel vaker een nieuweling. Het kind werd door alle leerlingen van de vierde klas bekeken en gekeurd. Ze leek wel aardig, misschien was ze wel goed in gym, kon ze Akke Snijder de loef afsteken. Die Akke schepte de laatste tijd nogal op over het hardlopen, waarin ze al een hele poos de beste was. Ze liep zelfs de snelste jongen voorbij.

Verder zag die Maartje van Dijk, want zo heette de nieuwkomer, er wel goed uit. Bloes en rok waren in orde, haar donkerbruine schoenen ook, alleen was er wat geks met haar haar. Wie had er nu een staart aan de zijkant? En zou ze zelf die lange pony mooi vinden?

Wie vertelde het als eerste in het speelkwartier op het plein? Dat van: 'Die Maartje is een dochter van een NSB'er!' Plotseling gonsde het nieuwtje binnen de kortste keren over het plein en werd onderweg opgeblazen tot groot nieuws.

'Die meid komt uit een verradersfamilie!' 'Haar vader draagt het drie-hoekige NSB-speldje op zijn jas, zeggen ze.' 'Maartje houdt het met de moffen!'

Dorien wist niet wat ze ervan denken moest. Kijk die Maartje daar nou staan met een ongelukkig gezicht. Zielig. Was er nu niemand die een arm om haar schouders sloeg? Moest zij, Dorien, dat soms zelf doen? Nee... toch maar niet. Maar meelijwekkend was het wel.

De volgende dag was bij de bijbelles de gelijkenis van de farizeeër en de tollenaar aan de beurt. De meester vertelde dat vroeger tollenaars in Israël veracht werden.

'Ze inden het tolgeld, belastinggeld dus, voor de Romeinen, die de vij-anden van het volk waren. Dat vonden de mensen vreselijk. Ze wilden niks weten van die Romeinenhelpers, ze keken dat verachtelijke volk met de nek aan.'

Onder het verhaal dwaalden verschillende ogen naar Maartje. Sommige kinderen seinden elkaar met de ogen toe: wij hebben ook zo iemand in de klas. Kijk maar, daar zit ze, vooraan, met een gekromde rug en het hoofd voorover.

Dat het roerig werd in het lokaal kon je niet zeggen, maar de bood-schap zonder woorden vloog nu wel van bank tot bank: Tolgaarders en NSB'ers, was dat niet hetzelfde?

De meester merkte het niet, hij ging op in zijn vertelling. Alleen stok-te zijn verhaal even op het moment dat hij zei dat Jezus het voor de tol-lenaars opnam. Het was alsof er een onderdrukte zucht door de klas ging – een zucht van teleurstelling.

Thuis maakte Dorien duidelijk dat ze ermee zat. 'Niemand wil met Maartje spelen, maar zij kan er toch niks aan doen dat haar vader NSB'er is?'

Haar vader vond het een moeilijke zaak, hij wist eigenlijk niet wat hij ermee aan moest. Bij hem op de uloschool liepen ook een paar jongens die hij niet vertrouwde. 'En als je wat zegt dat hun niet bevalt kunnen ze zomaar naar de vijand lopen en je aanklagen. Wat kan er dan van komen? Dat je opgepakt wordt en naar Duitsland gebracht. En dat is nou net wat je niet wilt!'

Dorien frunnikte aan haar haar en wilde weten of alle NSB'ers verraders waren.

'Dat is het 'm nou juist, dat weet je nooit,' antwoordde haar vader.

'Toch ga ik eens een keertje met Maartje praten,' zei Dorien koppig.

Een tijdje later stonden jongens én meisjes voor schooltijd op het plein bij elkaar, en niet alleen maar uit de vierde klas. Ze wachtten ergens op, ze keken telkens naar het schoolhek. Jongens met hun handen in de zak, meisjes giechelend. En ze keken weer. Ha, daar had je haar!

Akke Snijder liep met vlugge stapjes op Maartje af en zei: 'Hallo.'

Het meisje keek haar verrast aan en zei: 'Ja, hallo!' En ze lachte blij.

De groep kwam op die twee af en iedereen zei: 'Hallo.' Het waren voornamelijk meisjes, de jongens hielden zich wat achteraf.

'Eh... ja, hallo!' zei Maartje. Ze begreep de plotselinge vriendelijkheid niet, de verbazing was van haar gezicht af te scheppen.

'Hallo, hallo, hallo!' schalde het nu van alle kanten en het meisje zag alleen maar grijnzende koppen. Het drong tot haar door dat de hartelijkheid van daarnet niet echt was geweest. Er stak wat achter. Het kind liep snel naar de schooldeur en verdween in de gang. Daar voelde ze zich een stuk veiliger.

Op het schoolplein bleven de kinderen grinnikend achter en rauwe verwensingen aan het adres van de NSB'ers bleven een hele tijd klinken.

Dorien stond met een klein groepje meisjes bij de voordeur. Ze hadden zich tijdens de confrontatie afzijdig gehouden. Wel hadden ze gezien dat Maartje bange ogen had toen ze de school binnen vluchtte.

Dorien stond al een hele tijd een beetje te wiebelen alsof ze iets van plan was. Ze was intussen te weten gekomen wat dat 'hallo' betekende. Ze vond het erg voor Maartje.

Plotseling, zomaar ineens, dúrfde ze. Ze zei niks maar stapte resoluut de school in. Daar was niemand, haar voetstappen weerklonken in de holle ruimte. In haar lokaal zat Maartje, op haar eigen plek, met een rode neus en glinsterende ogen.

'Ik kom bij je zitten,' zei Dorien en schoof naast het meisje in de bank.

'Ja?' vroeg Maartje met een gebroken stem.

'Ik vond het erg voor je dat ze allemaal hallo tegen je zeiden.'

'Waarom deden ze dat?' vroeg Maartje.

'Je moet je neus snuiten,' zei Dorien, en ze vervolgde: 'Hallo is een afkorting. Het betekent: hang alle laffe landverraders op.'

Het meisje begon te snikken. Dorien legde troostend een arm om haar heen. 'Ik zal wel zorgen dat het ophoudt, hoor! Wat denken ze wel!'

Maartje zat nu schokkend met haar handen voor het gezicht. Praten kon ze even niet.

Daar kwam de meester binnen en bleef geschrokken stokstijf staan. 'Wat hebben we nou?'

De uitleg kwam van Dorien. Uiteraard, want Maartje kon voorlopig geen woord uitbrengen.

'Daar zullen we wat aan doen!' zei de meester. Het kwam er kwaad uit, maar de beide meisjes wisten dat zijn boosheid hun niet gold.

Even dreigde de leidende positie van Dorien door dit voorval in gevaar te komen. Veel kinderen keerden haar de rug toe. 'Ga jij maar met die verradersmeid spelen. Hoor je misschien ook al bij die club?'

In het begin was Dorien daar boos om geworden. 'Goed. Best. Dan zoek ik wel anderen op, ik heb jullie niet nodig, hoor!'

Het duurde wel een week voordat ze twee klasgenootjes over kon halen voor een partijtje touwtjespringen. 'Natuurlijk doet Maartje mee,' stelde ze vast. Het betekende dat er een paar schapen over de dam waren. Een beetje onzeker kwamen anderen aandrentelen. 'Mogen we meedoen?'

'Jawel,' antwoordde Dorien kortaf. Het touw zwiepte en de meisjes sprongen. Langzaamaan werd het als vanouds. Dorien had de strijd gewonnen, dankzij haar doortastende optreden, maar ook dankzij haar koppigheid.

Toen een jaar later Dorien in de vijfde klas zat, was het leven een stuk moeilijker.

Mannen moesten zich melden voor de Arbeidsdienst om de Duitsers te helpen in hun strijd. Jonge mannen moesten zich aanmelden om in Duitsland te werken, want hun Duitse leeftijdgenoten zaten allemaal in het leger.

Het eten werd schaars. Dus gingen de mensen hamsteren. Maar niet alle voedsel kon je een hele tijd bewaren, zoals melk bijvoorbeeld. Vader Roelof had een voorstel: 'Dorien, als jij nou eens na schooltijd op de fiets stapte met een melkbusje aan je bagagedrager? Dan zou je op een boerderij kunnen vragen of je daar melk kunt kopen. Lijkt je dat wat? Ik moet zoiets zelf niet uithalen, dat is te gevaarlijk vanwege controlerende Duitsers of landwachters die het op mannen van mijn leeftijd voorzien hebben. Oké? Hier heb je wat geld, ik hoop dat je met een flink voorraadje terugkomt,' zei hij.

Daar fietste Dorien. Buiten de stad waaide het flink, maar het eerste stuk was dat niet erg, de wind duwde haar wel. Bij de eerste de beste boerderij zag ze al mensen met emmertjes op het erf staan. Doorfietsen dus. Op een gegeven moment kwam ze op een viersprong. Op goed geluk sloeg ze rechts af. Het fietsen ging nu een stuk zwaarder, met de wind tegen. Daar kwam nog bij dat haar voorband niet meer regelmatig over het wegdek liep, net alsof hij telkens door een kuiltje reed. Het wiel raakte ook voortdurend de voorvork.

Rechts was weer een boerderij. Maar ook een herdershond. Het dier stond haar argwanend en ook dreigend aan te kijken. Doorfietsen dus. Nieuwe boerenerven, drie op een kluitje zelfs. Daar maar? Er was geen mens te bekennen. Dorien begon verdrietig te worden, temeer omdat die band zo stompte. Het was een cushionband, gewoon een band van massief rubber; luchtbanden waren namelijk nergens meer te krijgen. Bij een brug over een vaart ging het opeens regenen. Bah, ook dat nog. Dorien besloot bij de eerstvolgende kruising rechts af te slaan, want een eindje het veld in had ze een weer een boerderij ontdekt, een kleintje deze keer. Het was een sintelpad dat ze koos. Dat hinderde niet, een lekke band zou ze niet krijgen.

Bij het boerderijtje hoorde ze gerammel van emmers achter een deur. Ze klopte aan. Geen resultaat. Nog maar eens kloppen. Alleen maar stemmen en voetstappen, meer niet.

Dorien verzamelde moed en greep de kruk. Behoedzaam deed ze de deur open en stond in een stal met acht koeien op een rij. Onder een van de dieren zat iemand te melken. Hij bleef in een beweging steken en keek nieuwsgierig langs de achterpoot van zijn koe. Dat moest de boer zijn.

'Krijgen we bezoek?' vroeg hij. Het klonk wel vriendelijk.

'Ik kom vragen of ik hier melk kan kopen,' zei Dorien. 'Ik kom uit de stad en daar is haast niks meer te koop.'

'Ik weet het,' zei de boer. 'Ja, het is wat tegenwoordig. Ben je helemaal alleen? Durf je dat aan met dit weer?'

Dorien knikte. 'Maar ik ben wel nat geworden,' zei ze.

'Even geduld,' zei de boer, 'eerst deze koe even leegmelken.'

Dorien keek om zich heen. In de schaars verlichte stal zag ze nu pas dat er nog iemand was. Een jongen, die langzaam op haar afkwam.

'Dag,' zei hij. Meer niet. Hij was iets ouder dan zij, zag ze. Blond kort haar, een ietwat dik hoofd en een wat gedrongen gestalte.

'Kom je hier ook melk halen?' vroeg ze.

'Ja,' zei hij, 'maar ik woon hier vlakbij. Dat is het verschil.'

Ze keek hem nog eens aan. Hij wendde zijn ogen af en vroeg aan de boer wanneer het eerste kalf verwacht werd. De man deelde hem mee dat met krijt op de balken boven de koeien geschreven stond wanneer ze moesten kalven. De jongen ging meteen controleren welke koe het eerst aan de beurt was.

Dorien liep hem achterna en vroeg hem of hij het leuk vond op de boerderij.

'O ja, hoor, ik kom hier bijna elke dag.' Zijn stem schoot een beetje uit. Baard in de keel, wist Dorien, het klonk wel leuk.

Ze vertelde dat haar fiets raar deed. 'Het wiel tikt telkens ergens tegenaan,' zei ze.

'O, je wiel slaat aan,' stelde hij deskundig vast.

Stilte. Alleen het petsen van de melk in de emmer en het gezucht van een koe lieten zich horen.

'Ik denk dat ik je fiets wel kan repareren,' zei de jongen, 'maar dan moet je even met me meegaan. In de schuur van mijn vader ligt een heleboel gereedschap.'

'Graag!' riep Dorien. 'Nu direct maar?'

De boer liet een kort lachje horen. 'Je bent wel voortvarend,' zei hij. 'Geeft niet, hoor, ik mag dat wel. Ga maar met hem mee en kom straks je melk halen.'

Samen liepen de jongen en het meisje het sintelpad af. Hij had haar fiets aan de hand genomen. 'Ik geloof dat ik de kwaal al weet,' zei hij, en vervolgde: 'Hier is het.' Hij deed de deur van de schuur open. Ze kwamen in een schemerige ruimte met een betonnen vloer en een werkbank.

Met een zwaai zette hij haar fiets op de kop en ging het wiel met een steeksleutel te lijf. Na een minuut of vijf was hij klaar met zijn karwei. 'Dat loopt straks weer als een klokje,' zei hij trots en zette het vehikel rechtop.

Ze vond het knap van hem. Een aardige jongen eigenlijk ook. 'Ik kan wel zien dat je niet bang bent voor zo'n klusje,' prees ze hem. Ook al begon de schemering naderbij te kruipen, toch zag ze bij hem een beginnend kleurtje opkomen. 'Ga je nog mee terug naar de boerderij?' vroeg ze vlug.

Ze namen opnieuw het sintelpad. Zij langzaam trappend op haar herstelde rijwiel, hij met grote stappen ernaast. Met een gesprek werd het niet veel, als er al iets gezegd werd moest het van haar kant komen. Op de boerderij bond hij vakkundig haar busje met melk aan de bagagedrager en liep de stal weer binnen. Ze kwam rap achter hem aan. 'Hoe heet je?' vroeg ze.

'Eelke,' antwoordde hij, 'Eelke Couperus. En jij dan?'

'Dorien de Haan,' zei ze.

'Ha!' riep de boer, die gekromd zijn handen stond te wassen bij een laag geplaatste waterkraan, 'Eelke en Dorien, dat klinkt leuk!'

Er vloog een rode gloed over Eelkes gezicht. Dorien lachte maar een beetje. Ze betaalde de boer en vertrok.

Het was inderdaad zo dat Eelke geregeld een kijkje kwam nemen op de boerderij. Af en toe sprong hij bij als de boer het in zijn ogen een beetje te druk had. Hij had een paar stevige knuisten en ook wel zicht op het werk. Maar vanaf die bewuste ontmoeting met de melkhaalster was hij er zéker te vinden op maandag- en donderdagmiddag, want dan kwam zij ook.

Dorien had wel door dat hij haar graag zag, maar ze liet er niets van blijken. Wel vond ze hem steeds aardiger, al zei hij nog steeds niet zoveel.

'Ben je nog op school?' vroeg ze hem op een keer.

Hij vertelde dat hij op de uloschool in de stad was. 'O,' zei ze, 'dan ken je vast mijn vader wel. Hij is daar leraar.'

'Hoe... eh... heet je vader dan?' hakkelde Eelke, want hij kon haar achternaam niet meer bedenken.

'De Haan, hè?' was haar wat scherpe antwoord.

'O, De Haan!' riep hij verrast. 'Ja, die ken ik, hij geeft ons soms les.'

'Soms?'

'Ja, af en toe, want hij hoort niet bij onze school.'

'Op welke school ben jij dan?'

Hij noemde de naam van zijn ulo.

'O, maar dan ben jij hervórmd,' zei ze, 'mijn vader is leraar op de gereforméérde ulo.'

'Nou ja.' Eelke wist er niet veel over te zeggen. 'Toch komt hij weleens bij ons, als er iemand ziek is of zo. Aardige man trouwens.'

Ze was het roerend met hem eens. Ze vond hem óók aardig.

Op een keer stelde ze hem voor ook een 'melkbeurt' voor zijn rekening te nemen. Zij op maandag, hij op donderdag bijvoorbeeld. 'Je fietst tóch elke dag naar de stad.'

Het leek hem wel wat, hij stemde direct toe.

'Dan kun je ook eens een kijkje bij ons thuis nemen,' opperde ze verder. Maar daar was hij minder enthousiast over.

'Altijd doen!' adviseerde de boer vanaf zijn melkstoeltje. 'Eelke en Dorien, samenwerking is altijd goed!'

De eerstvolgende donderdag bond Eelke het melkbusje aan zijn bagagedrager. O ja, zijn medeleerlingen uit het dorp mochten best weten hoe het zat. 'Is voor meneer De Haan,' zei hij eenvoudig.

Oké, vonden ze. 'Kan geen kwaad, altijd doen.'

Juist, dat zei de boer ook al. Maar die redeneerde vanuit een andere zienswijze.

Vanaf die tijd fungeerde Eelke wekelijks als melkbezorger voor het leraarsgezin en leerde hij zonder eropuit te zijn alle leden kennen.

'Papa is thuis anders dan op school, hoor,' had Dorien voorspeld. 'Lang niet zo streng.'

Eelke had een ander idee over de man. 'Hij is thuis nog aardiger dan op school.'

En vader De Haan zelf? 'Die Eelke is een prima vent, Dorien, en niet alleen omdat hij ons geregeld voorziet van verse melk, maar ook omdat er geen sprankje kwaad in hem steekt. Hij is alleen wat verlegen en daardoor heeft hij niet veel praatjes. En een beetje onzeker is hij ook.'

Zo had zijn dochter Eelke nog niet bekeken. Ze vond hem gewoon een goeie jongen, die ze best als vriend wilde hebben.

Na de bevrijding verloor Dorien haar vriendje uit het oog. Ze ging naar de uloschool van haar vader en kreeg andere contacten. Van jongens moest ze niet veel hebben, althans voorlopig niet, maar in de loop van haar puberjaren verlegde ze haar belangstelling gaandeweg naar de andere sekse. Nog steeds was ze een populair meisje. Niet meer zozeer om mee te spelen zoals op de lagere school, maar wel om naar te kijken. Ze haalde toen ze vijftien was met gemak het ulodiploma en wilde daarna, ondanks het aandringen van haar ouders om voor onderwijzeres te gaan leren, absoluut geen verdere studie. Stel je voor, wéér elke avond boven de boeken zitten en dan na vier jaar opnieuw naar school – dan als onderwijzeres, dat wel, maar zou dat haar leven zijn? Nee, beslist niet! 'Ik ben niet een mens van tussen vier muren, dat zouden jullie moeten weten,' stelde ze wijsneuzig vast.

Onwrikbaar was ze en haar ouders kenden haar en legden zich er dus bij neer.

Dorien kwam als aspirant-verkoopster in een boekhandel terecht. Dát was haar leven. Omgaan met mensen, zelfbedachte verkooptechnieken uitproberen, een vrolijke noot vormen tussen het wat saaie personeel van de boekwinkel.

Af en toe had ze een beetje verkering met een jongen, nu en dan kwam ze ook weleens met een vriendje thuis, maar bestendig waren haar relaties niet. Ze leed er niet onder als er weer eens een verkering uitraakte, ook niet als niet zij maar hij degene was die de schaar hanteerde. De mensen om haar heen oordeelden dat Dorien een goed leventje leidde en hun korte samenvatting van haar wezen luidde: een prettige meid, die er nog leuk uitziet ook.

Dorien wist van deze dingen. Ze besefte dat ze door veel jongens met bewondering en door veel meiden met afgunst nagekeken werd. Het beviel haar en ze had zich dan ook voorgenomen deze toestand nog een mooi tijdje te laten voortduren. Dat ging goed tot ze als negentienjarige op kerstavond naar de kerk ging. Het was er bomvol, de familie De Haan slaagde er ternauwernood in een plaatsje te vinden. Helemaal vooraan lukte het nog, al konden ze niet bij elkaar zitten. Het had iets aparts, zo'n avonddienst. Boven de hoofden van de gemeente brandden lampen, waarvan het licht weerkaatst werd door de donkere vensterramen. De sfeer van overdag was geweken, een gevoel van knusheid was er voor in de plaats gekomen. Verder was het duidelijk: de gemeente verwachtte iets van deze dienst. Zoiets van: het wordt vast mooi, vooral nu het mannenkoor optreedt.

De zangers zaten in vol ornaat met de rug naar de preekstoel gekeerd, straks zouden ze losbarsten. Een piano stond gebruiksklaar naast het koor. Het kerkorgel speelde kerstliedjes die een ongebruikelijk geroezemoes overstemden.

Na verloop van tijd werd het rustiger in de kerk en kon Dorien beter luisteren naar de prachtige klanken van het orgel. De man achter de toetsen speelde afwisselend oude en nieuwe liederen, soms luchtig: *Hoe leit dit Kindeke hier in de kou*, andere keren gedragen: *Nu sijt wellecome*.

Dorien vond dat de organist meeslepend speelde en dat vond ze nóg toen de dominee na votum en groet psalm 98 vers 2 liet zingen: *Hij heeft gedacht aan Zijn genade*.

Na de bijbellezing, uiteraard het kerstevangelie, was er een licht

gestommel vanaf de orgelbank te horen. De organist zou nu zijn functie van pianist waarnemen. Met vlugge passen kwam hij aanlopen.
Vanaf haar zitplaats kon Dorien zien dat het helemaal geen oudere
man was zoals ze zich had voorgesteld, maar een jonge vent nog. Ze
kende hem niet. Maar spelen kan hij wél, bedacht ze nog en toen moest
ze zich bedwingen om niet een hand voor de mond te slaan. Want ze
kende hem wél! Ze herkende hem zelfs aan een kleine beweging toen
hij op de pianokruk ging zitten – ze zag hem als het ware een busje met
melk aan een bagagedrager binden. Meteen flitsten haar ogen naar
haar ouders. Gezien? seinde ze. Korte knikjes en lachende ogen
bevestigden haar herkenning.

De predikant meldde dat het mannenkoor het lied *Heerlijk klonk het
lied der eng'len in het veld van Efrata* zou laten horen. Met een welwillende blik op de man achter de piano vervolgde hij: 'Onze gastpia-
nist is meneer Eelke Couperus, bij sommigen van u waarschijnlijk wel-
bekend.'

Ze zat vlak bij de piano. Als ze opstond en ze deed twee stapjes naar
voren zou ze bij wijze van spreken haar hand op zijn schouder kunnen
leggen. Toen Eelke zijn eerste akkoorden aansloeg ging er iets als een
rilling door haar heen.

Het mannenkoor bracht het lied prachtig, maar ze had alleen maar oog
voor de pianist. Hij zat met de rug naar haar toe, af en toe zag ze zijn
rechterhand over de toetsen gaan. Zijn bovenlichaam deed om zo te
zeggen mee met het beroeren van het klavier, zijn knikkende hoofd
volgde het aanslaan van de toetsen – je kon zien dat hij het instrument
beheerste. Op gezette tijden keek hij vlug even naar de dirigent om
zich daarna weer bij zijn muziekblad te bepalen.

Vlak voor de preek was *Stille nacht* aan de beurt, ook met pianobege-
leiding. Bij Dorien begon het vanbinnen te trillen toen Eelke na elke
regel vliegensvlug met kerstklokachtige klanken strooide en precies op
tijd weer klaar was met de begeleiding van de volgende regel. Bij het
tweede couplet deed hij hetzelfde, maar dan met een baspartij. Bij het
derde waren de kerstklokjes er weer.

Was het niet schitterend? Kerel nog aan toe, wat kon die jongen iets uit
de piano halen! Nooit geweten. Dat kon trouwens ook niet, ze had hem

finaal uit het oog verloren. Opeens wist ze dat ze opnieuw kennis met hem wilde maken. Niet alleen omdat hij zo prachtig kon spelen, maar ook omdat hij zo'n fijne vent was. Stom eigenlijk, dat ze hem indertijd had laten schieten. Kijk nou, hij draaide zich een kwartslag om op zijn kruk om naar de voorganger te kunnen kijken. De preek kon beginnen. Nee, toch niet. De dirigent wenkte zijn pianist: kom maar naast mij zitten, de hele preek gekluisterd zijn aan die kruk is ook niks. Eelke maakte een afwerend gebaar, maar de dirigent tilde uitnodigend een klapstoel op. Langzaam stond de jongeman op, aarzelend liep hij naar de man toe en ging zitten – met het gezicht naar de gemeente.

Hij zat er maar stijfjes bij, vond Dorien, maar was dat een wonder? Iedereen keek naar hem – daar had je dus de organist en pianist die zulke mooie klanken aan zijn instrumenten wist te ontlokken.

Eelke keek naar de planken van het podium waarop hij zat. Nu en dan gingen zijn ogen heel even over de menigte voor hem. Hij voelde zich duidelijk merkbaar niet op zijn gemak, zo'n rechtstreekse confrontatie met de gemeente was niets voor hem.

Dorien had geen oog van hem af. Op het moment dat hij weer even opkeek probeerde ze zijn blik te vangen. Het lukte niet, zijn ogen waren er te schichtig voor. Toch hield ze vol en toen zijn ogen weer een ogenblik gingen dwalen verschikte ze vlug even. Met succes, zijn blik bleef een paar tellen op haar rusten, zijn wenkbrauwen wipten even omhoog en zijn lippen plooiden zich tot een glimlach.

Dorien was tevreden. Tot zover tenminste. Ze ging door met haar spel en bespeurde tot haar genoegen dat hij er, zij het voorzichtig, in meeging. Op een keer kwam het zover dat ze elkaar toelachten.

Er rijpte intussen een plannetje in haar hoofd. Ze overlegde bij zichzelf hoe ze dat het beste kon uitvoeren. Maar haar ontkomen zou hij niet!

Van de preek hoorde ze praktisch alleen het 'amen'. Ze keek toe hoe Eelke haastig zijn plaats achter de piano innam en zich wijdde aan zijn muziek. De gemeente mocht nu met het koor meezingen *Daar is uit 's werelds duist're wolken een licht der lichten opgegaan.* Het was alsof niet de dirigent maar Eelkes piano richting gaf aan het lied. Bijzonder mooi, vond Dorien.

Voor de collecte verdween Eelke uit haar gezichtsveld, hij zat weer op de galerij aan het orgel, waar hij volle klanken uit haalde.

Na de dienst repte ze zich, voor zover dat mogelijk was, naar de trap van de galerij. Toen het grootste deel van het volk de kerk uit was, ging ze naar boven waar Eelke nog zat te musiceren, zich onbewust van de toehoorster achter hem. Hij trok nog een paar registers open en greep gretig in de toetsen. Op zijn muziekblad stond het *Halleluja* van Händel. Bij het slotakkoord rekte Eelke zich een ogenblik uit, nam met een ruk zijn handen van het klavier en bleef een paar tellen doodstil zitten, alsof hij het tot zich liet doordringen dat zijn inbreng hiermee nu echt afgelopen was.

'Wat mooi,' zei Dorien zachtjes.

Hij keek om, schrok en bloosde. 'Dorien,' zei hij.

'Je kent me nog!' stelde ze vast.

'Jazéker,' zei hij. 'Je dacht toch niet dat ik je vergeten was?'

'Wat lang geleden, hè?' zei ze.

Hij wist onmiddellijk wat ze bedoelde. 'Jazeker!'

'Heb je zin om met me mee te gaan voor een kopje koffie?' vroeg ze, nu toch wat aarzelend.

Hij lachte zachtjes. Leuke kop heeft hij, dacht ze, hij is er knapper op geworden. Ze keek hem vragend aan.

'Jazeker,' antwoordde hij.

Ze kon het niet laten om te vragen: 'Weet je alleen maar jazeker te zeggen?'

Hij grinnikte. 'Jazeker,' zei hij toen met een hoofdknik. En vervolgde toen: 'Wonen jullie nog op hetzelfde adres? Mooi zo, ik moet hier nog het een en ander opruimen, maar ik kom zo gauw mogelijk bij jullie.'

Daar wilde Dorien niets van weten. 'Wel nee, joh, ik wacht wel even.'

'Ook als het een halfuurtje duurt?' informeerde hij.

'Jazeker,' lachte Dorien.

3

OPA AGE COUPERUS MAAKT ZIJN DAGELIJKSE WANDELING. DAAR KAN HIJ
niet zonder, het hoort bij zijn levensritme. Straks als hij thuiskomt is er
waarschijnlijk koffie en anders zet hij zelf zijn bakje wel. Daarna gaat
hij zijn dagblad doorsnuffelen en na het middagmaal trekt hij zich
terug op zijn kamer om een uiltje te knappen. Om een uur of vier
maakt hij opnieuw een loopje en na het avondeten kijkt hij beneden
wat naar de televisie of hij luistert boven naar de radio.

Hij treft het. Het is dan nog wel maart, maar de zon doet flink zijn best
om de wolken opzij te schuiven en dat lukt hem na een tijdje ook nog.
Meteen ligt er een glans over het vroege groen van de weiden en de
boomtakken lijken al zo kaal niet meer.

Onder het wandelen laat Age zijn gedachten altijd de vrije loop. Van
alles glijdt als op een lopende band aan hem voorbij; soms wordt hij
besprongen door nare herinneringen, die hij met alle macht probeert
terug te dringen. Dat valt niet altijd goed uit, ze laten zich vaak moeilijk verdrijven.

Het beroerde is dat het elke keer weer om een gevecht gaat. Age heeft
een hekel aan die strijd. Het is een kampslag die zijn hele bestaan beïn-
vloedt, die zijn stemming bepaalt en die hij vaak verliezen moet.

Ook nu weer gaat hij het gevecht aan. Hij dwingt zichzelf het goede te
zien van zijn bestaan en te denken aan Eelke, zijn jongen waar hij zo
trots op is. Een flinke kerel, die zich dapper door het leven slaat, die
open staat voor een ander en op wie de leerlingen en hun ouders gesteld
zijn. Bovendien kan hij op muzikaal gebied heel wat. Wie in een wijde
omgeving kan zo goed orgel- en pianospelen als hij? Het is een genot
om te horen hoe hij 's zondags in de kerk de gemeente begeleidt.

Nou ja, hij heeft een paar zwakke punten. Zo kan hij moeilijk examens
afleggen, die hoofdakte bijvoorbeeld kon hij maar niet halen. Maar wat
zou dat? Was hij dan van plan ooit hoofd van een school te worden?
Toegegeven, het salaris zonder dat papiertje is nou niet om over te jui-
chen. Maar Age brengt toch zelf ook flink wat financiën in? Hij legt op
tijd zijn kostgeld op tafel en dat heft het tekort van het ontbreken van
die akte wel op.

Als hij de school van zijn zoon passeert, moet hij de opwelling om even naar binnen te lopen bedwingen. Dan richt hij zijn schreden naar het plantsoen, dat om een deftige state is aangelegd. De paden daar zijn nog nat, straks thuis goed voeten vegen, want Dorien laat geregeld weten dat ze op reinheid gesteld is.

Ja, die Dorien. Vanaf het begin van haar verkering met Eelke heeft Age haar graag gemogen. Een flinke, eerlijke en integere meid, iemand waar je op aan kunt. Ronduit in haar spreken, rechttoe, rechtaan in haar oordelen en optimistisch tot-en-met – ze ziet veelal de zonzijde van de dingen. Met hun kinderen Egbert en Yvonne vormen Eelke en Dorien een prachtig gezin.

Tja. En toch ziet hij, vader Age, verwijdering ontstaan tussen zijn zoon en schoondochter. Vooral de laatste tijd doet Dorien nogal eens snauwerig tegen haar man. Niet dat ze hem afbekt, het is veel meer een lichte irritatie. Ze ergert zich aan hem en kan dat niet camoufleren met een scheef lachje of zo, nee, dan flapt ze er meteen uit wat haar stoort. Eelke reageert daar niet onmiddellijk op, al wordt hij wel rood.

Is het met de gezelligheid in huize Couperus een beetje gedaan? Tweede vraag: is hij, vader Age, daar misschien debet aan? Hij vreest van wel. Dorien kan hem soms aankijken op een manier van: wat doe je hier eigenlijk nog! Kun je nou nergens anders onderdak vinden? Drie jaar ben je nu al hier, is dat nog niet lang genoeg?

Daar heb je het weer, de zon verschuilt zich achter een dikke wolk en alles is grijs. Ages gedachten gaan weer op de sombere toer. Hij is nu tweeënzeventig, en wat had het leven nog mooi kunnen zijn. Maar dat is het niet. Wel is hij gezond, gelukkig wel, en aan kracht ontbreekt het hem niet. Ook op financieel gebied heeft hij geen problemen. Wie op zijn uiterlijke omstandigheden afgaat ziet een vitale kerel die nog best in staat is mee te draaien in het sociale leven.

Ja, zo lijkt het inderdaad, maar hijzelf weet beter: zijn verleden plaagt hem. Of plagen, dat is het woord niet, hij kan beter van kwellen spreken. Of teisteren. En nog zijn de woorden niet zwaar genoeg om zijn gevoelens weer te geven.

Age ziet de gebeurtenissen in de maand mei van het jaar 1943 scherp voor zich, elke dag weer. Het is de bedreiging van zijn leven geworden.

Hij ervaart het als een donkerblauwe onweerslucht waaruit zomaar felle bliksemschichten kunnen schieten, stralen die dodelijk zijn als ze hem treffen. Of als een veel te zware deken die om hem heen gewikkeld zit en die hem bijna verstikt. Het gevaar dat elke dag weer op de loer ligt, verduistert alle vrolijkheid.

Soms kan hij er niet meer tegen, vooral niet als hij maar niet wakker kan worden uit zijn bange dromen, waarin de geschiedenis zich niet alleen herhaalt maar ook bizarre vormen aanneemt.

Wie weet van zijn angsten af? Alleen Eelke; hem heeft hij het verteld en laten beloven er met niemand over te praten. Dat heeft die jongen dan ook niet gedaan, hem is een geheim wel toevertrouwd. Hij heeft zelfs zijn vrouw erbuiten gelaten.

Het ellendige is dat er wel iemand anders op de hoogte is. Dat is het 'm nou juist. Het gaat om een leeftijdsgenoot met wie hij in de oorlogsjaren veel te maken had. De man heeft tot nog toe zijn mond gehouden over het voorval, maar stel je voor, ja stél je vóór! Op het moment dat die persoon zijn mond opendoet is het met Ages reputatie afgelopen. Dan is zijn leven in feite verstreken.

Bijna dertig jaar nu wordt hij achtervolgd door die verstikkende angst. Gedurende die tijd kon hij altijd troost zoeken bij zijn vrouw, die hem graag tot steun wilde zijn. Toen zij stierf stortte zijn wereld in. Hij kon het niet meer bolwerken en vluchtte naar zijn zoon – nu drie jaar geleden. Zijn verblijf hier reduceert zijn vrees, dat wel, en toch mist hij nog altijd het echt blije gevoel dat hij vroeger wel kende. Age realiseert zich dagelijks dat hij niet verder zou kunnen zonder de bescherming van Eelke. Wat zou er van hem worden als hij op zichzelf werd teruggeworpen? Beter maar niet aan denken.

Thuis treft hij Dorien in de keuken bezig. Ze poetst de kraan boven de gootsteen, typisch Dorien. Een beetje voorovergebogen staat ze daar, met half opgestroopte mouwen, schort voor, kracht uitstralend – één brok gezondheid.

'Hoi,' zegt schoonvader Age.

Ze kijkt over haar schouder en steekt een hand met een spons op. 'Koffie?' Bedrijvig scharrelt ze bij het aanrecht, verbluffend handig zet ze koffie. Hij neemt plaats op een krukje en kijkt vergenoegd toe.

'Koud buiten?' vraagt ze.

Verbeeldt hij het zich of is haar stemgeluid ook wat aan de koude kant?

'Fris,' zegt hij. 'Maar wat wil je, het is maart.'

Dorien poetst alweer. De koffie reutelt in het apparaat. Het zou knus kunnen zijn, maar...

'De kinderen allebei naar school?' vraagt hij. Wat is dat nou voor stomme vraag, weet hij niets beters te verzinnen? Nou nee, beseft hij, er is iets in haar houding dat hem verontrust.

'Tuurlijk,' antwoordt ze kortaf, 'waar anders?' Zie je wel? Ze bijt weer van zich af. Jammer.

Dorien gooit spons en doek in een emmer en schenkt koffie. Ze zet zijn kopje net iets te hard op de formica keukentafel en schuift bij.

'Ik zou eens met u willen praten,' begint ze.

O wee. Hij hoort dat ze zichzelf dwingt om rustig over te komen. Dit kan nog wat worden! Hij knikt langzaam.

'U woont nu drie jaar bij ons.'

U, denkt hij. Zou ze niet eens wat minder afstandelijk tegen hem kunnen doen? 'Ja, drie jaar,' zegt hij.

'Wordt het niet eens tijd om naar een ander adres om te zien?' Hard is haar toon niet, toch knalt het hem in de oren.

'Ander adres?' vraagt hij onnozel.

Ze kijkt hem alleen maar aan. Hij schuift onrustig op zijn kruk heen en weer. 'Ik zou niet weten...' begint hij met een zucht.

Ze blijft hem aankijken.

'Wil je me hier weg hebben?' Het komt er lijdzaam uit, dat hoort hij zelf ook.

'Weg hebben, weg hebben, dat is een groot woord. Maar drie jaar vind ik aardig lang.' Ze heeft nu al haar aandacht bij de koffie, ze roert er een hele tijd in.

'Heeft Eelke hier dezelfde ideeën over?' vraagt hij opeens ferm.

'We hebben het nu niet over Eelke.' Een bits, kort zinnetje, maar wel veelzeggend. Hij schrikt ervan. Zit er soms meer achter haar vraag?

Stilte. Even zijn ze elk bezig met hun eigen gedachten.

Opeens vliegt het hem aan. Hij het huis uit? Hoe dan? Waarheen dan? Eelke is zijn toeverlaat. Weet ze dat niet? Wil ze het niet weten? Staat hij, schoonvader Age, tussen man en vrouw in? Vormt hij een barrière tussen hun beiden?

De wolk die daarnet de zon verduisterde hangt nu in de keuken, dreigend, gevaarlijk. Zo meteen gaat-ie breken. Dat moet hij voorkomen. Wat moet hij zonder Eelke?

'Ik had er nog niet over nagedacht,' zegt hij zo rustig mogelijk. Toch kan hij een lichte trilling in zijn stem niet voorkomen. 'Ik moet zeggen dat ik er eigenlijk op gerekend had...'

'Dat dacht ik wel,' onderbreekt ze hem scherp, 'maar u zou uw gedachten er eens over kunnen laten gaan.'

'Ik ben nu tweeënzeventig,' zegt hij overredend.

'Daarom juist,' is haar rappe antwoord.

'Ben ik jullie tot last?' Hij merkt tot zijn verrassing dat hij in het defensief gaat. Maar daar wil ze geen antwoord op geven, ze kijkt weer voor zich en strijkt onbewust een plooi in haar schort glad.

Hij staat op. 'Ik ga naar boven, maar...' Opeens klinkt hij een beetje schor. 'Maar ik wil nog één ding kwijt. Dat is dit: ik voel mij beschermd door Eelke en dat besef wil ik niet kwijt. Sterker nog, ik kan er niet zonder!' De laatste woorden komen er haast rauw uit. Hij sluit de deur achter zich krachtiger dan gewoonlijk. De woorden van zijn schoondochter: 'Wat die twee precies met elkaar hebben mag Joost weten!' hoort hij niet meer.

De druk op Ages leven is na dit gesprek groter geworden. Nog meer zorgen, nog minder vreugde. Hoe moet het allemaal komen? Moet hij het op zijn leeftijd nog meemaken dat de mensen hem verachtelijk de rug toekeren? Hem? De man die in aanzien stond bij praktisch iedereen?

Op zijn kamer geeft hij zich over aan de inkeer tot zichzelf, zoals hij het noemt. Het betekent dat hij in gedachten terugkeert naar de tijd dat hij floreerde; dat hij een man van gezag was, dat er naar zijn oordeel werd geluisterd.

De stap naar de tijd van toen is voor hem een dagelijks gebeuren. Hij fantaseert er zelfs over en droomt er soms van. Dan ziet hij zichzelf zoals hij nu nog zou willen zijn. Intussen realiseert hij zich dat hij die situatie idealiseert. Dat deert hem niet, hij bouwt verder aan zijn illusie.

In de jaren dertig was Age Couperus een gezeten veeboer op een klein dorp. Samen met zijn vrouw Wietske leidde hij zijn bedrijf voortreffelijk en zijn gezinsleven was vreugdevol. Het was alleen jammer dat hun zoontje Eelke geen broertjes en zusjes kreeg. Maar dat was overkomelijk, er waren ergere dingen.

Hun kleine Eelke was een leuk joch dat de dingen snel doorhad en naderhand op school goed kon meekomen. Hij had speelgoed en dus ook vriendjes genoeg, ging ruzies liever uit de weg en hield van muziek; het jongetje zong al vroeg het hoogste lied.

Een minpuntje had hij ook: hij was gauw te intimideren en trok zich veel te vlug terug in zijn schulp. Kereltje, dacht Age vaak, kom eens wat beter voor jezelf op, laat zien wie je bent en toon als het nodig is je vuisten!

Het hielp niet, het bangelijke zat er bij de jongen ingebakken. Jammer, niks aan te doen. En... Age herkende sommige van deze trekjes. Alleen door een jarenlange training had hij zichzelf op dit punt overwonnen. Dacht hij tenminste – als het eropaan kwam viel hij zomaar terug in zijn oude 'zonde'. De enige die hem goed kende, ook in zijn zwakheden, was zijn vrouw. Zij begeleidde hem op een subtiele manier, zó dat hij het nauwelijks in de gaten had.

De dorpsbevolking beschouwde hem als iemand waar je op aan kon en wiens inzichten haast altijd tot goede resultaten leidden. En ook als een mens met een groot hart, die oog had voor minderbedeelden.

Over dat laatste kon bijvoorbeeld de schilder meespreken. Omstreeks het jaar 1935 sloeg de economische crisis zo hard toe, dat er bij de meeste gezinnen ronduit van armoe sprake was. Je mocht blij zijn als je nog je dagelijks brood kon verdienen, en elk dubbeltje werd omgekeerd voordat het uitgegeven werd. Wie haalde het dan nog in zijn hoofd om bijvoorbeeld zijn huis te laten verven? Uitstellen en wachten op betere tijden, dat was het parool.

Op een zomerse ochtend fietste boer Couperus naar een naburig dorp. Onderweg zag hij iets vreemds. Daar zat iemand in de berm, met het hoofd voorover, in de sloot te staren. Het was de schilder.

Age fietste hem verwonderd voorbij. Meteen bedacht hij dat het tafereel dat hij gezien had niet kon. Er wás iets met die man. Hij stapte af en liep terug.

'Wat zit u hier eigenaardig,' zei hij, 'is er iets?'

De man keek hem aan met doffe ogen.

'Ja,' antwoordde hij zuchtend, 'ik weet het niet meer. Ik heb een groot gezin en al een week of drie geen werk, en dus ook geen inkomen.'

'U zit aan de grond?' raadde Age.

'De spaarpot is leeg, alle reserves zijn op,' was het antwoord.

De diaconie! dacht Age, de diaconie is er ook nog! Direct daarop besefte hij dat die stap voor deze man te groot zou zijn. De baas van een bedrijf ging niet gauw door voor armlastig, ook al betrof het hier een eenmanszaak.

'U hebt ook geen uitzicht op een karwei?' vroeg hij vlug.

Er volgde een moedeloos hoofdschudden.

Age dacht een paar tellen na en zei toen: 'U kunt mijn boerderij aan de buitenkant schilderen. Wat mij betreft begint u vandaag nog.'

De man stond haastig op en putte zich uit in dankbetuigingen. Het werd Age haast een beetje te veel, hij onderbrak de woordenstroom met: 'Als u geen bezwaar hebt tegen een voorschot van mijn kant, kom dan vanavond even langs.'

De schilder was niet de enige die door Age geholpen werd. Het was al eens gebeurd dat boer Couperus een van de diakenen aan zijn jas had getrokken met de mededeling dat hij een gemeentelid wist dat in de gaten moest worden gehouden. Er was daar werkelijk sprake van armoe en de volgende kerkenraadsvergadering liet nog drie weken op zich wachten.

Age kon zulke dingen zeggen – hij was ouderling-kerkvoogd. Iemand in zo'n positie kon zich iets meer permitteren dan een doorsneegemeentelid.

'Kijk,' had de betrokken diaken op de kerkenraadsvergadering gezegd, 'we kunnen natuurlijk niet het beleid uit handen geven. Wij bepalen wie er geldelijke steun nodig heeft. Het zou een mooie boel worden als iedereen ons maar kon voorschrijven waar we met ons geld naartoe moesten. Maar als Couperus het zegt...'

Die laatste zin hoefde niet afgemaakt te worden; iedereen begreep dat Couperus' advies het einde van alle tegenspraak inhield.

'Couperus heeft zijn ogen goed opengehouden,' zei dominee Wagenaar in zijn functie als preses. Hij keek welwillend opzij naar de man in kwestie naast hem en meldde dat de kerkenraad graag naar hem luisterde. Instemming bij de andere leden: knikkende hoofden en goedkeurend gemompel.

Age keek bescheiden voor zich, hij had veel aandacht voor zijn schoenen. Wat hij niet kon zien en de anderen wel was zijn glanzend gezicht.

Ook in zijn werk was Couperus een gerespecteerd man. Niet alleen omdat hij zijn bedrijf voortreffelijk leidde, maar ook omdat hij als veehandelaar betrouwbaar was. Goed, hij wilde graag wat aan zijn handel verdienen, hij kwam het liefst met een dikke portefeuille van de veemarkt thuis. Tegelijk probeerde hij ook hier zo eerlijk mogelijk door het leven te gaan. Dat wisten de boeren die hem inschakelden bij het verkopen van hun beesten: bij Couperus kwam je niet op de koffie.

Tot die ontdekking kwam ook de boer die hem een koe verkocht. In zijn stal waren ze na veel handjeklap tot overeenstemming gekomen, Couperus kocht het dier voor vierhonderdvijfenzeventig gulden. Het afrekenen gebeurde in de huiskamer, waar de boerin de koffie met koek al klaar had staan. Op een bijzettafeltje stond de jeneverfles, met twee glaasjes ernaast.

'Eerst de zaken, dan een neutje?' stelde de boer voor. Aan zijn gezicht was te zien dat hij ingenomen was met de prijs van zijn koe.

Age vond het best. Hij deed zijn colbert open en gunde daarmee het echtpaar een blik op het kettinkje dat hij om zijn hals had en waarvan de uiteinden bevestigd waren aan de portefeuille in zijn binnenzak.

'Zozo,' zei de boer bewonderend, misschien wat afgunstig.

'Dat moet wel zo,' repliceerde zijn gast, 'stel je voor dat ik hem verlies!'

'Of dat u onderweg naar huis aangevallen wordt of zo,' begreep de boer.

Age telde het bedrag uit op het pluchen tafelkleed, in biljetten van

honderd en van vijfentwintig. 'Alsjeblieft. En stop het maar goed weg.'
'Ik moet vanmiddag toch even naar de stad,' zei de boer. 'Kan ik het dus even lossen bij de bank.'

Intussen keek hij met grote ogen naar de portefeuille die nu open en bloot op tafel lag en waarin nóg een dikke laag bankbiljetten te zien was. 'U gaat nog meer koeien kopen?' kon hij niet laten te vragen.

Age glimlachte. 'Als ik nóg iemand tref met zulk goed vee, dan vast wel,' complimenteerde hij de boer. Die schonk verheerlijkt een borrel.

Diezelfde avond was er volk aan de deur van de boer. Het was Age. 'Couperus!' zei de man. 'Moeilijkheden?'

'Kunnen we binnen even praten?' vroeg Age.

De boerin, die behoorlijk nieuwsgierig was, kwam al gauw aandraven met de koffiepot. Maar Age beliefde niks, nee, ook geen borrel. 'U bent vanmiddag nog naar de bank geweest?' wilde hij weten.

Dat was inderdaad het geval, de boer had het geld op zijn boekje laten bijschrijven.

'En niks bijzonders gemerkt?' vroeg Age.

Nee, de man had de opbrengst van zijn koe samen met een ander bedrag gestort. 'Is er soms iets aan de hand?'

'Tja, ik heb vanmiddag bij thuiskomst ontdekt dat ik te veel geld op zak had,' zei Age, 'ik ben bang dat ik u te weinig uitbetaald heb.'

De boer rees overeind, liep naar de bedstee en haalde een geldkistje van de plank. Met de rug naar Age en zijn vrouw toe telde hij bankbiljetten uit op het laken. En nog eens en nóg een keer.

Met een wat verhit gezicht kwam hij bij hen terug. 'Ik heb vanmiddag uw geld mét een bedrag van tweehonderd gulden van mezelf naar de bank gebracht. Ik weet precies hoeveel er nog in het kistje hoort te zitten en nu mis ik vijftig gulden,' zei hij met een verwachtingsvolle blik op Age.

'Klopt,' zei Age en haalde twee biljetten van vijfentwintig uit zijn jaszak. 'Alsjeblieft.'

Verreweg de meeste dorpelingen waren dus bijzonder op Age Couperus gesteld. 'Een kerel van stavast! Iemand die je niet gauw in de kou laat staan,' luidden de kwalificaties van het dorp.

Maar och ja, iedereen heeft zo zijn zwakheden en dat gold voor Couperus ook, daar waren de mensen wel achter gekomen.

'Weet je wat het met Couperus is?' zeiden de inwoners van het dorp. 'Hij wil graag geprezen worden. Liefst hardop en duidelijk. Als je dat niet doet betrekt zijn gezicht direct.' De meesten lieten hun uitspraak vergezeld gaan van een vergoelijkende glimlach.

Het bestuur van de Oranjevereniging had op een keer niet expliciet laten uitkomen dat voorzitter Couperus een tekort van zo'n honderd gulden met een greep in zijn portefeuille ongedaan had gemaakt. Niemand die hem de volgende dagen aansprak met een woord van waardering. Couperus had op de volgende bestuursvergadering de penningmeester nadrukkelijk gevraagd hoe het nu met de kas gesteld was. 'Geen nieuw tekort, hoop ik?'

Toen pas kwamen de woorden van dank en genegenheid. Het was dan toch maar Couperus geweest die het mogelijk had gemaakt dat het volksfeest zonder schulden afgesloten kon worden, of niet dan? En de bestuursleden kenden hun plicht: daarna werd Age op straat aangehouden met prijzende woorden. 'Als we u niet hadden...'

Age glansde weer en zei dat hij niets bijzonders gedaan had. Maar opnieuw kon hij zijn eigen gezicht niet zien.

'Weet je waar hij niet tegen kan?' vroeg de voorzitter van de schoolvereniging aan zijn secretaris. 'Ons medebestuurslid heeft bijzonder veel moeite met kritiek. Kritiek op hém welteverstaan. Een beste kerel, die het heel goed meent met zijn omgeving, maar ook iemand waar nogal gauw een deuk in zit.'

Zo was het en dat wist Age zelf ook wel. Bij het minste kritische woord kromp hij als het ware in elkaar. Direct daarop verschanste hij zich in een egelstelling. Vaak vermande hij zich en sprak hij zichzelf vermanend toe. Het hielp niet veel, hij was nu eenmaal vanbinnen kwetsbaar. Er was maar één remedie: zijn zwakke punt verbloemen. Het werd dus een kwestie van camouflage, die uitliep op een haast dagelijkse training. Zo op een manier van: laat nooit zien dat je in feite een gevoelig mens bent die in zijn broosheid te gauw omvalt. Zorg er alsjeblieft voor dat de mensen je beschouwen als een brok graniet.

Het kwam zover dat Age inderdaad van mening was dat hij als een rotsblok bekeken werd. Dat besef sterkte hem, hij durfde zich dan ook als zodanig te presenteren.

Toch bleef er altijd een zekere twijfel aan hem knagen. Zag hij soms niet spottende ogen boven een prijzende mond? Meenden ze het echt? Dat van: 'Spreek met Couperus en het komt in orde?' Werd er achter zijn rug niet geginnegapt?

Elke keer als Age het vermoeden kreeg dat hij niet voor de volle honderd procent serieus genomen werd, kreeg zijn zelfbewustzijn een knauwtje. Een opvijzeling werd dan weer noodzakelijk.

Het drong tot hem door dat hij het zichzelf vaak moeilijk maakte. Maar hoe moest het dan wel? Hij kon toch niet publiekelijk rondbazuinen dat het met zijn innerlijke sterkte niet al te best gesteld was? Het zou niet meer of minder dan een val in de diepte voor hem betekenen. Het angstige spookbeeld van Age.

Hij vroeg zich trouwens vaak genoeg af of hij niet een beetje gek aan het worden was. Waren er niet twee Ages? Een stoere en een krachteloze? Tegelijk wist hij dat hij niet op een andere manier kon leven dan zo. Niemand ter wereld mocht zijn zwakte kennen.

Niemand? Nou ja, Wietske wel. Bij haar voelde hij zich op zijn gemak. Het zekere weten dat ze hem doorgrondde gaf hem rust. In hun gesprekken gaf hij zich volkomen bloot, net als bij hun intieme momenten in de bedstee. Het was heerlijk om een kleine jongen te zijn, om troost te zoeken in verdriet en om hartelijk te lachen om dingen die alleen zij met z'n tweeën begrepen.

Wietske had er vaak binnenpretjes om. Soms had ze een ferme man én – een blik naar de zesjarige Eelke – een kleine jongen, maar er waren ook tijden dat ze twee jongetjes had.

Zijzelf was een stabiele vrouw en dat straalde ze ook uit. In het gezin Couperus was zíj de leidende figuur.

En Age had daar vrede mee.

4

MAANDEN ZIJN VERSTREKEN, HET IS ZOMER GEWORDEN. EEN BLIJE TIJD voor velen – wie houdt er niet van licht, buitenlucht en warmte? De boeren zijn bezig met hun tweede hooioogst, de eerste zit al veilig in de schuren, waar de specifieke geur van vers hooi hangt.

Mensen kijken uit naar de vakantie. Zomaar een week of twee ertussenuit, wie had dat in de jaren na de Tweede Wereldoorlog kunnen denken? Nu, in 1970, worden de plannen vaak tot over de grenzen verlegd. Het buitenland, met zijn heuvels en bergen, fjorden en koele meren, wenkt verlokkend – om de kriebel van te krijgen.

Op school maakt Eelke zich klaar voor het afscheid van zijn zesde klas. Er moet een feestje komen, zijn leerlingen passeren immers een mijlpaal.

Na de vakantie gaan ze naar het vervolgonderwijs in de stad, jawel! Een reden om uitbundig en ook stoer te doen tegen het grut dat nog maar in de vijfde zit. En ze zien zichzelf al fietsen naar de stad met een boekentas achterop – het zekerste teken dat ze bij de groten horen.

Wat een verschil, denkt Eelke. Pas een jaar geleden kwamen ze als nog jonge kinderen bij mij in de zesde, nu zeggen ze me vaarwel als aankomende pubers.

Eelke leeft de laatste tijd in twee werelden. Op school is er een levendige opgewektheid, thuis treft hij een getemperde vrolijkheid aan. Yvonne kakelt als vanouds, Egbert wijst haar terecht en doet alsof hij niet alleen de oudste maar ook veruit de wijste is. Ze maken minstens één keer per dag ruzie en worden dan door hun ouders vermaand. Tot zover verloopt het leven in huize Couperus heel gewoon.

Toch hangt er een schaduw over de woning, de echte levendigheid is verdwenen. Eelkes gulle lach is niet vaak meer te horen en Doriens mond staat strak. Wel praten ze zo gewoon mogelijk gewoon tegen elkaar, ze overleggen ook wel, maar er ís duidelijk iets.

De kinderen merken het. Yvonne bekijkt haar ouders soms met een vragende blik, Egbert haalt zijn schouders op. Hij doet trouwens vaak nogal onverschillig – dat hoort zo als je straks al naar de tweede klas gaat en je stem soms uitschiet doordat je langzaamaan de baard in de keel krijgt. Toch straalt ook hij een zekere argwaan uit in de conversatie met zijn ouders.

Wat er is? De beide echtgenoten weten het: er is tussen hen een afstand gegroeid. Een kloof, niet breed misschien, maar wel vrij diep. Daarbij gaat het om opa Age.

'Luister eens, Eelke,' heeft Dorien maanden geleden al gezegd, 'ik vind dat je vader hier nu lang genoeg heeft gewoond. Waarom zou hij zich niet eens ergens anders settelen? Dat zou voor ons allemaal beter zijn.' Eelke wilde er niks van weten. Maar dan ook helemaal niks! 'Zit mijn vader je dan zo in de weg? Bezorgt hij je overlast? Ik dacht het niet, hè, hij is plezierig in de omgang, geen mens tot last en bovendien: hij voelt zich hier veilig.'

Dorien kreeg een rimpeltje boven haar neus. 'Plezierig? Nou... dat kan ik echt niet zeggen. En veilig bij ons? Best mogelijk, maar dat kan toch op een ander adres ook? Bovendien erger ik me aan dat klitten van jullie. De een kan geen moment zonder de ander – noem je dat natuurlijk? Ja? Nou, ik vind het een onvolwassen gedoe. Het zou beter zijn als jullie elkaar eens een tijd niet zagen!' Haar stem was behoorlijk in kracht toegenomen, haar wangen hadden wat meer kleur en er schoten vonkjes uit haar ogen.

Eelke ergerde zich eraan. 'Je kunt zeggen wat je wilt, maar ik laat mijn vader niet vallen!' schoot hij uit. 'Bovendien heb ik hem beloofd...'

'Nou? Wát heb je hem beloofd?' vroeg Dorien fel.

'Eh... dat ik goed voor hem zou zorgen,' hakkelde Eelke opeens en keerde zich van haar af.

Dorien had meer verwacht. 'Wat verzwijg je eigenlijk voor mij?'

'Niks.' Eelke had zijn afgemeten toon teruggevonden. Hij liep bij haar weg en zei bij de deur: 'Daar heb jij niks mee te maken!'

Op de gang besefte hij dat zijn laatste uitspraak nergens naar leek. Dorien had álles te maken met de huisvesting van zijn vader. Hij zou dus bij haar terug moeten komen en het een en ander rechtzetten. Dat vertikte hij! Met boze stappen liep hij naar het schuurtje, greep zijn fiets en slingerde zich erop. Driftig gaf hij de pedalen er van langs.

'Ja jongetje, nu kun je er wel vandoor gaan, maar we zijn nog niet uitgepraat,' zei Dorien tegen niemand. 'Je moet goed weten dat ik de band tussen jullie tweeën veel te sterk vind. Ik zal het je nog wel anders zeggen, ik vind jullie vader-zoonverhouding niet normaal meer. Om niet te zeggen: onnatuurlijk. En daar zal ik wat aan doen ook!' wond ze zich opnieuw op terwijl ze de stofzuiger ietwat ruw ging hanteren. 'Jouw vader overleeft het wel als hij naar een nieuw adres gaat!'

Die avond was er onder het eten weer die onbehaaglijke stilte. Zelfs Egbert en Yvonne kwebbelden niet, ze keken elkaar eens aan en haalden hun schouders op. Het getik van het bestek op de borden leek harder over te komen dan anders.
Opa Age zei helemaal niets. Hij at met een peinzende blik zijn bord leeg en keek niet één keer op.
Na de afwas verwachtte Dorien dat Eelke bij haar zou komen om een paar dingen te verduidelijken. Hij bleef in zijn hoekje zitten, verdiept in de krant. Niet één keer keek hij haar aan, zelfs niet schichtig.
'Nou?' opende zij het gesprek.
Hij keek haar niet-begrijpend aan.
'Wat wou je me nog zeggen?' ging ze verder.
Hij haalde zijn schouders op. 'Ik zou het niet weten.'
'Ik wel! Je wilde me zeggen wat er precies is tussen je vader en jou. En dat wordt tijd ook. Het is hier niet gezellig meer. En dat komt allemaal door je vader.'
Eelke schoot overeind. 'Blijf van mijn vader af! Die staat hier buiten en hij heeft nergens schuld aan, hoor je dat?'
Dorien zuchtte. Onbegrijpelijk! Die Eelke. Anders zo'n meegaand type, een volgzame jongen, en nu opeens één bonk onverzettelijkheid. Wat wás er toch met hem?
Intuïtief wist ze plotseling dat ze hem op een andere manier moest benaderen. Ja, maar hoe dan? Ze liep de kamer uit en haalde gedachteloos een doek over het aanrecht.
Ze kwam er voorlopig niet uit.

Nu het afscheid van de zesde klas voor de deur staat vertelt Eelke er thuis af en toe iets over en dan is zijn toon haast weer als vroeger. Dorien haakt erop in met: 'Ik kan me voorstellen dat er van lesgeven niet veel meer terechtkomt. Is dat ook zo?'

Hij knikt grinnikend. 'Ze hebben hun lesjes nu wel geleerd. Alles draait nu om de toneelstukjes die ze gaan opvoeren voor de ouders.'

Dorien glimlacht. Zijn toon is weer als vanouds, denkt ze, als je niet beter wist zou je kunnen denken dat er niets aan de hand is. Was het maar waar!

Ze weet niet meer hoe ze de kwestie moet aanpakken. Boos worden helpt niet, tenminste op dit punt niet, heeft ze begrepen – hij is als het om zijn vader gaat onverzettelijk. Bovendien gaat de goeie sfeer in dit huis naar de knoppen als ze zo doorgaan. Dus legt ze zich voorlopig het zwijgen op. Egbert en Yvonne hebben recht op een prettige stemming thuis.

Ze doet de volgende dagen oprecht haar best en ze ziet de gezichten opklaren. De kinderen kibbelen weer, opa Age doet bij de gesprekken aan tafel ook weer wat duitjes in het zakje en Eelkes lach is vrolijk.

Fijn voor hen, maar is er ook iemand die in deze situatie aan haar denkt? Dorien moet zich vrolijkheid opleggen, ze heeft in de gaten dat haar lach gekunsteld is. Haar wrange gedachte van: zolang meneer zijn zin maar krijgt is er niets aan de hand! probeert ze te verstoppen.

Het moeilijke is dat ze ook in bed haar meegaande houding moet volhouden. Eelke is lief voor haar, daar niet van, en hij houdt van haar, hij koestert haar en op een keer als ze heel intiem zijn fluistert hij haar in het oor dat zij alles voor hem betekent. Ze keert haar hoofd af, bang dat hij op haar voorhoofd haar gedachten kan lezen, en ze kan het niet opbrengen hem ook iets liefs te zeggen.

Na afloop liggen ze stil naast elkaar. In het zuinige licht van het nachtlampje bekijkt Dorien zijn onscherpe profiel – een bos warrig, donker haar, een ietwat wijkend voorhoofd, een rechte neus, volle lippen en een spitse kin. Dat voorhoofd, wat zou daarachter schuilen? Welke gedachten mag zij niet weten? Kennen man en vrouw elkaar volkomen? Vormen Eelke en zij een twee-eenheid? Nee, niet meer. Zou hij intussen onder zeil zijn? Nee, zijn ademhaling is nog niet diep genoeg. Ze draait zich voorzichtig op haar zij. Verzet je gedachten, Dorien, houdt ze zichzelf voor, probeer te slapen. Morgen maar verder peinzen, het raadsel Eelke is nog lang niet opgelost.

Egbert komt thuis met een mooi rapport. Hij is overgegaan naar de tweede klas en heeft nu vakantie. Hij glundert als hij zijn moeder met een sierlijke zwaai zijn rapport toegooit. 'Niet schrikken, mam!'

'Allemaal vieren en vijven zeker,' veronderstelt Dorien en steekt dan een minilofrede af. 'Dat heb je knap gedaan, Egbert! Ook voor wiskunde een zeven en ik dacht nog wel dat je het daar soms moeilijk mee had. Weet je wat? We gaan vanavond een feestje bouwen. Zeg maar wat we gaan eten.'

Egbert floreert de laatste tijd en Dorien weet hoe dat komt: haar inspanningen om weer tot goede verhoudingen te komen hebben resultaat!

Weer zo'n cynische gedachte: ja, mooi makkelijk voor Eelke. Wanneer geeft hij eens iets toe? Maar ze zegt samenzweerderig: 'Als papa straks uit school komt moet je hem vragen of hij je vakantiebeursje wil spekken.'

Die avond komt de vrolijke stemming langzaam aansluipen. Eerst is er natuurlijk het bezichtigen van Egberts rapport, daarna komt zijn lievelingskostje op tafel: gebakken aardappelen met gehakt en sperziebonen en als toetje ijs met chocola.

Opa Age heeft zijn portemonnee getrokken, Egbert is er een rijksdaalder beter van geworden. Er wordt gelachen en gepraat. Eelke vertelt hoe het erbij staat met de voorbereidingen voor de afscheidsavond. Yvonne verklaart dat zij, als ze zover is, ervoor zal zorgen dat er een echte musical opgevoerd zal worden en Egbert lacht haar daarom vierkant uit. 'Een musical? Ach kind, je weet niet eens wat het is!' Wat zijn zus hartstochtelijk ontkent waarna zij op hoge toon verzekert dat Egbert een eigenwijze vent is geworden nu hij naar klas twee gaat. Moeder Dorien grijpt in met een plechtig: 'Onderlinge geschillen laten we vanavond rusten.'

'En beter niet alleen maar vanavond,' mompelt opa Age zachtjes voor zich uit.

Dorien heeft het gehoord, haar mond trekt strak. Maar wat ze op de tong heeft blijft daar liggen.

'Ja, nog even en het is vakantie. Ook voor ons, hè, Yvonne?'

Oei, een precair onderwerp. Dorien werpt een verontwaardigde blik naar haar man. Waarom begint hij daar nu over? Het is het oproepen van problemen, let maar op.

En ja, hoor. 'Waar gaan we ook alweer heen?' vraagt Yvonne verheerlijkt.

Eelke vertelt dat hij een complete bovenverdieping gehuurd heeft in de buurt van Eberbach. 'Aan de rivier de Neckar. Een prachtig landschap! Veel heuvels, mooie oude stadjes en een natuur om elke dag van te genieten!' Hij praat enthousiast en krijgt alvast een rood hoofd van de voorpret.

'Gaat opa ook mee?' vraagt Yvonne. 'Ja toch?'

Een steen in de vijver. Opa kijkt weer op zijn bord, Eelke en Dorien doen er het zwijgen toe en Yvonne verbaast zich. 'Waarom zeggen jullie niks?'

Haar vader antwoordt dat alle dingen nog niet geregeld zijn, haar moeder haalt de schouders op. Weg is plotseling het feestelijke gevoel, de stilte komt terug.

'Wanneer gaan we?' probeert Yvonne nog. Maar er komt geen antwoord.

Na de maaltijd verdwijnt opa Age snel naar zijn kamer. Een paar dagen geleden heeft Dorien hem te verstaan gegeven dat hij ook dit jaar weer het beste een logeerpartij kan bespreken bij zijn broer. Diezelfde dag nog is Eelke bij hem op zijn kamer gekomen met een voorstel. Ze kunnen onmogelijk met z'n vijven in hun VW-kever, maar als vader Age nu eens per trein naar Eberbach reisde? Dan zou hij de vakantie best op hun adres kunnen doorbrengen, ruimte genoeg!

Vader Age heeft gezegd dat hij erover zou nadenken.

Ze staan samen aan het aanrecht en laten de vaat zonder woorden door hun handen gaan. Af en toe werpen ze een zijdelingse snelle blik op elkaar. Eelke bespeurt een mond als een streep, Dorien ontdekt een rood voorhoofd.

'Hoe kon je dat nou doen?' valt ze opeens uit.

Hij begrijpt haar onmiddellijk. 'Hoe kwam jij erbij mijn vader opnieuw naar zijn broer te sturen? Je weet hoe slecht het hem vorig jaar bevallen is. En dat zonder overleg met mij!'

Dorien antwoordt venijnig dat een gedachtewisseling met hem bij voorbaat nutteloos is en Eelke verkondigt dat hij zich niet voortdurend door haar laat vermurwen.

Achter hen gaat de kamerdeur open. Yvonne. 'Maken jullie wéér ruzie?' In haar stem klinkt angst door. En ook verontwaardiging.

Achter haar staat ineens Egbert. 'We zouden toch feest hebben?' Hij legt zowaar een beschermende hand op de schouder van zijn zusje.

Hun ouders zwijgen beschaamd.

De volgende dagen probeert iedereen er het beste van te maken. Maar er komt een tijd dat het geschilpunt besproken moet worden.

'Nu moet jij maar zeggen hoe het moet,' zegt Dorien stijfjes, 'ik trek mijn handen ervan af.' Ze zitten met z'n tweeën in de kamer, Dorien heeft de televisie uitgezet. 'Nou?' vraagt ze terwijl ze haar strijd-vaardigheid tracht te bedwingen.

Eelke gaat erbij staan. 'Als je het mij vraagt: ik zie geen reden waarom pa niet mee zou kunnen als hij zelf voor zijn vervoer zorgt. Waarom zouden we het hem niet gunnen? Dan heeft hij ook eens een leuke onderbreking van zijn dagelijks bestaan. Ik had zo gedacht: jij en ik...'

'Mij best,' smijt Dorien ertussen. 'Alleen moet je je dan wel met hem bemoeien, je kunt hem niet elke dag alleen laten.' Ze staat abrupt op, beent naar de lectuurmand en grijpt haar cryptogrammenboekje.

Uitgemaakte zaak? Zo snel al?

'Ik zal het met plezier jullie allemaal naar de zin maken,' belooft Eelke opgelucht.

'Voor mij hoef je geen moeite te doen, ik red mezelf wel!' geeft Dorien koel te kennen.

De drukte van 'wat moet mee en wat hebben we niet per se nodig?' is gelukkig achter de rug. Eelke moet wijdbeens de bagage in de hal over-winnen om bij zijn kever te kunnen komen. Bedrijvig loopt hij heen en weer en laadt zijn auto vol. 'Het wordt weer proppen, Egbert,' zegt hij tegen zijn helper, 'we moeten er rekening mee houden dat er ook nog vier personen in moeten.'

Een tijdje later: daar gaat de familie, uitgezwaaid door de buren. Leuk.

Het tekent volgens Eelke een goede verstandhouding.

Boven, voor een raam, staat opa Age. Hij wuift ook even. Eelke steekt zijn arm ver uit zijn open raampje.

Hij heeft niet het fijne vakantiegevoel van vorige jaren. Goed, zijn VW'tje tuft lekker, de zon schijnt en het Odenwald in Duitsland lonkt, wat wil je nog meer? Jawel, er is iets dat Eelke nog meer wil, hij zou de opgetogen en verwachtingsvolle stemming van vroegere vakantiereizen terug willen hebben.

Die is er niet, vooral bij Dorien niet. Ze zit naast haar chaufferende man en kijkt wat sip voor zich uit. 'Ja,' zegt ze, 'het is inderdaad mooi weer, Yvonne, dat treffen we.'

Ze heeft zich voorgenomen zich positief op te stellen. Als dit veertiendaagse uitstapje mislukken mocht zal het niet aan haar liggen, ze wil haar best doen er iets goeds van te maken. Als Eelke er nu ook maar zo over denkt!

Dat doet hij wel, weet ze, hij zoekt ook het goede in het leven.

Ja maar, waarom is hij dan op sommige punten zo halsstarrig? Opa Age moest en zou mee op vakantie, morgen komt hij aan op het station van Eberbach. Eelke zijn zin! Wanneer komt zij eens aan de beurt?

De angel is er nog niet uit bij hen. Het vreemde is dat het Eelke niet zo schijnt te deren. Ook al zo gek. Is hij aan het veranderen? De gedachte bekruipt haar dat haar man en zij zich langzaam maar voortdurend verder van elkaar afkeren. Waar blijven zijn spontane omhelzingen de laatste tijd? Wanneer zijn ze voor het laatst intiem geweest?

Is het misschien afgelopen met de spontane vrijpartijen?

'Heb je onze mondvoorraad onder handbereik?' vraagt Eelke.

Wat een stomme zin, denkt Dorien. Kan hij niet gewoon vragen: 'Kun je wel bij onze boterhammen?' Meteen realiseert ze zich dat ze wel érg kritisch is. 'O jawel, hoor, maar het is nog niet zover. Eerst maar eens een flink eind rijden, vind je ook niet?'

Eelke knikt en glimlacht haar toe.

Een flink eind, inderdaad. Voorbij Zevenaar, bij de Duitse grens, hangen Egbert en Yvonne over de stoeltjes van hun ouders naar voren. Een spannend moment, maar de douanebeambte wuift hen met simpele handbeweging weg.

Ziezo, nu zijn ze in het buitenland. Het idee alleen al! Om een kriebel in je buik van te krijgen.

'Jij straks ook een eind aan het stuur?' stelt Eelke voor.

'Na de eerstvolgende stop maar,' zegt Dorien. Het is een wel heel korte dialoog, maar ook dat heeft zijn reden. Dorien noemt het bij zichzelf de slag om het rijbewijs. Weer zo'n netelig onderwerp.

Dat rijbewijs. Hoe lang is het geleden? Vier jaar? Vijf? Dorien weet het niet precies. Maar het was een drama.

Het spaarbankboekje zag er langzaamaan aantrekkelijk uit. Op de laatst ingevulde bladzij blonk hun een aardig kapitaaltje tegemoet. Werd het niet eens tijd om stappen te ondernemen? Bij een garage in de stad bijvoorbeeld? Een tweedehandsje moest er wel af kunnen. En verder: wie reed zo langzamerhand níet in een auto? Op Eelkes school waren de meeste collega's hun bromfietstijd te boven.

Maar wat moest je met een auto als je er niet in mocht rijden? Eelke gaf zich voortvarend op voor rijles. Meteen al de eerste keer vond hij het leuk om de wagen zijn wil op te leggen. Hij hanteerde de versnellingshendel soepel, was vaardig in het achteruitparkeren en toonde dat hij goed zicht had op de verkeerssituatie.

'Zullen we het rijexamen maar aanvragen?' stelde de instructeur na niet al te lange tijd voor.

Daar was Eelke het gloeiend mee eens. Hij vond dat hij de wagen goed beheerste en bovendien hakte de prijs van de lessen erin.

Hij moest in de stad afrijden en dus stapte hij op een mooie morgen al om halfacht op de fiets. Algauw raakte hij verzeild tussen jakkerende scholieren die hem nauwelijks tijd en ruimte gaven om uit te wijken. Eelke kreeg even een nare smaak in de mond.

Had hij niet al eens eerder zoiets meegemaakt? En hoe was het die dag verdergegaan? Maar niet meer aan denken, gedachten gewoon wegduwen.

Het theoretisch gedeelte, in een restaurant tegenover het station, was een fluitje van een cent.

Toen in de auto. Eelke nestelde zich en merkte dat hij knap zenuwachtig was. Met een trillende hand zette hij de wagen in z'n één.

'Voorlopig maar rechtuit,' zei de examinator, 'en verder op mijn instructies letten.'

Schokkend reed Eelke weg. Nu trilde zijn andere hand ook al. Vervelend, want wat had hij te vrezen? Het was trouwens ook warm in de auto, hij voelde dat zijn hoofd rood werd. Maar hij haalde de wagen keurig door de eerste bocht.

'Bij die verkeerslichten rechtsaf,' sommeerde de man naast hem. Het licht sprong op geel en Eelke schrok. Hij gaf flink gas en hield zijn slee met moeite op het rechte spoor.

'Dat was rood,' constateerde de examinator kalm, 'en u ging te snel.'

Het begon te prikken in Eelkes haar en er liep een dun straaltje over zijn rechter ooglid.

De hellingproef. 'Rustig, rustig,' kalmeerde de man hem.

Het mislukte en niet zo'n beetje ook. Ze zakten zo'n twintig centimeter achteruit.

Terug bij het station parkeerde Eelke de wagen correct.

'Wat vond u er zelf van?' wilde de examinator weten.

Eelke, plotseling de kalmte zelve, deelde mee dat hij er niet onderste-boven van was. De man snoof even en zei dat Eelke kon uitstappen.

Eelke deed zijn deur open en had al een been buitenboord toen hij hem hoorde roepen: 'Die fietser!'

Er was helemaal geen fietser, maar Eelke wist onmiddellijk dat hij achterom had moeten kijken. Het was niet meer dan een bezegeling van zijn lot.

'Hindert niet hoor, volgende keer beter,' zei Dorien. Ze was erg lief voor hem en beurde hem op. 'Weet je wel dat praktisch niemand het in één keer haalt? Je bent geen uitzondering, hoor.'

Bij zijn tweede rijexamen ging het beter, alleen gaf Eelke een auto van rechts geen voorrang. Bovendien vermeerderde hij snelheid op het moment dat hij ingehaald werd. En hij zweette weer verschrikkelijk.

'U beheerst de wagen wel, maar u maakt fouten,' stelde zijn examinator vast.

Eelke kwam opnieuw bedremmeld thuis.

'Doorzetten,' zei Dorien. 'Je weet dat je het kunt.'

De derde en de vierde poging liepen ook op niets uit.

'Ik wist het wel,' zuchtte Eelke, 'ik kán niet examen doen. Ik stop ermee.'

'Nog één keer proberen,' hield Dorien aan.

Het schip strandde opnieuw.

Wat nu? Alle plannen naar de prullenmand? Iedereen in een auto langs 's heren wegen en de familie Couperus op de fiets?

'Als ík nou eens rijlessen nam?' opperde Dorien. 'Het kan nooit kwaad als één van ons het rijbewijs heeft.'

Een moeilijk te verteren brok voor Eelke. Hij zag het al voor zich: zij achter het stuur en hij op de bijrijdersstoel. Op straat natuurlijk spottende gezichten en waarschijnlijk smalende opmerkingen. Maar wat moest hij?

'Doe dat maar,' zei hij mat.

Dorien slaagde in één keer. 'Ik had het kunnen weten,' zei Eelke. 'Goed, wij nemen een auto en jij rijdt.'

'En jij neemt nog een paar lessen en legt zo gauw mogelijk dat rijexamen af,' maakte Dorien uit.

Het was zijn zesde keer en Eelke reed zijn parcours onberispelijk. Er was bij hen al een rijbewijs binnen, er hing dus niet veel meer van af.

Eelke slaagde met glans.

Ze zijn in het gebied dat het Odenwald heet. Bij Heidelberg zijn ze van de snelweg gegaan en nu rijden ze langs de rivier de Neckar. Aan weerskanten daarvan zien ze dicht beboste heuvels. Af en toe ontdekken ze hoog tussen de bomen ruïnes van eeuwenoude kastelen, die in het late zonlicht opblinken tussen het groen.

'We moeten zo meteen linksaf,' zegt Dorien met de kaart op schoot, 'en dan zijn we er ook gauw.'

De kinderen achter in de auto leven op. Ze zijn erg benieuwd naar hun vakantiedorpje waar ze twee weken zullen doorbrengen. Deze slingerende weg ligt alvast in een prachtig natuurgebied. Schuin naar voren gebogen speuren ze tussen hun ouders door de weg af.

Plotseling zijn ze er. De meeste huizen zijn wit en doorkruist met zwarte balken. Een wit kerkje steekt helder af tegen het omringende geboomte.

Even later draait Eelke de contactsleutel om op de parkeerplaats van een groot huis. Na het urenlange geronk van de motor suist de stilte hun in de oren.

'Hier is het,' zegt Eelke.

5

De volgende dag drentelen Eelke en Egbert over het perron van Eberbach. Het is warm, volgens de Duitse *Wettervorhersage* loopt de temperatuur vandaag op naar zo'n dertig graden. Eelke slentert in korte broek naar het einde van het perron. Het is een uur of drie in de middag en de koperen ploert wordt onbarmhartig – gauw terug naar de schaduw van de overkapping.

Egberts spijkerbroek plakt aan zijn achterste. Maar in een korte broek lopen wil hij niet. Dat doe je niet als je dertien bent, zoiets bewaar je voor het strand of zo.

De trein komt denderend binnen en doet piepend zijn best om op tijd tot stilstand te komen. Voor een raampje vliegt een bekend mensen-hoofd voorbij. Een hand gaat omhoog. Opa Age.

Egbert kijkt verrast toe hoe de man door zijn zoon Eelke uit de trein geholpen wordt. Wat een ontmoeting! Alsof ze elkaar in geen jaren gezien hebben. Egberts vader slaat een arm om de schouder van opa en lacht verheerlijkt. Straks geven ze elkaar nog een kus! griezelt Egbert.

Zover komt het niet. Eelke neemt zorgzaam de koffer van zijn vader over en wijst naar de uitgang. 'Ha, daar hebben we Egbert ook!' roept opa vergenoegd. 'Leuk dat je er ook bent, jongen!'

In de auto vertelt opa Age over zijn goede reis en neemt intussen bewonderend de omgeving op.

'Aardig, niet?' polst Eelke.

'Bijzonder,' is het antwoord.

'Ik hoop dat we hier een mooie tijd mogen doorbrengen,' zegt Eelke. Zijn vader bevestigt die uitspraak met kleine knikjes. 'En mocht dat niet zo zijn, ik kan elk moment de terugreis aanvaarden.' Bij die woor-den worden zijn knikjes dieper.

Eelke schudt gedecideerd zijn hoofd. 'Absoluut niet. Samen uit, samen thuis.'

Op de achterbank beweegt Egbert zijn schouders alsof hij iets akeligs van zich wil afschudden.

'Thuis' zitten Dorien en Yvonne in de tuin hen op te wachten.

Dorien geeft haar schoonvader een hand en biedt hem wat te drinken aan. 'U zult wel dorst hebben na zo'n lange reis.' Ze doet vriendelijk tegen hem en zoekt een mooi plekje in de schaduw voor hem op. 'Zo, nu eerst maar eens lekker uitrusten.'

Eelke moet erom lachen, hij is toch al de hele dag vrolijk. Hij steekt zittend in een tuinstoel zijn witte benen voor zich uit.

Egbert en Yvonne lachen ook maar eens en ze kijken elkaar aan met een blik die zij alleen maar begrijpen.

'Een mooi stekkie,' prijst opa Age, 'heerlijk, zo'n ruime tuin met terras.'

'En niet te vergeten: een overdekt zwembad,' vult Dorien aan. 'Dus, als u zin hebt...'

De verdieping die ze met z'n allen mogen bewonen blijkt ook in orde te zijn. De architect is bij de bouw van de woning niet bekrompen te werk gegaan. Alles getuigt van degelijkheid en deugdelijkheid en de sanitaire voorzieningen zijn zonder meer prima.

'Dit vertrek hebben we voor jou bestemd,' wijst Eelke. Zijn vader is meteen tevreden. 'Ook nog radio op mijn kamer,' stelt hij waarderend vast. 'Maar daar zal ik niet vaak gebruik van maken,' komt er zachtjes achteraan.

'Waarom niet?' Het toontje van Dorien is íets harder dan nodig is.

'Och...' is het weifelende antwoord.

'Ja?' dringt ze aan.

'Weet je, ik kan nog steeds niet goed tegen die Duitse klanken. Jazeker, ik weet wel, het is vijfentwintig jaar geleden, maar tóch.'

'O juist,' zegt Dorien, 'ja, dat is uw generatie, hè?' Daarmee is voor haar de kous af.

'We zullen de komende tijd wel vaker Duits horen spreken, pa,' waarschuwt Eelke. Met een subtiel handgebaar maakt hij Dorien duidelijk dat ze dit onderwerp beter kan laten rusten. Hij kent de achtergronden...

De vraag is: hoe vullen ze hun dagen met een gezelschap waarvan de oudste tweeënzeventig is en de jongste tien?

Dat wordt voorlopig wandelen. Door het dorp, langs stille weggetjes, over bospaden en na een dik uur weer op huis aan. En het wordt winkelen in Eberbach, en andere steden. Opa Age doet dapper mee,

Yvonne krijgt er na een tijdje genoeg van en Egbert gaat er liever alleen op uit – met een boekje in een hoekje, beter gezegd: in de schaduw van de reusachtige kersenboom in de tuin houd je het ook geen uren vol.

'We moesten maar eens gaan denken over 'elk wat wils'', stelt Dorien voor, 'we hoeven niet altijd samen aan de wandel.'

Op een middag gaat Eelke met zijn vader een uitgezette tocht in het bos volgen. Dorien kijkt hen na. Daar gaan ze van start, een kwieke oudere heer met wandelstok en een vlotte jeugdige man – ze zijn meteen in een gesprek gewikkeld. Tja, denkt Dorien.

Egbert slentert samen met zijn zusje langs de doorgaande weg; een bepaald doel hebben ze niet.

En Dorien? Wat is zíj van plan? Eigenlijk niks. Ze had wel een idee, ze zou graag met Eelke een rit langs de Neckar hebben gemaakt, maar voor ze ermee op de proppen kwam had Eelke het al met zijn vader op een akkoordje gegooid. Dus kiest ze voor: in badpak zonnen in een tuinstoel, met een cryptogrammenboekje bij de hand.

Eigenlijk vindt ze het maar niks en hoe langer het alleen-zijn duurt, hoe vervelender het wordt. Daar heb je het dan, ze zit hier in haar een-tje – ze was er wel bang voor.

Als iedereen weer op de basis is moet er gekookt worden. Door Dorien, wat dacht je? Ze neemt een bak aardappelen en zet die Egbert op schoot. 'Ga je gang. Niet te dik schillen!'

Yvonne moet sla wassen en plukken. Wat de beide heren betreft: Eelke verdiept zich op het terras in een Duits blad en naast hem rookt opa Age een pijp.

Bij het aanrecht staat Dorien en braadt met een rood hoofd varkens-lapjes. Opeens loopt ze met grote stappen naar de tuin en zegt: 'De afwas is straks voor jullie. Goed?' Zonder antwoord af te wachten is ze weer weg.

Onder het eten vertelt Yvonne dat ze vanmiddag nóg een Nederlandse familie gezien heeft. 'Als je achter ons huis de heuvel op loopt kom je bij een ruïne, een kasteel van vroeger. Onderweg zie je dan een groot wit huis en daar zitten ze. Ook op een bovenverdieping en met haast precies zo'n terras als wij. Er is ook een meisje bij, ongeveer even oud als ik.'

'Leuk,' zegt Dorien, 'maar wel dooreten, Yvonne.'

'En ook een jongen,' meldt Egbert tussen twee happen door.

'Grappig,' zegt Dorien. 'Misschien kunnen jullie iets aan elkaar hebben.'

'Je hoeft natuurlijk niet elke dag met je vader te wandelen, hè,' zegt Dorien een paar dagen later tegen Eelke. 'Hij kan toch ook wel eens een tijdje alleen zijn?'

Eelke herkent de nuance in haar stem en zegt sussend: 'Zeker, zeker, zeg maar wanneer wij er samen tussenuit gaan. Morgen?'

Als ze zich de volgende middag door een drukke winkelstraat wurmen is Eelke gauw uitgekeken. Dorien niet, ze loopt van het ene kledingrek naar het andere, betast geestdriftig de T-shirts aan de rekken die op het trottoir het winkelende publiek de doorgang belemmeren en wijst Eelke op de nieuwste mode: 'Moet je kijken, hier hebben ze al herfstkleren in de etalage, terwijl het nog hoogzomer is, haha.'

'Tjonge jonge,' zegt Eelke en bekijkt een gevel aan de overkant van de straat. Hij gaapt.

'Wat kan een mens gigantisch moe worden van winkelen,' zegt hij.

Moe? Dorien kan nog wel uren door. Ze ziet tot haar tevredenheid dat er nog verscheidene etalages af te werken zijn.

Eelke houdt zolang zij ergens binnen is de wacht. Wiebelend van zijn ene been op het andere stelt hij vast dat hij er al een hele tijd genoeg van heeft. Zou Dorien dit gedreutel nooit zat zijn?

'Een terrasje zoeken?' stelt hij voor. 'Kop koffie met iets erbij?' Het lijkt hemzelf op dit ogenblik een paradijselijke toestand.

Goed. Dorien wil wel. Maar tussen twee happen van het gebakje door meldt ze dat ze nog niet gevonden heeft wat ze zoekt. 'Een mouwloos vest, weet je wel? Hoe zeg je dat in het Duits? *Eine Weste ohne Ärmel*, geloof ik.'

Even later stort Eelke zich opnieuw in het straatgewoel, zuchtend en zwetend. Hij zou tien Duitse marken willen geven als Dorien nu eindelijk eens iets naar haar zin gevonden had. Maar nee.

'We moesten zo langzaamaan maar eens teruggaan. Mijn vader zal niet weten waar we blijven, en de kinderen ook niet.'

Dat had hij beter niet kunnen zeggen. Dorien keert zich ineens naar hem toe. 'Zijn we eens een keer met ons tweeën aan het winkelen en daar heeft meneer heimwee naar zijn vader. Goed hoor, mij best! Kom op, naar de auto!' Ze stapt haastig in de richting van de parkeerplaats. 'Wie rijdt?' probeert Eelke haar bij de autodeur zijn inschikkelijkheid te tonen en daarmee groter onheil af te wenden.

'Jij!' grauwt ze.

Misgekleund dus. Hij zit er volkomen naast.

Het traject wordt in stilte afgelegd. Thuis stuift Dorien rechttoe, recht-aan naar binnen. Nee, ze heeft geen behoefte aan een poosje rust bij de anderen op het terras en snauwt: 'Laat maar, Yvonne, ik heb geen dorst, zet dat glas maar terug.'

Een paar ogenblikken later komen er uit de keuken geluiden van pannen waar enigszins ruw mee omgegaan wordt.

Vanuit de tuinstoelen worden veelzeggende blikken uitgewisseld.

De volgende morgen beseft Eelke dat hij nog steeds in een moeilijk parket zit. Tegenover Dorien voelt hij zich schuldig – hij had wat meer geduld moeten opbrengen. Aan de andere kant: moest ze nu gisteren echt zo geïrriteerd reageren? Dat was Dorien weer, hoor! Meestal zijn haar boze buien trouwens niet van lange duur, maar nu is ze ook na een nachtje slapen nog altijd snibbig. Bij het ontbijt kon er geen lach-je af.

Hoe moet hij het nu vanmiddag aanpakken? Het beste zou zijn haar voor te stellen er met z'n beidjes op uit te trekken, het doet er niet toe waarheen – de kortste klap om de zaak in het reine te brengen. Maar ja, hij heeft zijn vader eergisteren al een wandeling met z'n tweeën beloofd. En om die man nu voor het hoofd te stoten is ook zowat. Belofte maakt schuld.

Ineens krijgt hij een lumineus idee: ze gaan met z'n drieën een voet-tocht maken. Klaar. De kwestie van tafel en drie mensen tevreden.

Er wacht hem een ontnuchtering. Dorien wil er niets van weten. Er schieten weer vonkjes uit haar blauwe ogen en ze stroopt om zo te zeg-gen de mouwen op.

'Ga jij vanmiddag maar een heel eind met je vader lopen. Ik wil geen vijfde wiel aan de wagen zijn. En wees niet ongerust – ik bedenk wel iets voor mezelf!'

Er is geen praten tegen. Goed, best, zelf maar weten, denkt Eelke, nu ook geprikkeld.

'Nee pa,' wijst hij de suggestie van zijn vader af om zich vooral in deze situatie alleen maar met Dorien te bemoeien, 'ik weet uit ervaring dat ze daar voorlopig geen oren naar heeft.'

Die middag zit Dorien op haar geliefkoosde plekje in de tuin. Ze heeft Eelke met zijn vader zien vertrekken, een beetje stilletjes misschien, maar toch welgemoed. Egbert en Yvonne zijn er ook vandoor, zonder vermelding van reisdoel. Ook opgewekt en levendig. Welja, zij wel.

Dorien tracht zich te bepalen bij haar cryptogram, maar het boekje ligt algauw naast haar in het gras. Een dutje proberen te doen? Na een minuut of wat weet ze dat het niks wordt. Veel te veel warrelende gedachten. 'Het probleem is meegereisd,' mompelt ze. 'Hoe moet ik ermee omgaan?'

Ze is er zich van bewust dat ze al de hele dag wat bozig is vanbinnen en tegelijk voelt ze dat dat voorlopig niet overgaat, ook al zou ze er haar best voor doen.

Ineens springt ze op, loopt naar binnen om haar tasje te halen, trekt een paar wandelschoenen aan en laat het huis achter zich. Ziezo, als iedereen doet wat-ie wil, dan zal zij het ook wel weten.

Ze stapt flink door en dwingt zichzelf oog te hebben voor de mooie omgeving. Ja, prachtig, maar welke kant zal ze kiezen? Maakt niet uit, de natuur is hier overal aanlokkelijk.

Ze neemt het weggetje dat naar de ruïne leidt. Dat wordt stijgen. Hindert niet, ze stapt stevig verder.

Er lopen een paar mensen voor haar, een man en een vrouw. Dorien haalt hen in en merkt onder het groeten dat ze een beetje giechelen, zo op een manier van: nou zeg, wat heeft die een haast. Een vreemdeling zeker, die verdwaald is zeker; in elk geval iemand die niet weet hoe je een heuvel op moet lopen.

Ze hebben gelijk, erkent Dorien zwetend. Ze matigt haar tempo en hijgt meteen wat minder.

Even later komt ze langs een witte woning, vrij kolossaal eigenlijk. Geen mens te zien. Wel te horen trouwens, uit de tuin aan de achterkant komen stemmen. Hé, Nederlandse woorden.

Maar wacht eens even, zijn dat niet... jazeker! Ze loopt de brede oprijlaan tussen twee gecultiveerde heggen op en ja hoor!

'Ha mam!' roept Yvonne. 'Hoe wist je dat we hier waren?'

'Hoi,' zegt Egbert, 'helemaal alleen aan de wandel?'

'Zuiver toeval,' antwoordt Dorien en, knikkend in de richting van twee andere kinderen: 'Dit zijn dus jullie Nederlandse vrienden.'

'Zij heet Nellie,' zegt Yvonne wijzend op een meisje van ook ongeveer tien jaar. 'We zijn bezig een hinkelhok te maken op de tegels, kijk maar.' Ze steekt twee krijthanden op.

'En dat is Theo.' Egbert is iets korter in zijn mededelingen.

Dorien bekijkt het stel. Leuke kinderen, is haar eerste indruk. 'En wat gaan Egbert en Theo doen?'

'Een speurtocht uitzetten voor de meiden,' zegt Theo, 'we gaan het hun knap moeilijk maken.'

Dorien kijkt om zich heen. Inderdaad, dit gezin heeft ook een goede keus gemaakt. Hier is het niet minder dan op haar adres.

'Jullie ouders zijn er zeker op uit?' vraagt ze.

'Papa is binnen, hij zal zo meteen wel komen,' vertelt Nellie met een snelle blik naar haar broer.

Op hetzelfde ogenblik gaat achter Dorien een deur open. Ze draait zich om en ziet in de deuropening een man staan met een blad met glazen frisdrank op zijn hand. Het eerste wat haar opvalt is zijn smetteloos witte broek. Daarboven een gestreept shirt en daar weer boven een prettig ogende kop: frisse oogopslag, stevige wenkbrauwen en halflang golvend donker haar.

Hij blijft verrast staan.

'Ha, hebben we bezoek?' Een klankvolle stem heeft hij ook nog.

'Dit is de moeder van Yvonne en Egbert,' maakt Nellie bekend, 'ze is hier komen aanlopen.'

'Aanlopen? Nou, ik weet niet of dat het juiste woord is, maar u bent hier hartelijk welkom, mevrouw. Zal ik u meteen ook maar trakteren op wat drinken?'

'Graag,' is het antwoord. 'Dorien Couperus is mijn naam.'

'Geert Kamp,' stelt hij zich voor. 'Leuk dat u hier bent komen aanlopen, zoals mijn dochtertje het noemt.'

Een leraar, denkt Dorien. Het kan niet missen, hij is bij het onderwijs. Ik herken zijn manier van optreden, mijn vader deed het precies zo.

Hij komt naast haar zitten en slaat zijn benen over elkaar. Aan zijn ene voet bengelt een slipper.

Ze informeren elkaar over hun vakantieadressen, waarover ze allebei vol lof zijn. En het Odenwald is inderdaad prachtig en wat boffen ze met het weer, stel je voor dat ze een regenperiode hadden getroffen, dat zou toch ook wat zijn geweest, kun je zien hoe afhankelijk je bent van de omstandigheden.

Daarmee zijn de koetjes en kalfjes wel afgedaan. Bij Dorien komt de vraag die al een tijdje door haar hoofd vliegt telkens weer naar voren. Maar ze durft hem niet te stellen.

Meneer Kamp vertelt gezellig over hun verblijf hier, hij noemt de plaatsen op die ze al bezocht hebben en met welke spelletjes hij zijn kinderen bezighoudt. Af en toe ontsnapt er een vrolijke lach uit zijn mond waarbij een regelmatig gebit voor de dag komt.

Wat een aardige kerel, denkt Dorien, en wat een móóie man ook!

Ze vertelt over hún omstandigheden en vergeet niet te zeggen dat haar kinderen het zo leuk vinden hier Nederlandse leeftijdsgenoten aan te treffen. 'Als ik het goed begrepen heb klikt het geweldig tussen de beide jongens en meisjes.'

Hij neemt het initiatief weer over met: 'Weet u, ik noem het altijd stille begeleiding. Als ik zie dat het botert tussen de jongelui, dan probeer ik dat in goede banen te leiden en aan te wakkeren, maar dan wel onopvallend. Zodra ze merken in een bepaalde richting gestuurd te worden kunnen ze zomaar balsturig worden en afhaken.' Het laatste komt er gedempt uit, hij praat zelfs achter de hand.

Dorien begrijpt het en zijn knipoog ook. Kinderen hoeven niet alles te horen wat er over hen gezegd wordt.

Dat doen de jongelui trouwens ook niet, ze zijn te veel met zichzelf en elkaar bezig.

'U bent hier alleen komen aanlopen?' Weer dat woord en opnieuw die leuke glimlach. 'Is uw man soms met uw schoonvader een uitstapje aan het maken?'

Hij is dus op de hoogte. Een van de kinderen moet gelekt hebben, waarschijnlijk Yvonne. Nou ja, gelekt is het woord niet, maar moest ze dat nu zo nodig vertellen?

'Ja, precies,' antwoordt ze, 'hij en zijn vader zijn nogal op elkaar gesteld.'

'Zoiets vermoedde ik al,' zegt meneer Kamp nadenkend. Na een ogenblik van zwijgen gaat hij verder: 'Allemaal mooi en aardig, zolang het maar niet ten koste van uw bewegingsvrijheid gaat.'

Aan de tafeltjes verderop wordt het plotseling stil, de kinderen zitten roerloos. Het valt Dorien niet op, ze is te vol van de gedachte van: wat heeft die meneer Kamp dat goed geschoten. Wat vreemd eigenlijk dat een ander dat in één keer ziet terwijl haar eigen man in dat opzicht een blinde vlek heeft.

'Eh... ja,' zegt ze, 'dat gevaar is er wel. Levensgroot zelfs.'

Ze zeggen allebei een tijdje niets. De vier kinderen zijn weer actief, maar acht oren staan wijd open.

Ineens durft Dorien. 'Ik heb al eens een paar keer naar de deur gekeken omdat ik uw vrouw verwachtte. Is ze er misschien alleen op uit?'

Meneer Kamp vertrekt zijn mond even en gaat verzitten. Dorien schrikt. Heeft ze iets onbescheidens gevraagd? Of iets pijnlijks? Zijn vrouw zal toch niet overleden zijn?

'Mijn ex is thuis, in Beilen.' Het is een korte mededeling die er afgemeten uitkomt.

'Nee toch!' schrikt Dorien. Meteen bekruipt haar de gedachte: dat moet de schuld geweest zijn van die vrouw – zo'n innemende, welwillende man! Wie laat zo iemand zomaar schieten?

'Kom op, we gaan!' zegt Theo opeens met een wat rauwe stem. Het is meer een gebod dan een voorstel.

Het viertal druipt stilletjes af, nagekeken door de respectievelijke ouders, die intussen begrepen hebben dat kleine potjes soms grote oren hebben.

'Je kunt er niet altijd omheen,' stelt meneer Kamp knikkend in de richting van de verdwenen kinderen, 'en ik denk dat je in dat soort zaken ook niet te krampachtig moet doen. Wilt u nog wat fris? Of nee, ik weet wat beters, zal ik koffie zetten? Of thee?'

Dorien kiest voor koffie.

Terwijl hij in de keuken aan de gang is overweegt ze wat ze straks bij de koffie het beste kan doen. Het gesprek over een andere boeg gooien en zich beperken tot ditjes en datjes, óf proberen er een verdieping in aan te brengen. Ze besluit maar eens af te wachten.

Terwijl haar gastheer zich bemoeit met het koffiezetapparaat inspecteert Dorien de goed onderhouden tuin en krijgt daarbij een eigenaardige gewaarwording: ze voelt zich hier thuis.

De omgeving is rustgevend, meneer Kamp is een integere man die op een prettige manier met zijn kinderen omgaat. Iemand die je in vertrouwen kunt nemen. Als de eerste indruk de beste is, nou, dan weet zij het wel: op hem kun je bouwen. Een goede leraar moet hij ook wel zijn. Straks toch eens naar zijn beroep vragen.

'Koffie!' Als een volleerde kelner komt meneer Kamp met een blad met twee kopjes op zijn hand aanlopen en bedient zijn gast. Meteen rent hij weer weg en komt met een koektrommel terug.

'Nou hoor, een zeer deskundige ober,' prijst Dorien, 'doorkneed in het vak, lijkt me.'

'Een bijvak, hoor,' lacht hij, 'mijn eigenlijke werk...'

'... is leraar!' valt ze hem in de rede en ze slaat meteen een hand voor haar mond. 'Sorry! Ik praatte voor mijn beurt.'

Hij wuift haar verontschuldiging ruimhartig weg. 'Geeft niet, hoor. Maar... hoe wist u dat?'

'Mijn vader was leraar Engels aan een uloschool; zodoende,' glimlacht Dorien.

'De uiterlijke tekenen van het vak verloochenen zich niet,' zegt haar gastheer deftig, 'u kunt van mij hetzelfde zeggen.'

Op slag zijn Doriens gedachten bij Eelke. Die woordkeus – zo zou hij het ook naar voren kunnen brengen. Als het dan inhoudelijk ook eens waar was! Een ietwat beschimmeld ideaal van haar.

De koffie is heerlijk, haar gevoel van het hebben van onderdak wordt sterker en opeens flapt ze eruit: 'Zullen we ophouden met dat u en uw? Met jijen en jouen gaat het wat minder stijfjes, vindt u ook niet?'

Hij lacht schaterend. 'Je bedoelt: 'Vind jij ook niet'?'

Het laatste ijs is gebroken. Hij vertelt over zijn leraarschap in Beilen, over zijn collega's, over de ulo en over zijn hobby: motorrijden.

Ze luistert stil naar hem en vraagt zich af wanneer hij over zijn vrouw zal beginnen.

Dat doet hij niet. Wel neemt hij zijn kinderen onder de loep en laat merken dat ze een groot deel van zijn leven uitmaken.

Jammer. Ze zou zo graag iets over zijn echtgenote willen weten, maar ze dringt haar vragen op dat punt naar de achtergrond. Welnee, meid, houdt ze zichzelf voor, hoe lang ken je hem al? Een uur? Trouwens, wat haal je in je hoofd? Het verstand voorop, Dorien!

Als zij even later aan de beurt is iets over zichzelf te vertellen, doet ze dat op een enigszins gereserveerde manier. Het wordt een oppervlakkig verhaal, waarin ze niet zinspeelt op de onenigheid tussen Eelke en haar. Maar haar behoefte aan vrolijke gezelligheid komt er wel bij tevoorschijn.

Hij zit haar ondertussen trouwhartig en begripvol toe te knikken. 'Mooi eigenlijk, hoe de levens van mensen soms zulke raakvlakken kunnen vertonen,' filosofeert hij.

Weer zo'n uitspraak op niveau. Het gekke is dat ze het van hem kan hebben.

Als ze vindt dat het tijd wordt om weg te gaan, kan ze het niet laten hem te vragen: 'Hoelang blijven jullie hier nog?'

De familie Kamp blijkt dezelfde weken geprikt te hebben als de familie Couperus. Ergens een opluchting voor Dorien.

En dan, vooruit maar: 'Daarna ga je weer terug naar...?'

'Nee,' zegt hij wat moeilijk, 'mijn kinderen gaan wel naar huis, maar ik trek me weer terug in onze stacaravan.'

Ze knikt. Begrijpend? Geschokt? Van beide wat misschien? Die verwarde gevoelens van haar! Wat moet ze ermee? Niets ervan laten blijken, dat is het beste.

Ze neemt met een wuivend handje afscheid en loopt naar het open hek. Daar draait ze zich nog even om en roept: 'Misschien tot ziens!'

Hij komt op een holletje naar haar toe. 'Dorien, als je man dan toch zo graag met zijn vader optrekt, zou je dan eens een loopje met mij willen maken?'

'Jawel,' zegt ze.

Het merkwaardige is dat het die avond onder de maaltijd plezierig is bij de Couperussen. Eelke en opa Age hebben een prestatie van formaat geleverd door helemaal naar Eberbach te lopen. Binnendoor, dat wil zeggen: door de bossen en over twee heuvelkammen. Heel bijzonder, om niet te zeggen uniek! Goed, ze zijn hun richtinggevoel erbij kwijtgeraakt, het is dan ook een dwaaltocht geworden, maar Eberbach hebben ze wel zien liggen. De terugweg hebben ze afgelegd via de verharde weg. 'Nee, niet meer te voet, we hebben de bus genomen,' lacht Eelke. En opa Age stelt dat het ongemak van een blaar onder een voet in het niet valt bij het natuurschoon van dit mooie gebied.

Dorien zegt monter dat ze een aardige hoeveelheid blarenpleisters bij zich heeft. 'U komt na de afwas maar even bij me,' zegt ze lief.

Eelke zet heel even grote ogen op, maar het volgende ogenblik vraagt hij vrolijk: 'En jij, Dorien, heb jij nog iets beleefd?'

In sobere bewoordingen verhaalt Dorien over haar kennismaking met de vader van de vriendjes van Egbert en Yvonne. 'Ik heb zelfs koffiegedronken op hun adres. Een aardige man, vinden jullie ook niet?' vraagt ze haar kinderen.

De kinderen knikken gehoorzaam en werken hun vla verder naar binnen. Opeens ligt Egberts lepel stil. 'Mama vindt meneer Kamp héél aardig,' zegt de jongen.

6

Ze TREFFEN HET NIET, DIE EERSTE KEER DAT ZE SAMEN AAN DE WANDEL gaan. Ze hadden afgesproken dat Dorien om twee uur 's middags bij Geert Kamp zou zijn, maar als ze zich bij zijn vakantieverblijf meldt hebben ze die dag nog geen zonnestraaltje gezien. De overheersende groene kleur van het Odenwald is overtrokken door een grauwsluier. Niet echt uitnodigend voor een voettocht.

Maar hij staat haar monter op te wachten. 'Ha, daar ben je. Zullen we maar?'

Hij heeft weer die smetteloos witte broek aan en het geelgestreepte shirt staat hem ook onder een zwaarbewolkte hemel heel goed. Zelfs de witte sokken in zijn sandalen lichten op.

Dorien heeft zich gehuld in minder opvallende kleding. Ze komt hem tegemoet in een donkere lange broek, een lichtgroen shirt en op stevige stappers. 'Ja? Wel doen?' weifelt ze. 'Ook met dit weer?'

Hij wil van geen uitstel weten. 'Met het weer zal het wel gaan, straks vallen er gaten in het wolkendek,' profeteert hij, en met het hoofd in de nek het zwerk verkennend voegt hij eraan toe: 'O ja, hoor, over een halfuurtje breekt de zon door.'

Ze zetten op zijn advies koers in de richting van de bosrijke heuvels. Er lopen smalle asfaltpaadjes die kant uit, wat wil je nog meer! Heerlijk zo te lopen door de vrije natuur, ook al trekt de zon zich voorlopig weinig aan van de voorspelling van meneer Geert Kamp.

Toch verloopt de wandeling af en toe zwijgend. Het is alsof ze zich niet vrij voelen, vooral Dorien merkt bij zichzelf een zekere geremdheid en ze wacht zijn initiatieven af.

Als de stilte tussen hen pijnlijk begint te worden is hij het die een nieuw onderwerp bedenkt. 'En je kinderen, Dorien, hoe doen die het op school?'

Dat is tenminste een onderwerp waarover ze kan loskomen. Met warmte in haar stem vertelt ze dat ze goede cijfers halen, maar ze schakelt algauw over naar hun karakters. 'Misschien is elke ouder lovend over zijn nakomelingen, maar ik kan niet anders zeggen dan dat het fijne kinderen zijn, behulpzaam en gehoorzaam, opgewekt en levendig, kortom, ik beleef er veel genoegen aan. Natuurlijk hebben ze ook hun minpunten, maar...'

Ze maakt haar zin niet af. Dat hoeft ook niet, hij heeft allang begrepen dat de balans een heel eind naar de positieve kant uitslaat.

Hij lacht kort. 'Is het niet eigenaardig? Ik kan over mijn kinderen precies hetzelfde vertellen.'

Over Eelke zwijgt Dorien en hij noemt zijn ex-vrouw niet.

Waar nu over te praten? Misschien over de lange slanke dennen die intussen naast hen oprijzen? Over de bordjes met 'Tollwutgefahr' die waarschuwen voor hondsdolle vossen? Of over de lucht boven de dennen die van kleur verschiet?

Dorien blijft ineens staan en wijst naar de boomtoppen. 'Ik vertrouw het niet, Geert. Is dat niet een onweerslucht?'

Hij komt vlak bij haar staan en speurt de hemel af, hun schouders raken elkaar. Dorien zorgt meteen voor tien centimeter afstand.

'Tja, dit is vreemd. Jammer, het lijkt me het beste om maar op onze schreden terug te keren.'

Dorien keert zich al om en verbaast zich intussen opnieuw over zijn manier van uitdrukken. Eelke! Zoiets zou hij ook kunnen zeggen.

Ze moeten zich nog haasten ook. Daarom nemen ze een kortere terugweg via bospaadjes. Een tijdlang is er niets anders te horen dan de plofjes van hun voetstappen op het zandpad. Dorien moet een lachje verbergen als ze ziet hoe haar wandelgenoot bij elke stap met zijn sandalen wat zand schept en dat over het pad strooit.

In het bos wordt het steeds stiller. Geen vogel laat zich meer horen, geen takje knapt.

Geerts stappen worden groter en groter, af en toe moet hij een paar tellen wachten tot zij weer naast hem is. Op zijn shirt verschijnen donkere plekken, vooral onder zijn oksels. Zijn witte broek vertoont stoffige strepen. Elke keer als hij achterom omhoogkijkt gaat hij weer even harder lopen.

'Eén versnelling lager graag,' hijgt Dorien. Ze begint nu ook te zweten. Ze had hier koelte verwacht. Nooit geweten dat het in een bos zo drukkend kan zijn.

Achter hen schiet plotseling een geelgroene flits door de lucht die intussen zo blauw als leisteen is geworden. Van schrik gaan ze harder lopen.

Na een paar ogenblikken barst het onweer los. Afgrijselijk zijn de bliksemstralen, oorverdovend de donderslagen. Ze beginnen te hollen.

'Pas op voor de kuilen!' waarschuwt Geert hijgend. Meteen struikelt hij er zelf bijna over.

'Ik weet een schuilhutje!' roept hij boven het geweld uit. 'Kom maar!' Een gordijn van ruisende regen haalt hen in en neemt hen in bezit. Alle mensen! Dat het zo kan gieten!

'Hier het asfaltpad op!' wijst Geert bij een kruising. 'Ik weet het nu, we zijn er bijna!'

Maar nog niet hélemaal! galmt de kinderzang van de avondvierdaagse door Doriens hoofd.

Kort daarna doemt inderdaad een soort hutje aan hun rechterhand op. Of hutje? Het is meer een stellage met een afdak.

Druipend staan ze even later op een houten vloertje. Ramen zijn er niet, het ronde dak rust op palen. Maar het is er droog, terwijl om hen heen nog steeds het hemelwater gutst. Maakt het nog wat uit? Ze zijn toch al doornat.

De donderslagen nemen intussen in kracht af en de regen verliest zijn verraderlijke geruis.

Dorien moet opeens lachen: Geerts broek zit vol vieze donkere strepen en zijn witte sokken zijn grotendeels zwart.

'Wat heb je?' vraagt hij, nu ook vrolijk grijnzend.

Ze wijst alleen maar.

Hij grinnikt en wijst op zijn beurt naar haar. 'Heb je een spiegeltje bij je?'

'Nee,' antwoordt Dorien verrast.

'Dat is maar goed ook,' snuift hij.

'Kijk eens,' zegt hij direct daarop, 'daar ligt ons dorp.'

Heel vreemd, daarnet was de hele wereld nog een grijs regengordijn en nu ineens verovert de zon de omgeving. Hun dorp begint te blinken in het licht.

'Nou? Wat zei ik je?' zwetst Geert vrolijk. 'De zon breekt altijd door!' Hij kijkt haar verwachtingsvol aan – hoe zal ze reageren?

'De zon was wel wat aan de late kant,' geeft Dorien fijntjes terug. Ze kijken elkaar aan en verstaan elkaars humor.

Een mislukte wandeling? Had Dorien er meer van verwacht? En wát dan wel? vraagt ze zich af als ze kleddernat naar huis loopt. Had ze op ontboezemingen van zijn kant gerekend? Wat wilde ze eigenlijk?
'Blij dat je er weer bent,' zegt Eelke, 'ik heb me nogal ongerust gemaakt. Met onweer moet je niet in het bos wezen. Veel te gevaarlijk. Je wist dat je nooit onder bomen moet schuilen bij zulk weer, hè?'
Een gevoel van schaamte bekruipt Dorien. Eelke zou die middag een eind met zijn vader lopen en ze moet zichzelf bekennen dat ze ondanks de bui daar geen seconde aan gedacht heeft.
'Nee, nooit in de buurt van bomen komen met zulk weer,' antwoordt ze vlug. 'Maar hoe hebben jullie het gehad? Ik zie helemaal geen natte kleren.'
Eelke vertelt dat opa Age en hij helemaal niet op stap zijn geweest. 'Mijn vader zag de bui hangen,' zegt hij ietwat dubbelzinnig.
Onder de douche slaat de twijfel bij Dorien opnieuw toe. Wat had haar toch bezield om zin te hebben in een middagje lopen met Geert Kamp? Misschien was dat onweer net op tijd gekomen. Een waarschuwing wellicht? Of een voorteken?
Droog en opgefrist, in een schone witte broek en op sandalen, zorgt ze voor thee voor haar 'mannen'. In de tuin, jawel! De bomen en struiken lijken groener dan ooit.

Twee dagen later zitten Eelke, Dorien en opa Age weer buiten. Ze mijmeren hardop over het feit dat meer dan de helft van hun vakantie erop zit en dat het een goede tijd was. Ze hebben van de omgeving genoten en de dagen vlogen voorbij. 'Waar of niet?' vraagt Eelke opgewekt naar de bekende weg.
Hij is monter en levendig deze dagen, hij geniet van de omstandigheden. Zijn gezicht staat veel vaker in de lachstand dan thuis.
Dorien heeft daar een dubbel gevoel bij. Aan de ene kant gunt ze hem van harte een zorgeloze vrije tijd – thuis wordt hij veelal in beslag genomen door de beslommeringen van zijn schoolwerk en daarbij gaat

hij dan ook nogal vaak van het zwarte scenario uit. Ze is blij voor hem dat hij hier soms een beetje uitgelaten kan doen. Tegelijk kan ze het nare gevoel van: hij kan alleen maar vrolijk zijn als hij zijn vader bij wijze van spreken onder handbereik heeft, niet onderdrukken.

Is dat normaal? Vraag twee: blijkt het uiteindelijk een goede zaak te zijn dat opa Age mee op vakantie is? Haar antwoord is nog altijd: voor twee van de drie partijen wel, voor de derde niet – Egbert en Yvonne tellen niet mee in dezen.

Ze neemt zich voor om zich toch ook de rest van hun verblijf in het Odenwald positief op te stellen.

'Alsjeblieft! Thee voor de heren!' Dorien zet een dienblaadje op de tuintafel. 'Zin in iets erbij? Ik heb nog heerlijke Duitse koeken in mijn trommel.' Ze lacht haar schoonvader vriendelijk toe.

'*Greif zu*! zouden ze hier zeggen.' Op slag schrikt ze van zichzelf. 'O nee, dat had ik beter niet kunnen zeggen, u hebt moeite met de Duitse taal, hè? Neem me niet kwalijk, vader, ik wou u niet bezeren.'

Vader, zegt ze. Eelke kijkt ervan op. En zijn blik gaat bewonderend over Dorien. Zijn gedachten staan op zijn voorhoofd: fijn dat ze zo aardig is tegen mijn vader.

Opa Age knikt haar toe met een glimlachje om zijn mond. 'Dankjewel, Dorien.'

Er is harmonie rondom de tuintafel en alle drie bevinden ze zich daar wel bij.

Juist op dat ogenblik duikt Geert Kamp vanachter de coniferen op. 'Sorry dat ik u zomaar overval,' zegt hij, 'maar ik had een vraag en dus waag ik het er maar op.' Met een hoffelijke nijging stelt hij zich voor: 'Geert Kamp is mijn naam. Met een van u heb ik alvast kennisgemaakt,' hij knipoogt even naar Dorien, 'en ik had er behoefte aan meer mensen uit haar omgeving te leren kennen.'

Dorien sleept al met een stoel. 'Ga zitten, Geert,' zegt ze met een kleurtje.

Meneer Kamp sleurt zijn zetel een eindje in de richting van Doriens zitplaats.

'U bent dus Doriens man,' stelt hij met een blik op Eelke vast. Hij wendt zich tot opa Age: 'En dan moet u meneer Couperus senior zijn.' De beide aangesprokenen bevestigen zijn veronderstelling met een zuinig hoofdknikje.

Dorien bekijkt de gast tersluiks van opzij. Wat presenteert hij zich gemakkelijk, denkt ze, wat heeft hij een stuk meer flair dan Eelke.

Het doet haar weldadig aan en als ze merkt dat vader en zoon Couperus in de conversatie moeilijk op gang komen, gooit ze zichzelf in de strijd: 'Had ik je al verteld, Eelke, dat meneer Kamp...'

'Geert,' onderbreekt de nieuwkomer haar.

'... dat Geert en jij collega's zijn?'

Eelke weet het. 'Met dit verschil dat... eh... Geert leraar is terwijl ik het niet verder geschopt heb dan tot onderwijzer,' zegt hij nederig.

Geert sluit met zwaaiende handen deze discussie af. Hij vraagt Eelke belangstellend naar de grootte van zijn klas, naar zijn verhouding met de ouders en naar de omgang met de collega's.

Het moet wel opvallen: Eelke beantwoordt alle vragen naar maat, maar daar blijft het bij. Zelf neemt hij geen initiatieven voor nieuwe onderwerpen.

Pas als Dorien het onderwerp muziek ter sprake brengt, leeft Eelke op. Met verve vertelt hij plotseling over zijn hobby, dan opeens wel, en hij gebaart er geestdriftig bij. Het fijne lachje dat Geert naar Dorien verzendt merkt hij niet op. Voor hij het zelf in de gaten heeft is hij al verzeild in het verschil tussen majeur en mineur in de muziek. Hij is er rechtop bij gaan zitten en Dorien kijkt met verbazing toe hoe haar schoonvader precies hetzelfde doet: recht als een kaars gaat hij op in het verhaal van zijn zoon.

Het geeft de gast de gelegenheid om iets achterover te leunen, hij hoeft niet meer de animator van het gesprek te zijn. Maar hij blijft oplettend, zijn ogen laten de verteller niet los. Het wordt nog genoeglijk.

'Als ik het goed onthouden heb, kwam je hier met een vraag, Geert,' zegt Dorien na een tijdje. Het komt er warempel een beetje verlegen uit.

'Helemaal waar,' zegt Geert. Hij brengt de onweersbui van een paar dagen terug in herinnering en geeft als zijn mening te kennen dat de wandeling van Dorien en hem eigenlijk mislukt is.

'Daarom kom ik hier met de vraag of je wel een nieuwe poging wilt ondernemen, Dorien. Zullen we er samen nog een keertje op uit? Hopelijk treffen we dan beter weer.'

Dorien kijkt wat verschrikt. Nóg eens wandelen met Geert? Haar ogen gaan naar Eelke, maar hij beantwoordt haar blik niet. Opa Age heeft belangstelling voor de toppen van de coniferen.

'Eh... ik weet niet...' aarzelt Dorien.

Geert komt met argumenten. 'Met dat slechte weer kon je in feite niet van een wandeling spreken, ik zou het daarom graag samen overdoen. Bovendien heb ik begrepen...' hier weifelt zelfs Geert even, '... dat de beide Couperussen...'

'Inderdaad! Mijn vader en ik hebben ook nog een paar loopjes op het programma staan,' maakt Eelke resoluut duidelijk. 'Dus wat mij betreft...'

'Goed dan,' hakt Dorien de knoop door, 'we proberen het opnieuw. Akkoord Eelke?' Met een vragende blik wacht ze op zijn instemming. Hij geeft met een handgebaar te kennen: Ga je gang.

Opa Age staat op en meldt zich af. 'Ik trek me even terug in mijn kamer,' verduidelijkt hij. In het voorbijgaan steekt hij eventjes een hand op naar Geert.

Daarna wil het niet zo goed meer, er vallen gaten in het gesprek.

'Overmorgen?' stelt Geert voor. 'Zelfde tijd, zelfde plaats?'

Dorien knikt.

Prachtig weer. Een staalblauwe hemel, een stralende zon, een koel windje en een temperatuurtje van zo'n vijfentwintig graden – Geert en Dorien treffen het uitstekend.

Zij heeft snel vastgesteld dat hij er heel wat functioneler op gekleed is dan de vorige keer. Niks geen witte broek en sandalen, met een kakibroek en sportschoenen is hij veel beter berekend op een wandeltocht. Zijzelf draagt dezelfde kleren als toen.

'Deze keer mag jij zeggen welke kant we uit gaan,' zegt Geert grootmoedig.

Ze kiest de omgeving van de ruïne. 'Daar ben ik nog niet geweest, zie je.'

Ze babbelen wat samen. Soms houden ze allebei een tijdje hun mond en ervaren dat niet als onbehaaglijk – een mens mag zich ook weleens met zijn eigen gedachten bezighouden.

Bij de ruïne is het stil, geen mens te zien of te horen. Hij schildert haar een beeld van de mensen uit vroeger tijden, met al hun mogelijkheden maar vooral ook hun moeilijkheden, en zij denkt: hij is toch wel een echte leraar.

'Ik heb wel boeken gelezen die over de middeleeuwen gingen,' zegt ze. De hint gaat aan hem voorbij. Hij begint haar te prijzen omdat ze geïnteresseerd is in het leven van haar voorvaderen. Ze grinnikt in stilte.

Ze lopen verder. Dorien werpt af en toe een zijdelingse blik op haar wandelgenoot. Op het moment dat hij zijn tempo onbedoeld opvoert, krijgt ze het vermoeden dat hij ergens op broedt. Ze wacht af. Als ze opnieuw zijn profiel bekijkt, krijgt ze het gevoel dat hij toch een integere man is; geen flierefluiter, geen allemansvriendje, nee, iemand met diepgang. Toegegeven, hij is een handige prater en hij bezit waarschijnlijk ook wel het vermogen om mensen en situaties naar zijn hand te zetten, maar tóch.

Hij blijft opeens staan. Zij dus ook.

'Dorien, ik zou je graag wat willen vertellen over mijn privéleven. Heb je daar bezwaar tegen?'

O, denkt ze, we moeten het om te beginnen wel over hém hebben. Meteen gooit ze die gedachte een eind weg – niet leuk om zo te reageren, al is het in stilte.

'Vertel maar,' zegt ze eenvoudig.

'Zullen we intussen doorlopen?' stelt hij voor.

Goed, lopen dus, ze is benieuwd.

'Ik ben gescheiden,' begint hij met een lange zucht.

'Weet ik.' Ze ergert zich een beetje aan die verzuchting.

Hij schetst haar een beeld van een jonge man, hijzelf dus, die tot over zijn oren verliefd werd op het mooie meisje Reina, dat later zijn vrouw werd. Terwijl hij over haar vertelt wordt zijn stem anders, er klinkt een kleine trilling in door. Ze vermoedt dat hij haar in gedachten voor zich ziet uit de begintijd van hun huwelijk, hij praat warm over haar. 'Een heerlijke tijd, Dorien, wat hadden we het goed samen, en toen Theo en

Nellie kwamen was ons geluk compleet. Dáchten we.'

'Een beetje minder hard lopen,' stelt Dorien zakelijk voor, 'ik kan je haast niet bijbenen.'

Hij mindert gehoorzaam vaart, maar gaat niet verder met zijn verhaal. 'Dat dácht je dus,' vat zij de draad weer op.

'Precies. Want wat ik lange tijd over het hoofd had gezien... nee, dat zeg ik niet goed, om eerlijk te zijn had ik allang in de gaten dat er iets wás met Reina, ik heb het alleen niet tot me willen laten doordringen. Vanaf het begin was ze al heel onzeker in haar optreden, bij alle beslissingen twijfelde ze abnormaal lang. Eerst dacht ik nog dat ik dat er op den duur wel uit zou krijgen, maar dat viel zwaar tegen.'

Doriens gedachten zijn even bij Eelke. 'Karakters zijn moeilijk te veranderen, hè?' zegt ze.

'Een buitenstaander zegt misschien: 'Een beetje onzeker van zichzelf? Nou ja, er zijn erger dingen.' Nou, ik beloof je, Dorien, er zit veel meer aan vast. Wás het maar zo eenvoudig. In de loop van de jaren werd het erger met haar. Bij alle beslissingen moest ik de doorslag geven. We werden er allebei vervelend van.'

Dorien denkt een tijdje na. 'Was het ook zo dat Reina heel moeilijk examens kon afleggen?' vraagt ze dan wat benepen.

Hij kijkt haar verrast van opzij aan. 'Wat heb jíj het goed begrepen! Nee, ze zakte voor welke proef dan ook. Terwijl ze op de lagere school een goede leerling was, duidelijk voorbestemd voor het middelbaar onderwijs, kon ze het op de ulo niet bolwerken.'

'Tjonge,' zegt Dorien. In haar hoofd komt het beeld van Eelke op, die thuiskomend na een nieuwe poging om de hoofdakte te halen, met het hoofd voorover de kamer binnenkwam: 'Weer mis, Dorien...' Een geslagen hond.

'Voor de buitenwacht leek er niet veel aan de hand met Reina. Men vond haar een ijverige en vriendelijke vrouw.'

Dorien geeft geen antwoord. Er komen hun twee mensen tegemoet, ook een pratende en gebarende man en een zwijgende vrouw. Als het viertal elkaar dichter nadert vallen de beide heren stil. Ze passeren elkaar met een vriendelijk knikje. Mensen van hun leeftijd zijn het. Zouden zij ook met zwaarwichtige zaken bezig zijn? De mannelijke helft laat zich in elk geval alweer horen.

Geert ontdekt een eindje verderop een bankje. 'Even rusten?'

Goed. Maar Dorien houdt zichzelf voor dat ze zich in moet houden, want zijn verhaal brengt haar in verwarring.

De bank staat op een geschikt plekje. Een tijdlang wijden ze zich aan het prachtige uitzicht. Beneden hen ligt het dorpje, de witte huizen lijken om de kerk heen gestrooid te zijn.

'Mooi, hè?' zegt Dorien. Ze moet er een beetje van zuchten.

Hij reageert niet, hij zit in gepeins voor zich uit te staren.

'Reina werd zo langzaamaan een loden last, niet alleen voor zichzelf, maar ook voor mij,' gaat hij verder met zijn ontboezeming.

'Was ze depressief?' Dorien vraagt maar wat haar het meest voor de hand liggend lijkt.

Nee, zijn ex-vrouw heeft niet een neerslachtig karakter, ze kon soms echt plezier maken, hoort ze van haar wandelpartner. De kwaal zat dieper: ze twijfelde bij alle dingen voortdurend aan zichzelf. 'Als ze eens een keer iets belangrijks tot een goed einde bracht, geloofde ze het zelf niet.' In Geerts stem is een zekere verontwaardiging te beluisteren; volume en toonhoogte nemen toe.

'Het enige wat ze wél zeker wist was dat ene zinnetje: 'Wat anderen kunnen kan ik nooit", gaat Geert verder. 'Het beroerde was dat ik op den duur meegesleept werd de diepte in. Ik betrapte mezelf hoe langer hoe meer op een down gevoel en ik was ervan overtuigd dat dat niet bij mij paste.'

Dorien knikt begrijpend. Geert Kamp en een somber bestaan horen niet bij elkaar. Naast haar ziet ze een levenslustige vent die problemen het hoofd biedt. Juist, maar dat ene grote probleem niet? Kon hij daar nou net níet mee omgaan? Onbedoeld gaan haar schouders even omhoog.

'Ik zal je niet vermoeien met alle ins en outs,' zegt Geert, 'maar om kort te gaan: we zijn uit elkaar. Zij woont met de kinderen thuis en ik bivakkeer in een stacaravan.'

Triest, denkt Dorien. Een kapot huwelijk en wie worden er de dupe van? De kinderen. Hoe moeten die nu verder zónder vader en mét een vertwijfelde moeder?

Het is alsof hij haar gedachten raadt. 'Eens in de veertien dagen heb ik Theo en Nellie een weekend. Daar maken we met z'n drieën een leuke tijd van. En ik weet zeker dat ze er elke keer weer naar uitzien. Ze zeggen het niet, maar ik heb de indruk dat ze graag altijd bij mij zouden zijn.'

Een beetje eigendunk heeft-ie toch wel, bepeinst Dorien, zou dat ook een factor geweest kunnen zijn in het van elkaar afdwalen?

Ze weet van zichzelf dat ze aardig goed is in het peilen van karakters. Daarbij gaat ze meer op haar gevoel af dan op rationele overwegingen. Er komt nu bij haar een beeld boven van Geert als een ietwat luidruchtige jongen die balsturige trekjes vertoont én die wat zelfingenomen is.

'Je zegt niks,' constateert hij.

'Ik denk na,' zegt ze eenvoudig.

'Heb ik een helder beeld geschetst?' wil hij weten. Hij verwacht nu een duidelijk antwoord, zoveel is zeker.

Het woord aanmatigend past ook nog bij hem, oordeelt zij.

'Eh... ja, een helder beeld... jazeker...' Maar ze vertelt hem niet wélk beeld.

Hij lijkt helemaal tevreden met haar reactie. Vergenoegd knikkend wrijft hij zich onbewust in de handen en slaat zijn benen eens uit. Dan staat hij op, rekt zich uit met beide armen hoog in de lucht en zegt dat hij de omgeving prachtig vindt.

Ze lacht erom. Zie je wel? Een grote jongen. Wel een goeie vent, hoor, dat wel.

Ineens zit hij weer naast haar, nu wat dichterbij. Zijn gezicht straalt één brok ernst uit.

'Tja, Dorien, en voordat je het weet ga je dan vergelijken.' Hij wacht een paar ogenblikken en kijkt haar opmerkzaam aan. Hoe reageert ze op zijn uitspraak?

Niet dus. Dorien kijkt voor zich.

'Ik ontkom er niet aan. Toen ik jou voor het eerst zag...'

'Ja?' vraagt Dorien, toch verschrikkelijk nieuwsgierig.

'Toen dacht ik: wat een fijne meid, en...'

'En wat?'

'Ik vond je direct ook... eh... neem me niet kwalijk: een mooi wijf!'

'Jij ziet er anders ook goed uit,' houdt ze zich op de vlakte.

Hij legt zijn hand op de hare, een stevige, mannelijke knuist.

'Dorien?'

Ze knikt nauwelijks merkbaar.

Hij ziet het als een aanmoediging. 'Vind je het gek als ik zeg dat wij, jij en ik, wél bij elkaar zouden passen?'

Er valt een slagboom bij Dorien. Oppassen, uitkijken! Plotseling buitelen er gedachten door elkaar in haar bovenkamer. Vragen vooral. Heeft hij de hele waarheid verteld? Of de halve? Of zelfs maar een kwart? Steekt er niet meer achter? En: wie gaat er nu scheiden omdat zijn partner te weinig zelfbewustzijn vertoont? Is er niet iets veel ergers aan de hand?

'Je geeft wéér geen antwoord.' Een kleine irritatie in zijn toon.

Ze schuift zijn hand weg en staat op. Binnen een seconde staat hij naast haar. 'Wat wou je zeggen?'

'Ik wou zeggen dat ik getrouwd ben. Met Eelke, ja. Hij heeft net als iedereen zijn minpunten. Maar ik houd van hem. Zullen we teruggaan?'

De weg terug. In dubbele betekenis, vindt Dorien. Ze zegt niet veel meer, ze heeft voorlopig aan haar gedachten genoeg. Hij laat zich trouwens ook een hele tijd niet horen.

'Het afdalen gaat een stuk minder lastig, hè?' Een cliché van zijn kant. Hij begint hun zwijgen ongemakkelijk te vinden.

Ze stemt er onmiddellijk mee in. 'Als we in dit tempo doorlopen zijn we binnen een halfuur thuis.'

Af en toe zien ze tussen bomen en struiken door de huizen van het dorp groter worden. Nog één keer door een bos en dan zijn ze thuis.

Hij loopt nu voor haar uit en informeert over zijn schouder naar haar schoonvader. 'Is het nog zo dik aan tussen hem en je man?'

Ze geeft geen antwoord. Als reactie verhoogt hij zijn snelheid, ze moet haar best doen om hem bij te benen. Hij kijkt geen enkele keer meer achterom en schijnt almaar meer haast te krijgen. Op een holletje probeert ze haar opgelopen achterstand goed te maken.

Die kuil! Nooit gezien. Ze merkt hem pas op als haar voet er dwars in komt te zitten. Een vlijmende pijn: 'Au! O, o!'

Nu kijkt hij wel. 'Wat heb je? Gestruikeld? Ik kom bij je!'

Ze komt kreunend overeind en trekt krimpend haar voet terug. Op één been blijft ze staan, met het andere tipt ze even de grond aan.

Hij is echt bezorgd, ze ziet het aan zijn gezicht. Weer een flitsende gedachte: heb ik hem verkeerd beoordeeld?

'Je kunt niet lopen, hè?'

Ze schudt met een vertrokken gezicht haar hoofd. 'Verstuikt, denk ik.'

Ineens is hij vastberaden. 'Leg je arm maar om mijn schouder.'

Terwijl ze dat doet legt hij zijn arm om haar middel, een stevige hand zoekt houvast om haar half en half op te tillen. 'En nu maar hinkelen,' stelt hij ietwat gebiedend voor.

Het gaat, maar ook niet meer dan dat. Soms moeten de tanden op elkaar. Toch, ze kan het niet helpen, vindt ze het niet onprettig: die sterke mannenarm om haar heen. Ze moet zich haast bedwingen om haar hoofd niet even tegen zijn schouder te leggen. Ze ondervindt hoe veranderlijk een mens is en ze realiseert zich dat.

7

HET IS AL DONKER ALS EELKE DE MOTOR VAN ZIJN KEVER UITZET VOOR hun huis. 'We zijn er,' kondigt hij totaal overbodig aan. 'Uitpakken maar, jongens.'

Het is elke keer weer een genoegen om thuis te komen, vindt hij. Het was prachtig in het buitenland, het weer werkte mee en de accu is om zo te zeggen opgeladen. De nog verse herinneringen worden over een dag of wat aangescherpt als de foto's ontwikkeld zijn. Ja, ze kunnen werkelijk voor de zoveelste keer terugzien op een fijne vakantie. Of? Heeft iemand van hen misschien minder goed genoten? Had Dorien de laatste dagen nogal wat last van haar verstuikte enkel? Dat zeker, maar was ze af en toe ook niet wat stuurs?

Er was duidelijk iets dat haar hinderde. Ze wilde er niets over loslaten, maar volgens Eelke had het te maken met de wandeling van haar en die Geert Kamp. Goed, ze had er een verzwikte enkel bij opgelopen, maar dat was de oorzaak niet. De anders meestal opgeruimde Dorien was een beetje stilletjes geworden – zwijgend had ze veelal haar dingen gedaan en dat was iets dat helemaal niet bij haar paste.

Eelke had in zijn eigen ogen zijn best gedaan om haar terug te helpen naar haar normale opgewektheid, en zij op haar beurt had zich ook ingespannen om geanimeerd aan de gesprekken deel te nemen, maar haar lach was niet helemaal echt geweest en haar vrolijkheid had een bijklank gehad.

Volgens hem waren er dingen besproken tussen die Geert en haar die haar somber gestemd hadden. Moest hij gaan spitten en haar bevragen op de onderwerpen die haar bezighielden en waarvan ze neerslachtig was? Onbegonnen werk. Hij kende zijn Dorien. Het was maar het beste om rustig af te wachten tot ze zelf met haar problemen voor de draad zou komen.

De koffers en weekendtassen staan intussen op de overloop en Eelke plukt de restjes van de bepakking uit de auto. Hij sluit de kever af en klopt goedkeurend op de motorkap. 'Goed gedaan, jochie,' mompelt hij, 'je hebt ons niet één keer in de steek gelaten.'

Dorien is boven. Ze kan alweer aardig uit de voeten, hoewel ze nog met een stevig verband om haar enkel loopt. Tillen vermijdt ze ook nog, maar dingen op hun plaats zetten zoals ze nu doet gaat best. Een tas met ongebruikt proviand – blikjes leverworst en dergelijke – legt ze voorlopig even in de kamer van opa Age, die morgen pas thuiskomt.

Ze staat een ogenblik te kijken naar het interieur. Het blanke bed met de gemakkelijke stoel ernaast, de schemerlamp, de kleine tafel, het ziet er allemaal keurig uit. Toch heeft het iets afstandelijks in haar beleving, net alsof het haar niet aangaat. En dat is eigenlijk ook zo, bepeinst ze. Ze wilde om een lief ding dat deze kamer echt weer als logeerkamer gebruikt kon worden.

Ze heeft het er nog met Geert over gehad. Hij is een dag na de wandeling teruggekomen. Nee, niet om een nieuw plan te maken, maar meer uit beleefdheid – informeren hoe het met haar was en zo. Een uurtje hadden ze samen zitten praten. Dat kon ongestoord omdat de anderen er allemaal vandoor waren. Ze herinnert zich de uitdrukking op zijn gezicht toen ze de situatie met Eelkes vader uitlegde. 'Als je het mij vraagt gaat het om een vrij zonderlinge verhouding tussen je man en je schoonvader en ik wil me natuurlijk niet met je zaken bemoeien, maar ik vind wel dat er een zware wissel op jou wordt getrokken,' had hij gezegd. Een uitspraak die weerklank vond bij haar.

En daar ging ze weer. Ze kon nu weer niet anders dan hem waarderen. Hij was een man met inzicht. Een vent ook die vast en zeker stond voor wat hij zei, kortom, iemand waar je iets mee kon.

Het was alsof hij voelde hoe ze op dat ogenblik over hem dacht, want vrijwel onmiddellijk daarop was hij opnieuw in de fout gegaan met: 'Ik snap die Eelke van jou niet. Heeft-ie me daar een pracht van een vrouw en klit-ie overdreven aan zijn vader. Ik vraag me af of jullie wel bij elkaar passen. En...' hier zakte zijn stem tot geheimzinnig mompelen, '... ik voor mij ben er zeker van dat het tussen jou en mij reusachtig goed zou klikken.'

Met die woorden vormde hij onbedoeld een nieuwe barrière tussen hem en haar. Díe kant wilde ze niet uit. Het verdere gesprek was dan ook wat stroef verlopen, al had hij nog zo zijn best gedaan om zijn opmerking af te zwakken. Na een kwartiertje was hij dan ook opgestaan. Bij hun afscheid had hij niets laten blijken van gekrenktheid of zoiets, hij had zelfs een zwierige buiging in haar richting gemaakt en met een lach op zijn gezicht was hij verdwenen.

Die Geert. Mocht ze hem nu of had ze haar reserves?

Dat laatste! Ze had zich afgevraagd – en eigenlijk doet ze dat nu nog, terwijl ze de laatste tas op opa Ages bed legt – wat er toch met haar aan de hand was. Waarom zwalkte ze zo? Waarom vond ze hem innemend en toch eigenlijk niet? Onverklaarbaar. 'Het zou maar het beste zijn als ik hem nooit meer zag,' houdt ze zichzelf voor.

Als ze tegen tienen aan de koffie zitten, gaat de bel.

Op de stoep staat Jan Visser, een collega van Eelke, die zich meteen verontschuldigt over zijn late komst, maar die wel nieuws heeft.

'Nee, echt opwekkend is mijn bericht niet,' zegt hij als hij plaats heeft genomen op de bank, 'maar maak je niet ongerust. Ik wil graag eerst weten hoe jullie het gehad hebben.'

Dat is gauw verteld: prima, prachtig weer, goed onderkomen en... nou ja, een verstuikte voet.

'Maar nu jij,' zegt Dorien. Eelke valt haar bij.

Jan Visser deelt mee dat hij voor schoolzaken komt. 'Dat kan jullie wat rauw op het dak vallen, pas terug van vakantie en dan meteen al tot de orde geroepen worden, maar dat kan ik ook niet helpen. Het gaat namelijk om Datema. Hij is ziek en het ziet er niet naar uit dat we hem voorlopig op school zien.'

'Zozo,' zegt Eelke, 'dat is niet zo mooi. Wat heeft-ie?'

Zijn collega vertelt dat het hoofd van hun school een hartaanval heeft gehad, een vrij zware zelfs. 'Ja, hij ligt nog in het ziekenhuis. Beroerd voor hem en zijn gezin en we mogen hopen dat hij er weer bovenop komt.'

Eelke wordt opeens onrustig, hij neemt zijn kopje op, zet het weer terug, schuift op zijn stoel heen en weer en vraagt: 'En? Hebben jullie al vervanging?'

Hij krijgt geen antwoord. Jan kijkt hem alleen maar vragend aan. 'Wie zou dat moeten doen?' zegt hij dan.

Tja, dat weet Eelke zo gauw ook niet. 'Het overvalt mij wel,' is alles wat hij weet te zeggen.

'Een kwestie voor het bestuur, denk ik,' brengt Dorien in het midden.

'Dat dachten wij ook,' reageert Jan. 'Ik heb het met nog een paar collega's besproken en daarna ben ik naar de voorzitter gegaan.'

'Ha, goed zo,' zegt Eelke met een snelle blik naar Dorien.

'Om eerlijk te zijn hadden we wel een voorstel,' gaat Jan verder. 'Kijk, om een invaller te vinden voor een onderwijzer is niet zo'n heksentoer, maar als het om het hoofd van de school gaat...'

'Inderdaad,' stemt Eelke met hem in.

'Om kort te gaan: wij als collega's zouden het op prijs stellen als jij waarnemend hoofd van onze school werd, en daarover hebben wij het gehad met de voorzitter.'

Eelke springt op van zijn stoel. 'Nee toch?' roept hij ontsteld. Meteen zakt hij terug op zijn zetel. 'Dat kan niet, gelukkig niet mag ik wel zeggen, ik heb immers geen hoofdakte!' Zijn opluchting is overduidelijk.

'Daar hebben wij het ook over gehad,' meldt Jan kalm. 'We zijn tot de conclusie gekomen dat iedereen waarnemend hoofd mag zijn, ongeacht die hoofdakte.'

Het voelt bij Eelke alsof hij een harde dreun op zijn kop krijgt. Of zit er iemand zijn hart in de tang te nemen? Hij heeft voorlopig even geen woorden voorhanden. Een gevoel heeft hij wel, een zeker weten zelfs. In zijn hoofd staat met grote letters geschreven: Dit kun jij niet, Eelke. Je hoeft er ook niet lang over te praten, want dit is helemaal niks voor jou!

Hij begint zich ook te ergeren. Wat zit die Jan nou in zichzelf te smiespelen? En wat moet dat boosaardige glimlachje op zijn gezicht?

Hulpzoekend kijkt Eelke naar zijn vrouw.

'Dorien?' vraagt hij alleen maar. In dat ene woord klinkt iets van ontreddering door.

Dorien heeft hem al een tijdje in het vizier gehad. 'Je hebt een jaar lang de zesde klas gehad en daar had je geen enkel probleem mee,' zegt ze kalm.

'Ja! Maar het hoofdschap is wat anders!' roept Eelke met een verhoogde stem. 'Ik weet niet eens wat daar allemaal bij komt kijken!' Een beetje in elkaar gedoken zit hij nu van de een naar de ander te kijken, het lijkt alsof hij gekrompen is. Meteen recht hij zijn rug en zegt nijdig in de richting van Dorien: 'En jij hebt er al helemaal geen verstand van!'

Dorien wil reageren, maar haar mond klapt dicht. Ze kijkt haar man alleen maar aan.

'Het spijt me dat ik je in moeilijkheden breng,' verbreekt Jan de ijzige stilte na de woordenwisseling tussen man en vrouw, 'maar wij vinden allemaal dat jij de man bent die we zoeken.'

Eelke schrompelt weer ineen.

Gestommel bij de deur, Yvonne komt binnen. Ze begint meteen te vertellen over wat er hier in het dorp allemaal gebeurd is. 'Er is ook brand geweest. Bij boer Landman. Van de paardenstal is niets meer over!' Opgewonden beklemtoont ze de rol van de brandweer, die vrij laat in actie kwam.

Terwijl ze verder ratelt, staat Jan Visser op. 'Yvonne heeft het heel goed verteld, de boel stond lelijk in de hens. Maar wat ik nog zeggen wou, Eelke, wij willen morgenochtend om tien uur graag als personeel bij elkaar komen. Een kort vergaderingetje in school. Ze zijn er niet allemaal, Marie Koning is nog niet terug van vakantie. Maar de rest wel en de voorzitter zal er ook zijn. En jij dus ook, hoop ik. Joh, ik zou zeggen: slaap er een nachtje over. Maar dan ook echt slapen!'

Is het niet eigenaardig? Van Doriens kant geen woord over het voorstel. Om eerlijk te zijn verwacht Eelke niets anders dan: Dat kun jij wel. Jazeker, waarom eigenlijk niet? Kom op, man, zet je schouders eronder! Of sterker: Wat zit je daar nou kniezerig te doen? Wees nou eindelijk eens een kerel!

Maar nee. Ze zegt kalm tegen Yvonne dat er intussen alweer appels op de fruitschaal liggen; heeft ze misschien zin? En ze gaat naar de keuken en daar doodleuk de afwas beredderen. Daarna hoort ze het verslag over de brand aan van Egbert die het jammer vindt 'dat hij een lekker fikkie heeft gemist'.

Ook als Eelke zich naast haar neervlijt heeft ze het alleen maar over het slaapkamerraam dat wijder open moet. 'Je kunt toch merken dat de boel hier veertien dagen potdicht heeft gezeten.'

Wat een thuiskomst! Had hij er zich zo op verheugd met een lekker tevreden gevoel te gaan slapen, in hun eigen bed, onder hun vertrouwde dekens, bij het getik van de wekker van jaren her en met het blije weten dat zijn vader er morgen ook weer zal zijn.

Niks van dat alles. Een reusachtige domper. Slapen? Hoe kan dat nou? Als je weet dat je iets moet aanvatten wat je niet kunt, hoe kun je dan slapen? Trouwens, wat is er met Dorien? Kan het haar niks meer schelen wat hem aangedaan wordt? Nou, best! Zelf maar weten. Dan gaat hij lekker zijn eigen gang. Jazeker, hij zal zélf zijn zaakjes wel regelen. Daar heeft zij niets, maar dan ook helmaal niets meer mee te maken.

Als Eelke om een uur of twee uur 's nachts nog geen oog dicht heeft gedaan, gaat zijn arm behoedzaam over de dekens naar Dorien. Ze ligt op haar rug en haar ademhaling is rustig. Hij vindt een lok van haar haar en windt die om zijn vinger. Hij streelt haar hoofd, geeft een kneepje in haar wang. 'Dorien, lieverd, ben je wakker?'

'Ja,' zegt ze.

Hij kruipt dichter naar haar toe. Ze blijft onbeweeglijk liggen. In het schemerige schijnsel van het nachtlampje tekent haar roerloze profiel zich toch vrij scherp af tegen het wit van haar kussen.

Leunend op een elleboog neemt hij haar hoofd in zijn arm en kijkt in een paar wijd open ogen. Ze zegt nog steeds niets.

'Dorien,' fluistert hij, 'moet ik het doen?' Zelfs nu klinkt zijn stem dof.

'Als ik ja zeg, doe je het dan ook?' is haar tegenvraag.

Zijn hoofd rust opeens op haar borst. Maar een antwoord komt er niet. Een tijdlang blijven ze zo liggen. De wekker tikt. Buiten blaft een hond.

'Kan ik het?' vraagt hij een tikkeltje gesmoord.

'Je kunt het,' antwoordt ze en neemt plotseling zijn hoofd in haar beide handen. En dan: 'Ik weet zéker dat je deze functie aankunt.'

Hij begint haar wild te kussen en zegt in staccato tussen zijn geknuffel door: 'Lieve Dorien, ik doe het, want jij bent zéker van mijn zaak.'

Even later liggen ze allebei weer op hun rug, het is alsof de stilte nooit is weggeweest.

'Morgenavond zal ik het ook met mijn vader bespreken,' murmelt hij nog.

Dorien keert zich van hem af.

Een lege school, stoelen op de tafels, diepzwarte schoolborden en hol-klinkende voetstappen – het komt vreemd over bij Eelke. Het is half-tien, te vroeg dus om de collega's te verwachten, maar de onrust heeft hem naar zijn dagelijks werkterrein gedreven.

Hij inspecteert de kasten in zijn lokaal – opnieuw klas zes – legt alvast een stapel rekenboeken klaar en zet ze weer terug, bekijkt zijn nieuwe leerlingenlijst en brengt een bezoekje aan het leermiddelenmagazijn.

Kwart voor tien, er mag wel een raam open, vindt hij, er hangt hier een muffe lucht.

Tegelijk hoort hij mensen in de gang. Meteen is hij er ook. 'Ha, Jan!' doet hij geforceerd opgeruimd, 'en daar hebben we Gerda ook!'

Met de komst van voorzitter Ten Have, die wethouder is en zich in het gemeentehuis even heeft kunnen vrijmaken, zijn ze compleet.

'Naar de personeelskamer maar?' stelt Ten Have voor.

Onwennig zitten ze daar elkaar aan te kijken, maar hun blikken glij-den over Eelke heen. Collega Jan Visser heeft hen ingelicht over het tegenstribbelen van het gedoodverfde hoofd der school. Een onuitge-sproken gedachte hangt als het ware boven de tafel: Wie moet het dan wél worden? Ik toch niet, hè?

Ten Have, een rijzige veertiger, legt rustig en in welgekozen woorden de nieuwe situatie uit.

'We moeten wat regelen,' zegt hij, 'en het is kort dag, volgende week beginnen de lessen weer. Het vinden van een plaatsvervanger voor Datema buiten de school om is lastig, om niet te zeggen onhaalbaar. Nu heb ik hierover contact gehad met een stuk of wat van jullie. Niemand staat te springen om de vacature in te vullen, maar...' hier pauzeert hij even met een slim lachje, '... mij werd te verstaan gegeven dat ze wel iemand wisten die heel goed als waarnemend hoofd zou kunnen fungeren.' Alle ogen zijn opeens gericht op Eelke, die verlegen over zijn stoelleuning wrijft en geen enkele blik beantwoordt.

'De vraag is: hoe staat meneer Couperus hiertegenover? Mij werd ingeseind dat hij zich er niet bekwaam toe acht. Ik moet zeggen dat dat wel een heel eenzijdige visie is. Om het maar in eenvoudige taal te zeggen: iedereen in dit vertrek, ikzelf incluis, is ervan overtuigd dat hij deze klus met gemak aankan. Nee, wacht nog even, meneer Couperus, ik wil er nog een schepje bovenop doen: ik ben er zeker van dat ook de ouders het een prima oplossing zouden vinden.'

Het is plotseling warm in het kamertje, om niet te zeggen bloedheet – Eelkes hoofd is vuurrood. De anderen hebben trouwens op dat punt nergens last van.

'Nu is het woord aan Eelke Couperus,' zegt de voorzitter familiair.

Eelke beseft dat hij er wat slachtofferachtig bij zit, maar hij doet zijn best om krachtig te zeggen: 'In eerste instantie schrok ik voor de suggestie van Jan terug, maar na overleg met mijn vrouw ben ik daarvan teruggekomen. Zij vindt namelijk ook dat ik het maar moet doen, dus...'

Meteen is het vertrekje vol lachende mensen die hem instemmend toeknikken. Vrolijkheid alom. Of speelt er een zekere opluchting mee? Van alle kanten wordt Eelke steun geboden. 'We zijn collega's onder elkaar, je kunt op ons rekenen, Eelke, als er zich problemen voordoen.' Het wordt nog druk in het kamertje. Voorzitter Ten Have ziet het glimlachend aan. Hij staat trouwens algauw op. 'Fijn dat het zo geregeld kan worden, mensen, ik hoop dat jullie een sterk team blijven. *By the way*, zullen we namens bestuur en personeel een bloemetje regelen voor meneer Datema? Mooi zo, en wie gaat daarvoor zorgen? Couperus misschien? Prima!'

Vanaf dag een, zoals Eelke het noemt, leeft hij in een andere wereld. Diezelfde middag rijdt hij in zijn VW'tje naar het ziekenhuis. Datema's toestand valt hem tegen. Zijn chef zegt nauwelijks iets, zijn ademhaling gaat ietwat zwoegend en hij reageert maar flauwtjes op het vrolijke boeket dat nu op de vensterbank ligt.

Eelke ziet in dat hij maar beter niet over schoolzaken kan praten, laat staan dat hij iets over zijn nieuwe taak gaat zeggen. Eén ding is hem duidelijk: zijn hoofdschap is niet een kwestie van een paar weken. Buiten, op de parkeerplaats haalt hij opgelucht adem – de ziekenhuislucht is de zijne niet. Mensen, wat mag je blij zijn als je gezond bent! In de buurt van het station parkeert hij opnieuw. Een paar minuten daarna ziet hij met belangstelling het gaan en komen van treinen aan. Precies op tijd loopt de trein van zijn vader binnen. Eelke ziet hem met een zoekende blik uitstappen. Even later houdt Eelke het autoportier voor zijn vader open.

Een tijdlang rijden ze zonder veel te zeggen; het blijft bij algemeenheden over de goede vakantie, het mooie weer en de toch wel blije terugreis. Maar dan: 'Hoe is het met Dorien?' Het klinkt een beetje indringend.

'Och, wel aardig,' antwoordt Eelke, 'ze heeft het geloof ik ook wel goed gehad in het Odenwald.'

Zijn vader knikt zuinigjes en komt dan met een nieuwe vraag: 'Had ze werkelijk belangstelling voor die man, die... eh... Geert?'

Eelke schrikt ervan. 'Nee, niet dat ik weet, hoezo?'

'Och, ik vroeg maar eens wat,' is het antwoord, gevolgd door de vraag: 'Leeft ze voldoende blij?'

Eelke moet met een kort rukje aan het stuur de wagen corrigeren. 'Tja,' vraagt hij zichzelf hardop af, 'ze is weleens opgewekter geweest dan de laatste tijd.'

Zijn vader kijkt een tijdje door het zijraam naar de voorbijglijdende weiden met koeien. 'Daar lopen een stuk of wat prachtige exemplaren tussen,' stelt hij vast.

De boer en veehandelaar van vroeger, denkt Eelke. Hij weet dat het op het ogenblik geen zin heeft het onderwerp Dorien uit te diepen.

'Ik heb een nieuwtje,' zegt hij daarom maar. Hij legt kort en goed en zonder ophef zijn nieuwe functie uit.

Couperus senior kijkt hem blij verrast aan. 'Ze hebben jóu dus uitgezocht!'

Eelke maakt duidelijk dat hij er eerst afkerig tegenover stond, maar dat hij uiteindelijk de druk van de anderen niet kon weerstaan.

Zijn vader begrijpt dat. 'Het is een kwestie van dúrven, hè? Weet je wat het met ons Couperussen is, jongen, wij zijn veel te bang om af te gaan als een gieter. Nee, je hoeft me niet tegen te spreken, ik weet dat het zo is. Ik ken mezelf en jou.'

Voorlopig is er niets anders dan het brommen van de automotor – iets dieper dan daarnet, want Eelke geeft opeens meer gas.

'Het zijn de mensen om ons heen die ons telkens een zetje moeten geven en dan lukt het meestal wel,' gaat vader Age verder. 'Maar soms is het nodig dat we onszélf een duwtje in de rug geven.'

Het is net als met een boot die te water wordt gelaten, vindt Eelke bij het begin van het nieuwe schooljaar, eerst spat het water hoog op en wordt het wild, maar na een tijdje nemen de baldadige golven in kracht af, de boot dobbert op het onderhand kabbelende water. Zo ongeveer verging het hem ook: de innerlijke explosie was overwonnen, het gelijkmatige schoolleven had hem langzaamaan in beslag genomen.

Hij heeft zijn nieuwe klas goed in de hand en zijn collega's doen heel gewoon tegen hem, net als anders. Toch laten ze in hun doen en laten uitkomen dat hij nu een treetje hoger staat.

'Zie je wel?' zegt Dorien. Meer niet. Alsof het de gewoonste zaak van de wereld is!

Eelke begint voorzichtig van zijn nieuwe functie te genieten en als de eerste bestuursvergadering van het seizoen in zicht komt, ontwikkelt zich bij hem een plan dat hij latent al heel lang bij zich draagt. Maar of hij er de eerste de beste keer al mee op de proppen kan komen? Eerst de stemming maar eens aanvoelen.

Voorzitter Ten Have opent de vergadering met gebed en bijbellezing. Dat is op de vorige bijeenkomst ook zo gegaan, verneemt Eelke uit de voorgelezen notulen. Logisch trouwens.

Op de agenda staan de gebruikelijke punten. Eelke noemt het leerlingenaantal en spreekt zijn bezorgdheid uit over de terugloop ervan en de secretaris wil weten of die daling trendmatig is. Op die vraag moet Eelke het antwoord schuldig blijven.

Dan de financiën, hoe staat het daarmee? Weet meester Couperus aan welk bedrag hij zich te houden heeft bij de bestelling van leermiddelen? 'Je moet nooit verder willen springen dan de polsstok lang is,' poneert Eelke, en met die uitspraak stemmen de leden minzaam glimlachend in.

Eigenlijk verloopt de vergadering wel goed, vindt Eelke. In de pauze schenkt hij koffie en presenteert zwierig een schaal met koeken.

Het wordt buiten al donker en binnen is het blauw. Aan dat laatste werkt Eelke als sigarettenroker mee, de asbakken liggen algauw half-vol met peuken.

Voor de rondvraag hebben de heren bestuursleden niet veel te melden. Het blijft bij een kapotte scharnier van het schoolhek en een vraag of het pas aangeschafte filmtoestel al functioneert.

Eelke voelt aan dat er van hem ook iets verwacht wordt, onverschillig over welk onderwerp het gaat, en hij beseft dat hij nu zijn kans moet grijpen. Hij gaat er eens recht voor zitten.

'U weet denk ik wel dat ik iets heb met muziek. Het zal u dan ook niet verbazen dat ik in mijn nieuwe functie graag wat meer inhoud zou willen geven aan het vak muzikale vorming, wat in de praktijk op de lagere school meestal neerkomt op zang.'

Hij kijkt de kring rond en probeert te peilen of zijn inleiding weer-klank vindt. Nee, alleen maar onbewogen gezichten en ogen die zeg-gen: ga verder.

'Ik wil dus graag proberen het vak zingen op een hoger niveau te bren-gen,' vervolgt Eelke. 'En hoe doe ik dat? Ik wil de mogelijkheden nagaan van het op poten zetten van een schoolkoortje. Daarbij wil ik beginnen met mijn eigen zesde klas. Hoe lijkt u dat?'

Goed, heel goed, knikkende hoofden en: 'Vernieuwingen zijn altijd welkom,' meldt de voorzitter, 'mits ze ook verbetering inhouden.'

Eelke wordt nu echt enthousiast. Hij houdt een kleine lezing over het nut van een muzikale vorming waarbij de leerlingen echt betrokken worden en eindigt met de slotzin: 'Het beleven van muziek en zang betekent een verrijking van het leven.'

Nounou, zeggen de elkaar kruisende blikken van de bestuursleden, dit liegt er niet om!

Eelke glimt. Hij heeft de laatste pijl van zijn boog bewaard voor dit ogenblik. 'En daarom heb ik een verzoek. Ik zou graag een elektronisch orgel voor de school willen aanschaffen.'

Er valt een stilte. De ogen die hem daarnet nog welwillend aankeken zijn nu opeens gericht op de koffiekopjes. Onbeweeglijk zitten de heren, de geluidloosheid wordt na enige ogenblikken drukkend en Eelke voelt hoe zijn hartslag in tempo bijna verdubbelt. Op slag ziet hij het bestuur als een comité van examinatoren. Wat heb ik aangericht? vraagt hij zich met een vleug van radeloosheid af.

Het is de penningmeester die de pijnlijke stilte verbreekt met de vraag naar de kosten van het voorstel.

'Och, zo'n zeventienhonderd gulden zal er wel mee gemoeid zijn,' schat Eelke. Bij wijze van antwoord vertrekt de vragensteller zijn gezicht in een grimas.

De secretaris heeft ook iets op zijn hart. 'Waar zou u het orgel willen plaatsen? Ik bedoel, in welk lokaal?'

Met een rood hoofd bekent Eelke dat hij gedacht had aan het zijne. Waarop de secretaris onmiddellijk vraagt of het instrument dan wel ten goede komt van de hele school.

De vuurrode Eelke raakt verstrikt in het net dat hij zelf gespannen heeft. Zijn antwoord is niet veel meer dan wat gestamel. Hij is er diep van doordrongen dat hij met een ondoordacht idee is gekomen.

De vragen van een paar anderen zijn niet belangrijk meer, het varkentje is gewassen.

Voorzitter Ten Have stelt Eelke dan ook diplomatiek voor om zijn voorstel nog eens te overwegen. Hij sluit de discussie af met: 'Het lijkt me trouwens ook beter om ingrijpende veranderingen niet buiten ons hoofd, de heer Datema, om te doen.' De dodelijke kogel!

'Dat had je kunnen weten,' zegt Dorien die zijn verslag in Eelkes ogen onaangedaan aangehoord heeft. 'Wie zet er dan ook bij de eerste de beste bestuursvergadering de boel op stelten?'

Eelke wil zich wel voor de kop slaan. Wat stom, wat stóm! Hoe kon dit nou gebeuren? Hij, die anders de bedeesdheid zelve is, ging zomaar op de ramkoers. Onbegrijpelijk.

Hij vraagt zich af of hij misschien alle werkelijkheidszin kwijtgeraakt is. Is hij dan echt zo naïef om te verwachten dat zijn verzoek ingewilligd zou worden? Met zelfkwelling houdt hij zich het spreekwoord voor: 'Als niet komt tot iet, kent iet zichzelve niet.'

8

Zou Dorien dan toch gelijk hebben gehad? Ze praat niet vaak meer over Eelkes nieuwe functie, maar áls ze er wat over zegt doet ze alsof het een vanzelfsprekende zaak is: 'Natuurlijk kun je dat, maar dat zei ik toch allang?' Of: 'Weet je waar bij jou de knoop zit? Je denkt te gering over jezelf, terwijl je wel weet dat dat onzin is.'

'Ja? Echt?' vraagt hij dan bescheiden, wachtend op meer positieve uitspraken.

Soms komen die ook, maar het kan best zijn dat ze opeens anders uit de hoek komt, bijvoorbeeld met: 'Uitlatingen van minderwaardigheid zijn feitelijk uitingen van een verkapte hoogmoed.'

Daar kan hij het mee doen! Gekrenkt kruipt hij dan weer in zijn schulp en neemt zich voor de kwestie niet meer aan te roeren, en vervolgens vlucht hij naar zijn piano.

'Papa is wel streng voor zijn klas, maar ook erg aardig,' vertelt Yvonne die vriendinnetjes heeft in de zesde. Zijzelf moet nog een jaartje wachten voor ze de top van de maatschappelijke ladder van de lagere school bereikt heeft en denigrerend over de lagere klassen kan doen.

Egbert gnuift. Hij komt de laatste tijd met sterke verhalen over 'stomme leraren' die je om niets naar de directeur sturen. Laatst ook, hij had werkelijk niks gedaan maar moest van de directeur wel het fietsenhok vegen.

Opa Age hoort het allemaal rustig en met een glimlach aan. Soms zegt hij dat hij van het voortgezet onderwijs geen verstand heeft, hij is na de lagere school meteen aan het werk gegaan, maar dat hij het idee heeft dat meester Couperus zijn straatje wel schoonmaakt. 'Zeker nu hij hoofd der school is,' komt er keer op keer achteraan.

Meester Couperus, zegt hij, denkt Dorien, hij wil zijn eigen naam graag horen zeker. En dat fijne lachje staat haar niet aan. Er komt evenwel alweer een slot op haar mond – voornemens zijn er om je aan te houden.

Eelke zelf is na zijn blunder op de bestuursvergadering redelijk gauw weer terug in zijn dagelijkse ritme. De dreun was dan wel hard aangekomen, maar hij heeft zichzelf overwonnen. De heren bestuursleden hebben trouwens hun mond gehouden over het voorval, Eelke heeft er geen mens over gehoord, geen enkele toespeling heeft hem bereikt. Hij heeft zich voorlopig bepaald bij zijn klassenwerk, het hoofdschap bestond voornamelijk uit het luiden van de bel bij het begin en het einde van de schooltijd.

Toch rolde hij zoetjesaan en haast ongemerkt in zijn functie. En warempel, hij vindt het nu eigenlijk wel leuk worden: ouders die hem bellen, die zijn raad vragen, die hem hun moeilijkheden voorleggen, die hem in vertrouwen nemen en hem dus voor vól aanzien.

Niet één keer heeft een ouder het woord 'waarnemend' in de mond genomen, laat staan dat iemand over de hoofdakte repte.

Maar zijn leven is wel een stuk drukker geworden. De administratie vergt veel tijd en ook het berekenen van de salarissen van het personeel is tijdrovend. Bovendien is het een heidens karwei, met al die voorschriften uit Den Haag. Hebben die lui daar nou echt niets beters te doen dan het uitvinden van wéér nieuwe regelingen? Af en toe moet Eelke aan de lijn hangen bij gevestigde hoofden van scholen uit de omgeving om zijn licht op te steken.

Waar hij wel met iets van gerechtvaardigde trots op kan bogen is zijn schoolkoortje. Toegegeven, het ontstijgt nog amper het niveau van de gemiddelde zesde klas, maar de tweestemmigheid ís er. Jammer dat er zo weinig jongens voor te porren zijn.

'Hoe zit dat eigenlijk, schaam je je ervoor dat je een jongensstem hebt?' vraagt meester Couperus. 'Dan zal ik je eens wat vertellen. Er is een jongenskoor, de Wiener Sängerknaben, dat wereldberoemd is. Ze reizen van de ene radiostudio naar de andere en tegenwoordig zijn ze ook al te zien op televisie en zíngen dat ze doen! Als nachtegaaltjes!'

Kees de Graaf steekt zijn vinger op. 'Als er meer jongens meedoen, komen wij dan ook op tv?' De klas gniffelt. Zingen is iets voor meiden, is de algemene jongensmening.

Toch melden zich een paar minitenoren aan – radio en televisie zijn aanlokkelijk.

Op een keer staat collega Jan Visser uit de vijfde voor de deur van klas zes te luisteren naar de aankomende nachtegalen. Door het raampje in de deur ziet Eelke zijn gezicht en dat spreekt boekdelen. 'Kom maar binnen,' wenkt Eelke.

Iets voorovergebogen zit Jan Visser even later naar Eelkes koor te luisteren. Hij heeft de tijd, de school is al uit, de zangers maken dus overuren.

'Je hebt al heel wat bereikt,' vindt Jan na afloop. Het is duidelijk: hij heeft bewondering voor de prestatie van zijn collega.

'Jammer dat je er geen betere begeleiding bij hebt,' gaat hij verder, 'heb je echt aan een stemvork en een blokfluit genoeg?'

Daar heeft Eelke wel een antwoord op, maar hij houdt het binnenboord. Hij schokschoudert slechts.

De volgende dag komt Jan Visser met een vraag. 'Niet om het een of ander, Eelke, maar zou je je zanggroep niet kunnen uitbreiden? Ik heb je vocalisten geteld: een stuk of vijftien. En het is een klassenkoor. Kan het niet een schoolkoor worden?'

'Schoolkoor? Alle leerlingen van de hele school?' vraagt Eelke onnozel. 'Om te beginnen uit klas vijf,' stelt zijn collega voor.

Een paar dagen later staat Eelke voor klas vijf terwijl Jan Visser de zesde neemt. Eelke legt uit wat zingen precies inhoudt. En hoe je naar muziek kunt leren luisteren.

De kinderen zijn een en al oor, ze weten dat meester Couperus deskundig is op muzikaal gebied. Eelke zingt een zelfbedacht liedje voor en observeert intussen de klas. Aan de ogen kan hij zien of er échte belangstelling is. Hij laat de kinderen zelf een liedje maken. 'Wie komt even naar voren om het te zingen?'

Het lukt, er zijn er al een stuk of wat die hun hymne ten gehore durven te brengen. Aan het eind van de les heeft hij een vraag: 'Wie van jullie houdt van zingen?' En jawel, hoor, meer dan de helft van de klas steekt de vinger op. Meester Couperus zegt glunderend dat hij een plannetje heeft. 'Jullie weten dat klas zes een koor gevormd heeft? Ja? Dacht ik wel. Steek op, wie zou daar ook aan mee willen doen?'

De respons is overweldigend, ook als Eelke waarschuwt dat het oefenen na schooltijd gebeurt. Geen bezwaar! Eelke ontmoet enthousiaste ogen. Volgende rem: ook als je geen zin hebt moet je komen. 'Anders ben je geen koorlid meer.'

Akkoord, laat ongeveer de helft weten.

'Aldus besloten,' zegt meester Couperus plechtig.

'Of ik daar licht in zie? Ja, waarom niet?' antwoordt Dorien op Eelkes vraag. 'Als je de zesde klas kunt enthousiasmeren, dan kun je het de vijfde zéker. Altijd proberen dus.'

Daar heb je het weer. Niets op haar woorden aan te merken, daar niet van, maar meent ze het ook? Nee, dat is verkeerd gezegd, Eelke bedoelt: neemt ze niet steeds meer een beetje afstand? Klonk dat 'Ja, waarom niet' niet ietwat koeltjes, om niet te zeggen onverschillig?

'Anders moest je maar eens komen luisteren,' probeert hij nog.

Dorien tuit haar lippen en laat haar hoofd van links naar rechts wiebelen. 'Och...' zegt ze.

'Of vind je het niet leuk bij papa op school?' Dat is Yvonne, wie anders?

'O jawel, hoor,' is het antwoord. Maar ook daarvan is de toonzetting dezelfde, vindt Eelke. Hij laat het er maar bij, maar het geeft wel te denken.

Te denken? Zeg maar liever: te piekeren. Diep vanbinnen weet Eelke dat Dorien en hij twee bootjes zijn die uit elkaar drijven. Soms naderen ze elkaar even, raken ze elkaar zelfs aan en dobberen bij de geringste aanleiding weer uiteen. De vaartuigjes kiezen verder hun eigen koers, houden elkaar wel in de gaten, wisselen ook berichten uit, maar vermijden te veel contact.

Zo is het toch? denkt Eelke. Zo leven we toch? Ons niet te veel met elkaars zaken bemoeien, dan lukt het wel, althans voor het oog. Maar raken de bootjes elkaar, dan is er meteen weer wrijving, of op z'n minst afstandelijkheid.

Is dit een crisis? Een huwelijkscrisis? En is die dan onvermijdelijk? Heeft elk stel daarmee te maken? En wanneer is de stagnatie dan begonnen? En waarmee?

Vragen, vragen, altijd maar weer. En geen van hun tweeën weet ze te beantwoorden. Te beantwoorden? Ze stellen ze niet eens.

Het is allemaal wat vlak geworden in hun huwelijk. Allebei proberen ze er het beste van te maken, ze vermijden het om snauwerig tegen elkaar te doen, ook al om de kinderen, die heel goed in de gaten hebben dat papa en mama het samen niet zo goed meer kunnen vinden. En hun bedpartijtjes, zoals Eelke ze noemt? Daar heeft de sleur toegeslagen, ze beleven elkáár niet meer. Nee, Dorien wendt geen hoofdpijn voor en Eelke zegt niet dat hij moe is, maar ze weten dat ze om elkaar heen draaien.

Intussen weet Eelke op die laatste vraag: waarmee is de crisis begonnen? wél het antwoord.

Het gaat om zijn houding ten opzichte van zijn vader. En dat is het hem nou juist: daar wil hij niets aan veranderen. Dat kán hij trouwens ook niet, hij is immers aan handen en voeten gebonden aan een belofte!

En Dorien? 'Ik ben zoekende,' zegt ze vaak in zichzelf. 'Ik zoek de harmonie in mijn leven en ik vind hem maar niet.'

Ze vraagt zich haast dagelijks af wat de bedoeling van haar bestaan is. Ja, natuurlijk, ze houdt de huishouding draaiende, ze let op haar kinderen en stuurt ze kort en goed bij als ze streken uithalen en ze probeert een lieve moeder te zijn. Voor het oog van de buitenwacht is ze dat ook, dat leidt ze af uit de signalen die ze opvangt.

Ze vergelijkt haar gezin met dat van bijvoorbeeld Jan Visser. Bij de bezoeken over en weer is er een gezellige sfeer, ja ook als de Vissers bij hen langskomen. Niks mis mee. Maar hoe zou de werkelijkheid zijn? Zouden Jan en Aukje ook op een afstandje van elkaar leven? Niet voor te stellen.

Nee, maar zo krijgt een ander net zomin hoogte van hún samenhang. Als ze bij een volgend bezoek eens de diepte opzocht? Een gesprek met inhoud forceerde? Zou er dan iets gelijksoortigs aan het licht komen? Misschien wel, maar zou ze er wat mee kunnen? Dat is de vraag. Of zou het uitdraaien op het schamele 'buurmans leed troost'?

Gelukkig heeft de presidente van de kerkelijke vrouwenvereniging laten weten dat ze door omstandigheden het voorzitterschap er niet meer bij kan hebben, en sindsdien zit Dorien op haar stoel. Dat tot blijdschap van de leden van de damesclub, en Dorien zelf beleeft er genoegen aan – ze heeft weer wat omhanden.

Zo is ze ook bestuurslid van de afdeling van het Rode Kruis; dat vergt eveneens tijd en energie. Bovendien is er op instigatie van hun predikant een 'commissie eredienst' in het leven geroepen, waarin ze mee mag denken over nieuwe ideeën en hoe die ten uitvoer te brengen. Is het een vlucht? Nou, toe dan maar. Mochten er meer komen die van haar inzet gebruik willen maken, dan vinden ze bij haar een gewillig oor. Want zeg nou zelf, wat is beter: bezig te zijn op het sociale vlak en daar plezier aan te beleven, óf dag aan dag zitten te kniezen? Bovendien wordt haar inbreng in het verenigingsleven gewaardeerd!

Op een dinsdagmorgen in oktober is er een klop op de deur van klas zes, een forse klop zelfs en de bezoeker wacht niet op een jawoord, hij verschaft zichzelf toegang. In de deur staat een middelgrote heer van middelbare leeftijd met een middelzware uilenbril. De onderwijsinspecteur!

Eelke schiet overeind vanachter zijn tafel. 'Meneer Steenbergen!' roept hij. 'Komt u binnen!'

Dat is mis, want de bezoeker staat al bij de eerste rij tafeltjes. 'Mag ik uw jas aannemen?' herstelt Eelke zijn fout.

'Goedemorgen. Ik wil graag uw school vandaag eens onder de loep nemen,' maakt meneer Steenbergen het doel van zijn komst bekend. 'Om te beginnen woon ik een les in deze klas bij. Waar bent u mee bezig?'

Dat blijkt geschiedenis te zijn. 'Ik stond op het punt een deel van de tocht naar Rusland te behandelen,' verklaart Eelke.

'Ah, de napoleontische tijd,' zegt de inspecteur. 'Welnu, ga uw gang.'

Eelke siddert een beetje. Onzin natuurlijk, want hij weet een goed verhaal te vertellen. Toch voelt hij zich wat bibberig. Deze inspecteur staat bekend als een strenge man, die leerkrachten meedogenloos in de hoek kan zetten als er iets is dat hem niet zint.

Terwijl de bezoeker achter in de klas een stoel vindt, steekt Eelke van wal. Hij vertelt het verhaal van twee jonge Nederlandse soldaten die net als zo velen gedwongen werden dienst te nemen in het Franse leger en zo de tocht naar Rusland meemaakten. De Russen konden hen niet keren, hun hoofdstad Moskou werd zelfs door keizer Napoleon ingenomen. Daar mocht het leger overwinteren, maar dat ging niet door, want de Russen staken stiekem hun stad in brand. Te midden van het vuur moesten de soldaten vluchten, ook de beide Nederlandse jongens dus.

Het was intussen winter geworden, het werd een barre terugtocht. 'Wat was erger?' vertelt meester Couperus, 'de felle vrieskou of de plotselinge aanvallen van de Russische kozakken die op hun paarden het Franse leger aanvielen en met hun lange speren de soldaten probeerden te doden? De beide jongemannen, Reinder en Frederik, hielpen elkaar zo veel mogelijk. Ze beschermden elkaar en waarschuwden elkaar als ze onraad vermoedden.'

Onder het vertellen door dwalen Eelkes ogen over de bezoeker. Wat zou hij van het verhaal vinden?

'En toen moest het ergste nog komen: het leger kwam bij de grote rivier de Berezina. Ze zaten in de val. Vóór hen was het ijskoude water met scherpe schotsen erin en achter hen klonken de kanonnen van de Russen.'

De inspecteur maakt nu een paar aantekeningen, merkt Eelke.

Hij vertelt verder en ziet dat de bezoeker de leerlingen observeert. Opnieuw maakt de man een aantekening. Een goede of een slechte? Vanachter zijn ronde bril kijkt hun gast ook geregeld naar hem, met een neutrale blik.

Eelke vertelt dat er een brug geslagen moest worden en dat daar Hollandse jongens voor aangewezen werden. Die kwamen immers uit Néderland, een laag land dus, waar de mensen veel met water te maken hadden en waar men goed was in het bouwen van bruggen.

Niet goed? Waarom kijkt de inspecteur opeens bedenkelijk?

'De mannen moesten tot hun middel met balken en planken in het ijskoude water staan. Velen hielden dat niet vol, ze vielen om en verdronken. Maar de brug kwam er en de soldaten renden erover naar de veilige overkant.'

De inspecteur verschikt even. Iets niet in orde?

'Het werd een enorm gedrang op die brug zonder leuningen en velen werden eraf geduwd. Ze verdronken bijna allemaal. Reinder en Frederik hielden zich stijf aan elkaar vast en zorgden dat ze in het midden van de groep bleven. Toen ze bijna aan de veilige overkant waren, stortte de brug door het grote gewicht achter hen in. De beide Nederlandse jongemannen ontsnapten ternauwernood.'

Een zucht van verlichting bij veel leerlingen. En ziet Eelke een haast onmerkbaar knikje bij zijn bezoeker? Hij laat de geschiedenisboeken uitdelen, het wordt nu plaatjes bekijken en vragen beantwoorden.

De inspecteur staat intussen op en verklaart nu een kijkje te gaan nemen in klas één. 'Kan ik aan het eind van de schooldag een gesprek met u hebben?'

'Natuurlijk,' zegt Eelke gedienstig. 'In de personeelskamer maar even?'

De man reageert er niet op, hij stapt statig weg. Het was ook een domme vraag, beseft Eelke.

In de pauze drinken de personeelsleden koffie in gezelschap van de inspecteur. De ietwat geladen stilte wordt af en toe verbroken door geprepareerde opmerkingen over het oktoberweer, over de herfst die eraan komt en dat voordat je het weet Sinterklaas weer in het land is. En o ja, schiet je al op met je huisbezoeken?

Deze keer is iedereen blij als hun waarnemend hoofd precies op tijd het einde van de pauze aankondigt.

Die middag, vier uur. De school is leeg, dat wil zeggen: alle leerlingen zijn weg. De collega's niet – zou meneer de inspecteur nog een gesprek met hén willen hebben?

In de personeelskamer heeft de inspecteur een map voor zich op tafel gelegd. Eelke zit tegenover hem en kan alleen de naam van hun school lezen.

De man kijkt hem een paar tellen aan en Eelke ontdekt dat hij ook vriendelijk kan kijken.

'Meneer Couperus,' begint de heer Steenbergen, 'ik kan me voorstellen dat u hier met gemengde gevoelens zit. U zit eigenlijk met twee benen in één kous. U bent hoofd der school...'

'... Waarnemend,' onderbreekt Eelke hem.

'Is bekend, is bekend,' komt er wat korzelig. 'U bent hoofd der school, maar na verloop van tijd bent u weer gewoon een collega van de anderen. Een moeilijke positie, lijkt me. Gáát dat?'

Eelke verklaart dat hij meer collega is dan baas.

'Precies. En toch moet er leiding gegeven worden. Komt u bijvoorbeeld geregeld even ter controle in de andere klassen? Nee? Toch zou ik u dat wel aanraden. U moet namelijk op de hoogte blijven van het reilen en zeilen van uw school. Verder dient u toe te zien op het peil van het onderwijs aan uw school.'

Uw school, zegt hij al een paar keer, denkt Eelke. Hij heeft er niet over gepiekerd toezicht te houden op de lessen van zijn collega's. Maar hij knikt volgzaam en vraagt zich af hoelang dit gesprek nog moet duren. Zijn gast bladert met een beringde hand in zijn map. 'Mijn totaalindruk van deze school is redelijk positief, al plaats ik daarbij enige op- en aanmerkingen. Het niveau van het onderwijs is voldoende, uw collega's maken zich er niet met een jantje-van-leiden vanaf en bovendien is er sfeer op uw school.' Er plooit zich zowaar een glimlachje om zijn lippen.

'Fijn dat te horen,' zegt Eelke. Het klinkt hem zelf wat gewoontjes in de oren, maar de inspecteur geeft geen blijk van misnoegen.

'Uw geschiedenisles interesseerde me bijzonder. Ik heb namelijk in een ver verleden de mo-akte geschiedenis gehaald, dus...' Een trotse glimlach maakt verdere mededelingen overbodig.

'U geeft wel vaker geschiedenisles in verhaalvorm?' wil hij verder weten.

Eelke geeft als zijn standpunt te kennen dat voor hem het inlevingsgevoel een belangrijk punt is. 'Daarom giet ik de gebeurtenissen graag rondom fictieve maar concrete personen, waardoor de leerlingen zichzelf in het verhaal kunnen herkennen.' Waar hij die woorden zo gauw vandaan haalt weet hij niet, ze zijn er zomaar.

Meneer Steenbergen kan zijn uitspraak waarderen. 'Alleen moet u oppassen daarin niet te ver te gaan,' adviseert hij. 'Verder heb ik in uw verhaal iets gemist. Geen enkel jaartal heb ik u horen noemen. Opzet misschien? Wat was daarvan de reden?'

Er wás helemaal geen reden, Eelke had er gewoon niet aan gedacht, maar dat durft hij niet te zeggen. Hij neemt zijn toevlucht tot de lesboeken. 'Daar staan uiteraard alle jaartallen in.'

De inspecteur neemt genoegen met zijn verklaring. 'Dan wil ik nu de verrichtingen van de andere personeelsleden met u doornemen. Om te beginnen met de heer Visser van klas vijf. Hij lijkt me uit het goede hout gesneden. Als hij voor de klas staat, stáát er ook iemand. Zijn prestaties zijn zonder meer goed te noemen en hij heeft goed zicht op zijn klas.'

Nounou, denkt Eelke, die Jan komt goed weg.

Ook de anderen worden positief beoordeeld. Alleen maakt meneer Steenbergen een uitzondering voor Marie Koning uit klas één. 'Ze valt een beetje uit de toon. Naar mijn smaak heeft ze te weinig voeling met de klas. Ik acht trouwens ook de leesresultaten van haar leerlingen iets onder de maat. Ik weet niet hoelang u hier het hoofdschap blijft waarnemen, anders zou ik zeggen: geef haar niet weer zo'n belangrijke klas als de eerste.'

Eelke schrikt ervan en stamelt dat hij erover zal nadenken.

'En dan de heer Bijlsma uit klas drie. Ach, die Bijlsma. Zijn resultaten zijn wat magertjes, maar er was iets wat me echt opviel. Is deze jongeman wat onzeker? Heeft hij misschien last van een nogal sterk minderwaardigheidsgevoel?'

Eelke gelooft zijn oren niet. Roel Bijlsma aarzelend? Weifelend? Hij vraagt zich af of meneer Steenbergen het per ongeluk niet over hém heeft. Maar hij waagt zich niet op glad ijs en veronderstelt dat Bijlsma vandaag waarschijnlijk een beetje uit het veld geslagen was door het onverwachte bezoek.

Als meneer Steenbergen zijn jas al aanheeft, krijgt Eelke van hem een stevige hand vergezeld van een raadselachtige glimlach. 'Hoelang, denkt u, is meneer Datema nog afwezig? Dat is niet te zeggen? Dan wens ik u veel sterkte.'

Wat moet je daar nou mee? Hoe bedoelt die man dat? Schiet hij, Eelke, in zijn taak tekort? Is hij misschien weer eens gezakt? Eelkes schouders gaan een beetje hangen.

Zijn collega's hebben op de loer gelegen, want nauwelijks heeft de inspecteur zijn hielen gelicht of daar komen ze aanzetten. 'Wat zei hij? Wat vond hij van mij?'

Eelke vertelt omstandig dat meneer Steenbergen een positieve indruk had van de school in zijn geheel. Natuurlijk zijn er altijd dingen die nét iets beter kunnen, maar over de resultaten mocht hij naar zijn zeggen niet klagen.

Eelke spaart Marie Koning en ook Roel Bijlsma noemt hij niet – dat kan wachten tot een later tijdstip. Hij probeert tevreden over te komen en dat lukt volgens hem ook wel.

Maar zijn collega's zien zijn mistroostige schouders wel.

Een paar weken later komt de plaatselijke predikant, dominee Vermeer, naar school. Hij wil graag een praatje maken met meneer Couperus. Het is vier uur, dus dat kan.

'Ik heb gehoord dat u een schoolkoor gevormd hebt en ik weet allang dat u op muzikaal gebied niet de eerste de beste bent. Daarom kom ik met een verzoek: zou uw koor eens een keer een bijdrage kunnen leveren aan de eredienst?'

Oei! Optreden in een kerkdienst! Eelke schrikt. 'We bestaan nog maar een paar maanden.'

'Weet ik,' zegt de predikant.

Stilte. De beide mannen kijken elkaar een tijdje aan. 'Volgens mij hoeft u er niet lang over na te denken, want die zanggroep doet het goed,' stelt dominee Vermeer vast. 'Vindt u het goed dat ik u morgen bel voor een antwoord?'

Dat is wel héél voortvarend, vindt Eelke. Het geheel dringt nog niet goed tot hem door.

'U begint alvast met nadenken?' lacht zijn gast als Eelke nog steeds niks zegt.

'Ik... eh... ik wil het wel met mijn collega's bespreken,' weifelt Eelke.

'Moet dat?' vraagt de predikant onmiddellijk.

'Eh... de ouders moeten het ook maar goedvinden,' bedenkt Eelke. Een uitvlucht, jawel.

'Een stenciltje naar de betrokken ouders, klaar!' Weer zo'n rappe reactie. Plus een vrolijke grijns.

'Nou... goed dan, ik zal me erop beraden,' geeft Eelke toe.

'Het bestuur ook even informeren misschien?' geeft de dominee een hint. Hij heeft de zaak goed doordacht.

'Eh... ja, natuurlijk... het bestuur,' hakkelt Eelke. Wat een misser. Hoe kon hij zijn werkgevers nu overslaan? 'Bel morgen maar,' zegt hij zo resoluut mogelijk.

Het wordt een succes. Het kinderkoor De Nachtegalen doet zijn naam eer aan. Ze staan met de rug naar de preekstoel en hun dirigent heeft de gemeente de rug toegekeerd. Hij slaat de maat met een stemvork, verder komen er geen muziekinstrumenten aan te pas. Maar de toehoorders genieten van het a capella zingen, vooral de ouders van de zangers – ze zijn een en al oor.

Eelke geniet net zo hard. In het begin was hij wat beverig, maar dat is over. Vooral als dominee Vermeer aan het eind van de dienst verklaart dat het vast niet om een eenmalig optreden gaat en dat het koor duidelijk een aanwinst voor de gemeente is, kan Eelkes dag niet meer stuk. Stralen is het wat hij doet.

'Hoe vond je het, Dorien?' Eelke glimt, want hij weet wat het antwoord zal zijn.

'Heel goed,' zegt Dorien, 'je hebt je dus weer voor niks zorgen gemaakt. Hoe vaak moet ik nou nog zeggen dat je meer kunt dan je denkt?'

Eelke had graag andere woorden willen horen. Lievere woorden. Maar goed, zo is Dorien. Vooral de laatste tijd.

Hij wendt zich tot zijn vader, die net een zondagse sigaar aansteekt. Wat zíjn indruk was?

'Uitstekend!' zegt opa Age. 'In één woord: voortreffelijk! En ik zeg het Dorien na: op muzikaal gebied ben jij moeilijk te overtreffen!'

Eelke geniet opnieuw. Dat Dorien haar gezicht meesmuilend vertrekt ontgaat hem.

De dinsdagavond daarop is er weer bestuursvergadering. Eelke gaat er enigszins gewapend naar toe. Wat er op zijn eerste bijeenkomst gebeurd is zal hem niet weer overkomen. Dus zegt hij dingen die hij van tevoren gerepeteerd heeft, hij lacht op zijn tijd met de heren mee en schenkt koffie.

Opzienbarende zaken zijn er niet, voorzitter Ten Have acht het niet raadzaam om de vergadering onnodig te rekken en stelt daarom al om halftien de rondvraag aan de orde. 'Wie van de heren?'

Merkwaardig, niemand.

'Couperus misschien?'

Nee, Eelke heeft niks te berde te brengen, hij is allang blij dat hij geen averij heeft opgelopen.

'Dan heb ikzelf nog wat,' zegt Ten Have. 'Even een zaak op u toegespitst, Couperus.'

Wat nou? Toch nog een deceptie? Eelke wordt rood.

'Op een vorige vergadering kwam u met een verzoek omtrent een elektronisch orgel. We hebben toen de zaak wat op de lange baan geschoven, maar na overleg met de andere leden kan ik u nu meedelen dat we besloten hebben in te stemmen met uw voorstel.'

Eelke zit recht overeind. 'U hebt ons gehoord in de kerk?' roept hij.

'Onder andere,' glimlacht Ten Have.

9

DORIEN IS DE EERSTE DIE HET ZIET. TEGELIJK REALISEERT ZE ZICH DAT ZE het eerder gemerkt heeft, alleen is het niet tot haar doorgedrongen. Dat komt misschien ook doordat Eelke en de kinderen geen blijk hebben gegeven van bezorgdheid. Ze besluit voorlopig maar eens af te wachten – op een keer moet het toch tot uiting komen.

Eigenlijk is dat raar. Als alles goed was geweest zou ze nu onmiddellijk Eelke inseinen met: 'Is jou ook iets bijzonders opgevallen?' Ze is er zeker van dat hij dan gereageerd zou hebben met: 'Nee, wat is er dan?' Zij zou dan misschien gezegd hebben: 'Ach nee, laat maar, het is wel goed.'

Maar alles ís niet goed. Zíj kan tenminste het goede van het leven niet meer vinden. Daar heeft ze een hekel aan, anders gezegd: ze vindt het verschrikkelijk. En is daar nu niets aan te doen?

'Tel uw zegeningen, tel ze een voor een,' speelde Eelke laatst bij het uitgaan van de kerk. Ze zag hem zitten op de orgelbank, een beetje voorover, hoofd wat scheef, helemaal in de ban van zijn instrument. Je kon zien dat hij erin lééfde.

Dat kan hij makkelijk spelen, was haar wrange gedachte geweest, hij weet niet wat het is om je onvolledig te voelen.

Zulke opwellingen, ze schrikt soms van zichzelf. Hoe komen die zomaar bij haar naar boven? Ze heeft er een afkeer van, ze wil ze wegduwen, maar voordat ze het weet zijn ze er weer. Speciaal de laatste tijd krijgt ze er almaar meer mee te maken. Heel vervelend, zachtjes uitgedrukt.

Kan een mens van karakter veranderen? Als jong meisje en naderhand als jonge vrouw kende ze dat verschijnsel bijna niet. Ga maar na, had ze in haar ouderlijk gezin last van sarcastische gedachten? Absoluut niet, ze was een nogal opgewekt kind. Als jonge moeder dan? Ook niet, schampere opmerkingen waren haar vreemd. En wees eerlijk, was haar leven toen niet een stuk blijer?

Tegenwoordig heeft ze soms ronduit een hekel aan zichzelf. En dat mag niet van haar.

Opnieuw neemt ze zich voor zich in te zetten voor een tevreden bestaan. Ja, echt, ze zal haar best doen.

Maar wacht even, zou het ook aan Eelke kunnen liggen? Is híj anders geworden? Moet ze de 'schuld' alleen bij zichzelf zoeken?

Nee, voor het oog is Eelke onveranderd dezelfde. Hij gaat zijn eigen gang, houdt niet van zijsprongen, is met weinig tevreden en komt bij haast iedereen plezierig over. Goed, hij toont te vaak een fors gebrek aan zelfvertrouwen en daar gaat hij dan ook onder gebukt – maar dat laatste is niet zo erg dat hij erdoor gefrustreerd raakt. In zijn tegenwoordige functie lijkt hij zelfs op te bloeien. Nee, zolang hij zijn oude, vertrouwde weggetje maar kan bewandelen heeft hij voldoende levensvreugde.

Wat moet dus het antwoord zijn? Duidelijk: de oorzaak ligt bij haar. Het is het gevoel van uitgerangeerd-zijn dat haar parten speelt.

Kijk, dat weigert ze nu toe te geven. Ergens is ze ervan overtuigd dat er een andere reden is. Want nogmaals, deze manier van leven past niet bij haar, helemaal niet!

Zit de knoop dan alleen bij de inwoning van haar schoonvader?

Ja, zegt ze bij zichzelf, hoogstwaarschijnlijk wel. Wie het beter weet mag het zeggen. Alleen ís er niemand die het beter weet, oftewel: alle toespelingen daarop worden de kop ingedrukt. En daar heb je de impasse.

Ze gaan aan tafel. Hollandse pot, aardappelen, sperzieboontjes en een gehaktbal. Straks een kommetje yoghurt als toetje.

Het wachten is nog even op opa Age. Maar daar kraakt de trap al, hij komt kaarsrecht binnen, loopt naar zijn stoel en gaat zitten. Althans bijna, halverwege stokt hij in zijn beweging, hangt een paar tellen boven zijn zetel en laat zich dan op de zitting vallen.

Dorien neemt hem scherp op. Ze kan het hele gebeuren als het ware op een filmpje terugzien. Het ís dus zo. Er is iets.

Opnieuw vraagt ze zich af of de anderen nu echt niets gemerkt hebben. Maar nee, na het gebed beginnen de messen en vorken als vanouds op de borden te tikken, iedereen heeft trek en valt aan.

Intussen komen de dingen van de dag ter tafel. Eelke vertelt over de boswandeling die hij met zijn klas gemaakt heeft, bij wijze van aanschouwelijke les. Egbert verklaart dat hij zeer onterecht een onvoldoende heeft opgelopen bij een geschiedenisrepetitie. De schuld lag weer bij de leraar die absoluut niet kan lesgeven en die in de klas zijn lievelingetjes heeft, voornamelijk meiden – die wapperen natuurlijk met hun proefwerk waar een zeven of acht op prijkt. 'Papa kon de geschiedenislessen veel leuker brengen,' oordeelt hij nog.

Opa Age onderstreept die woorden met instemmend geknik.

Yvonne zit al kauwende haar moeder te observeren. 'Heb je hoofdpijn?' vraagt ze.

'Nee hoor, hoezo?' vraagt Dorien.

'Je kijkt verdrietig,' meldt haar dochter kort en goed.

Ze doen samen de afwas, Eelke en Dorien. Hij zwaait met de borstel, zij hanteert de droogdoek.

Eelke vertelt opnieuw dat de boswandeling met zijn klas succesvol is geweest. Hij weidt uit over het nut van de aanschouwelijkheid. 'Ze zullen de dingen die ze gezien hebben langer onthouden dan uit een boekje,' stelt hij, 'visueel lesgeven, dát is het! Het is opvallend hoe...'

'Ja ja,' valt Dorien hem in de rede, 'maar weet je wat míj opgevallen is? Je vader heeft knap last van zijn rug. Als je ziet hoe hij gaat zitten...'

'Ach ja, dat heeft hij al een tijdje, maar daar hoef je je niet ongerust over te maken,' kapt Eelke haar op zijn beurt af, 'iedereen heeft weleens wat.'

Wat moet Dorien nou? Hem grimmig van repliek dienen of toegeeflijk glimlachen om zijn onnozelheid? Want over ongerustheid gesproken, ze had niet eens gedácht over bekommerdheid.

Ze probeert het midden te vinden met: 'En als het nu eens om een blijvende kwaal gaat, wat dan? In dat geval wordt het alleen maar erger, en ja, dan moeten er voorzieningen komen, hoe je het ook wendt of keert.'

Eelke wast een kopje zo stevig af dat het oortje eraf breekt. 'Kijk nou toch, die rommel van tegenwoordig. Niks waard!' schimpt hij, ruw voor zijn doen.

Dorien zet het beschadigde kopje rustig in de vensterbank en zet uiteen dat ze het niet ziet zitten als zou blijken dat opa Age verzorging nodig heeft. 'Dat kan ik er niet bij hebben, Eelke.'

'Dat zien we dan wel weer,' is Eelkes bescheid. Meer woorden besteedt hij niet aan de zaak, maar zijn lichaamstaal is duidelijk: discussie gesloten!

De welwillendheid is er de tijd die volgt zeker wel, het echtpaar Couperus doet zijn best om de sfeer in het gezin goed te houden. Toch lokt veelal de ene uitspraak de andere uit. Kortom, er is géén sfeer. 'Jullie maken haast elke dag wel ruzie,' sombert Yvonne, 'ik vind er niks meer aan.' En zoals zo vaak trekt Egbert weer eens partij voor zijn zus – merkwaardig, want meestal vangen die twee elkaars woorden met de tanden op.
'Waarom loopt opa Age zo verschrikkelijk rechtop?' wil Yvonne op een keer weten.
'Weet je wat? Dat vraag je hem zelf maar, toe maar, nu direct maar,' adviseert Dorien.
Even later meldt Yvonne dat opa waarschijnlijk een spiertje in zijn rug verrekt heeft. 'Hij denkt dat het volgende week wel weer over is.'
'Zo zo, nounou,' zegt haar moeder.

Op een avond valt haar oog op een advertentie in hun dagblad. Assistentie gevraagd in een kledingzaak in de stad. Het gaat om een halve weektaak op nader overeen te komen werktijden.
Doriens blik glijdt er in eerste instantie overheen, maar even later zoekt ze de advertentie weer op. Wat stond er nou precies? O, het betreft dames- én herenkleding. En waar staat die winkel? Ach, die straat kent ze, ze heeft er zelfs weleens wat gekocht. Nette zaak wel, niet te duur ook, maar zéker niet te goedkoop.
Als Eelke even de deur uit is, gaat Dorien de krant met een schaar te lijf. De advertentie stopt ze weg in de hoop dat haar man het blad al uit heeft. Het knipseltje houdt haar de hele avond bezig. Zou dit een oplossing kunnen betekenen? Stel je voor dat ze een baantje kon krijgen, hoe dan ook en waar dan ook, zou dat hun gezinsleven niet ten goede kunnen komen? Een feit is dat ze te weinig omhanden heeft, ze kan zich niet ontplooien, ondanks haar inzet voor de kerkelijke gemeente en het vrijwilligerswerk.
En haar gezin dan? Wie neemt haar huishoudelijke taak waar? Hoe

moet het dan met haar schoonvader? En wat zal Eelke ervan zeggen? Bereikt ze met deze oplossing niet het tegendeel van wat haar voor ogen staat?

Het wordt een kwestie van wikken en wegen – ze weet nu al dat er vannacht van slapen niet veel terecht zal komen.

Maar... dat hóeft natuurlijk niet zo te zijn, ze kan toch het probleem negeren door een knoop door te hakken en te beslissen de advertentie te vergeten? Makkelijk zat.

O ja? Toch wordt haar denken de hele avond bepaald door dat simpele krantenberichtje. Als ze in bed stapt weet ze nog altijd niet wat ze moet doen. En dan neemt ze ineens een besluit: morgen even bellen. Gewoon wat informatie inwinnen. Meer niet.

Daarmee heeft ze de knoop een eindje vooruitgeschoven en ziedaar, ze slaapt heerlijk.

'Ja mevrouw, wij zoeken inderdaad iemand die ons terzijde wil staan. Het is namelijk zo dat we wel een extra kracht kunnen gebruiken.' De man aan de telefoon heeft een melodieuze stem. Dorien moet ineens aan haar vader denken. Die zou de dingen op precies dezelfde manier kunnen zeggen en met praktisch hetzelfde timbre. Ze slikt even en vraagt dan waaruit het werk bestaat, wat daarvoor nodig is en of ze een officiële sollicitatiebrief moet indienen.

Hij legt geduldig uit dat het gaat om het bijstaan van klanten die een kledingstuk willen kopen, en zegt dan: 'Nee mevrouw, u hoeft niet schriftelijk te solliciteren, ik heb veel liever dat u eens langskomt. Dan kunnen we elkaar zien en het een en ander bespreken.'

Dorien knikt inschikkelijk, maar dat kan de man aan de andere kant niet zien. 'Wilt u wel een keer een praatje met me komen maken?' stelt hij voor.

Dorien moet even slikken, want dit gaat wel heel snel. 'Ja, o ja,' antwoordt ze zachtjes.

Ze hoort een bescheiden lachje.

'Eh... wanneer kan ik komen?' Haar stem klinkt haar hinderlijk kinderlijk in de oren.

Hij moet zijn agenda raadplegen, ze hoort hem bladeren. 'Morgenochtend?' stelt hij voor. 'Om tien uur? Ja? Afgesproken. Dan verwacht ik u graag.'

Verbouwereerd legt Dorien de telefoon op de haak. Nounou zeg, zomaar een afspraak met... ja met wie eigenlijk? Hij heeft wel zijn naam genoemd, maar ze kan hem met de beste wil ter wereld niet meer bedenken. Erg, hoor. Trouwens, wie was hij precies? Waarschijnlijk de baas zelf, anders kon hij niet zomaar even een ontmoeting regelen.

Onder het koffiezetten trilt haar hand een beetje. Ja! Nu zit ze eraan vast! Nou ja, ze kan nog overal onderuit. Opnieuw een telefoontje naar die zaak en de hele boel is afgelast. Makkelijk zat, ze heeft alles nog in de hand. Met bijvoorbeeld: 'Ik ben te haastig geweest, meneer, bij nader inzien lijkt het me beter ervan af te zien.' Ja, prachtig, maar dat doet ze lekker niet, wie a zegt moet ook b zeggen, wat Eelke er ook van vindt. Het gaat toch alleen maar om een verkennend gesprek? Best mogelijk dat die meneer haar helemaal niet wil hebben. Bovendien is het denkbaar dat zij zélf geen heil ziet in dat baantje. Zo is het ook nog eens een keer!

Eelke schrikt. Dorien een halve weektaak erbij? Moet dat? En kán dat? Hoe moet het dan met de huishouding, loopt daar de boel niet spaak? 'Wacht nou maar even tot ik wat meer weet,' antwoordt Dorien, waarbij ze tracht geen spoortje korzeligheid te laten blijken, 'ik héb dat baantje nog niet, weet je?'

Eelke schudt zijn hoofd. Dorien kennende is het voor hem geen raadsel wat de uitslag van het gesprek zal zijn. Hij ziet zijn vrouw al tegenover die meneer zitten: ingetogen maar niet nederig, rustig ingaand op zijn vragen en... bloeiend. De man mocht wel gek zijn als hij een dappere en tegelijk charmante vrouw van bijna achtendertig liet schieten. Nee, Dorien komt wel met een aanstelling in haar zak naar huis.

'*And what about my father?*' Hij vraagt het in het Engels, de taal waar hij zich een tijdlang mee bezig heeft gehouden bij zijn studie voor de lo-akte Engels. Ze kent het verschijnsel. Hij neemt in precaire situaties graag zijn toevlucht tot die taal.

Het volgende ogenblik is Doriens stoel aan de keukentafel, waaraan ze hun onderhoud hadden, leeg. Bij het aanrecht wast ze haar handen – een zinloos gebaar. Of toch niet? Moet Eelke het verstaan als: 'Ik was mijn handen in onschuld, zie zelf maar wat ervan komt?'

Er verschijnt een grimmige trek om zijn mond. 'Of had je daar zo gauw niet aan gedacht?' vraagt hij wrevelig.

'Heb ik je niet vaak genoeg gewaarschuwd dat het misloopt met die inwoning van je vader?' valt ze uit. 'Niet gezien dat hij de laatste dagen met een stok loopt? Nou dan!'

'Je weet hoe ik daarover denk!' snauwt Eelke.

Mislukt. Wéér vastgelopen. En dat wilden ze nu juist niet, beseffen ze allebei. Toch gebeurt het. Waar moet dat heen? Als het zo doorgaat loopt hun huwelijk stuk!

'Ik heb op school nog het een en ander te doen,' zegt Eelke. Hij staat ook op; even later fietst hij weg, iets harder dan gewoonlijk.

Zie je wel? denkt Dorien, als het gaat knijpen gaat-ie ervandoor.

Dorien zet haar fiets op slot voor de etalage en weifelt een ogenblik. Ze kán nog terug. Neenee, onzin. Heeft ze nu een afspraak of niet! Resoluut duwt ze de deur open en stapt naar binnen.

Een grote winkel! Rekken met jassen, mantels en broeken staan overzichtelijk opgesteld op zachte, beige vloerbedekking. Kleinere kledingstukken liggen keurig opgevouwen op stellingen langs de wand. Vanuit ronde openingen in het plafond belichten bescheiden lampjes het geheel, er is een koffiehoekje en ja, het kenmerkende luchtje van nieuwe kleding is er ook.

Een vrouw van middelbare leeftijd komt met een vriendelijke lach op haar af.

'Kan ik iets voor u doen, mevrouw?'

'Ik ben Dorien Couperus en ik kom voor een gesprek met meneer... eh...' Ongelooflijk stom, dat zijn naam haar thuis later wel te binnen schoot maar dat ze hem nu weer kwijt is. 'Met de directeur,' zegt ze maar gauw.

De vrouw glimlacht mild. 'Ik zal meneer Geertsema even roepen,' zegt ze en verdwijnt naar een afgescheiden vertrek. Volgens Dorien moet dat het kantoor zijn.

Binnen een paar seconden wordt de deuropening ervan gevuld door een rijzige man, die haar toeknikt.

In één oogopslag heeft Dorien een beeld van hem onder haar schedeldak opgeslagen – een jaar of vijfenveertig, misschien iets jonger, donkerbruin golvend haar, regelmatig gezicht waarin heldere lichtblauwe ogen opvallen, brede schouders en smalle heupen. Werkelijk een man waar je best naar kunt kijken.

Hij steekt zijn hand op bij wijze van groet en loopt naar haar toe. 'U bent mevrouw Couperus?'

Dorien vergeet te knikken, want ze ontdekt dat hij lichtjes mank loopt. 'Geertsema,' stelt hij zich met een ferme handdruk voor.

'Dorien Couperus.'

'Loopt u even mee naar mijn kantoor? Dan kunnen we het doel van uw komst ongestoord bespreken.' Opnieuw heeft Dorien haar vader voor zich: dezelfde stem, hetzelfde optreden en nu ook nog een identieke uitstraling. Alleen het lopen verschilt.

Ze zitten. 'De koffie komt eraan,' zegt hij. 'Maar om te beginnen een vraag: waarom reageert u op onze advertentie?'

Terwijl Dorien nog bezig is haar gedachten te verzamelen en die ietwat moeizaam in woorden tracht over te brengen, kijkt hij haar aan. Niet onafgebroken, soms dwaalt zijn blik over de papieren op zijn bureau, maar beslist wel opmerkzaam. Dorien beseft dat ook hij indrukken probeert op te doen en die te kanaliseren.

Gaat het om een examen of zo? Ineens flitst Eelke door haar hoofd, ze ziet hem voor zich, weifelend, en zoekend naar een fictieve vluchtweg. Intussen legt ze uit dat ze meer invulling aan haar leven wil geven. Het gaat haar niet zozeer om het geld als wel om de compensatie van, laat ze het maar zo noemen, een onvolledig bestaan.

Hij luistert rustig naar haar, knikt af en toe begrijpend en glimlacht als ze vertelt over haar inzet als vrijwilligster, wat haar wel voldoening geeft en wat ze ook graag doet, maar waarbij ze toch iets mist.

'U hebt een surplus aan energie, maak ik uit uw verhaal op. Dat zou onze zaak ten goede kunnen komen, maar dan kom ik wel met vraag twee: waarom zoekt u het juist in de kledingbranche?'

Dorien stamelt dat ze daar geen bevredigend antwoord op kan geven, haar oog viel toevallig op die advertentie.

Hij verklaart dat hij dat een eerlijk antwoord vindt. 'Misschien speelt de afstand van uw dorp naar onze stad ook een rol? Krap tien kilometer is nog eens te overbruggen, is het niet?'

Jaja, knikt Dorien, dat zou best eens kunnen.

De mevrouw van daarnet brengt twee kopjes koffie met een schaaltje koekjes. Ze neemt Dorien vluchtig even op en zegt dat ze gauw weer naar haar klanten moet: 'Er zijn al drie pashokjes bezet.' Keurig ziet ze eruit, vindt Dorien, haar blonde kapsel laat zich moeilijk in toom houden, krulletjes dansen om haar oren als ze zich beweegt.

'Dat was mevrouw Van Haaren,' licht meneer Geertsema haar in als de deur weer dicht is, 'ze werkt hier al jaren.'

Dorien moet een grimas onderdrukken – mevrouw Van Haaren is hier al jaren! Verder vindt ze de combinatie van haar naam en haar kapsel ook grappig.

Ze krijgen het over haar gezin. 'Ja,' zegt meneer Geertsema, 'u bent de enige niet die als de kinderen groter worden een uitweg zoekt in ander werk. We hebben hier zeven dames in dienst die ongeveer in dezelfde situatie verkeren als u. Niet met een volledige weektaak natuurlijk, maar dat zou u ook niet begeren, wel?'

Dorien antwoordt dat in de advertentie ook niet een fulltimebaan werd genoemd.

Er verschijnen lachrimpeltjes naast zijn ogen, haar antwoord bevalt hem duidelijk wel.

Of ze zin heeft met hem een rondgang door de zaak te maken, vraagt hij en staat alvast op.

Bij het binnenkomen van de winkel valt de textielgeur haar weer op. Niet onaangenaam.

Hij gaat haar voor en ze doet haar best om niet te letten op zijn manier van lopen, maar ze vraagt zich wel af of het om een tijdelijke afwijking gaat of niet. Als het blijvend is zou ze het doodzonde vinden voor die aardige man.

Aardige man? Kent ze hem dan al een beetje?

Meneer Geertsema stelt haar voor aan de andere vier verkoopsters.

Andere verkoopsters? Is zij al aangenomen? Het brengt haar in verwarring. Ze voelt zich even weer het verlegen meisje dat voor het eerst naar een nieuwe school moet.

Haar begeleider bedwingt een lachje – hij heeft waarschijnlijk niet in de gaten dat zijn gezicht toch vrolijkheid uitstraalt.

Dorien laat de veelheid van indrukken en informatie over zich heen komen. Ze staan een ogenblik bij de kassa, waar mevrouw Van Haaren met een klant afrekent. Dat doet ze rustig, vlot en vriendelijk. Dorien kijkt bedenkelijk. Speelt zij dat ooit ook op die manier klaar?

'Een kwestie van uitproberen en wennen,' zegt meneer Geertsema.

Het is al de zoveelste keer dat hij haar gedachten raadt, bepeinst Dorien. Hoe doet hij dat? Maar hij is beslist een aardige man en zijn medewerksters zijn op een innemende manier bezig. Nogmaals, zou zij zich hier thuis voelen? Past ze wel bij dit stel?

Meneer Geertsema staat haar van een afstandje te observeren – hij laat het bij een welwillend knikje.

Haar introductie is hiermee afgelopen. Ze loopt nog even met haar begeleider mee naar het kantoor.

'Ik heb het idee dat u zich aardig snel zou kunnen inwerken in ons bedrijf. Sterker nog, volgens mij kunt u hier met genoegen een paar dagen per week functioneren. Daarom kom ik met een voorstel: wilt u eens een paar dagen met uw eventuele collega's meelopen om hun zogezegd de kunst af te kijken?'

'O ja, zéker wel!' zou Dorien willen uitroepen. Maar ze legt zich op niet al te enthousiast over te komen, want je moet de dag niet prijzen voor het avond is.

'Mag ik het een paar dagen in beraad houden?' vraagt ze. Terwijl ze het zegt dringt het tot haar door dat het een vrijmoedige vraag is. En dat na zo'n hartelijke ontvangst.

'Als u dat wilt?' Klinkt het niet een beetje koeltjes? Teleurgesteld misschien?

'Ik wil graag op uw voorstel ingaan,' zegt Dorien dan resoluut.

'Kan ik iets voor u doen, mevrouw?' vraagt Dorien. Het is haar eerste klant op haar eerste werkdag.

De mevrouw laat weten dat ze op zoek is naar een hesje, maat 44.

'Maar wel een van goede kwaliteit, liefst lichtgroen.' Ze heeft een klein neusje, het lijkt alsof ze het voortdurend optrekt. Haar toontje is wat hoog, haar oogopslag koel.

Dorien vraagt haar vriendelijk mee te komen, ze heeft wel iets hangen. 'Zoiets misschien?' Ze trekt een hesje uit een rek en spreidt het over haar arm uit. 'Dit is maat 44. Wat vindt u van de kleur?'

Nou, niks. De vrouw wil graag meer artikelen van deze soort zien. Goed, dat kan. Dorien doet haar best. Ze legt verschillende hesjes een voor een over haar arm. 'Wilt u er eens eentje passen?'

Hm, vooruit dan maar. Met een lichte tegenzin trekt de klant een groen hesje aan. 'Is dit wat u zoekt?' vraagt Dorien beleefd. Meteen ziet ze dat het hesje trekt over de rug. Maat 46 heeft ze nodig, weet Dorien en legt haar klant het grotere kledingstuk voor.

'Hm, gaat wel,' oordeelt de mevrouw en draait zich om en om voor de spiegel.

Dorien slikt haar uitspraak die ze op de tong heeft gauw in. Ze wilde zeggen: 'U lijkt er slanker door,' maar realiseert zich dat ze daarmee te kennen zou geven dat mevrouw te dik is.

'Fabrikanten hebben niet allemaal dezelfde norm als het om de nummering van de maat gaat,' legt ze uit.

Het goedkeurende knikje van meneer Geertsema ontgaat haar niet. Ze had hem allang in de gaten, al doet hij vreselijk zijn best om onopvallend, liefst ongezien, vanuit een andere hoek haar verrichtingen te observeren.

Zijn lessen waren aan Dorien besteed, ze kent ze allemaal nog: 'Altijd rustig blijven, mevrouw Couperus, al doet de koper in spe nog zo vervelend. Je nooit opwinden over onaardig gedrag, alle tijd nemen, geen steelse blikken op je horloge dus, en vooral beleefd blijven, al vind je dat je te maken hebt met een spook van een mens. De klant is koning, mevrouw Couperus!'

Of koningin! denkt Dorien. Dat geldt voor deze mevrouw zéker! Na een minuut of twintig heeft Dorien haar nog niks kunnen tonen dat haar honderd procent bevalt. Uiteindelijk besluit de kersverse verkoopster haar helaas mee te moeten delen dat de voorraad hiermee uitgeput is.

'Heel jammer, mevrouw, ik geloof niet dat ik u verder kan helpen.'
De 'koningin' loopt opeens resoluut terug naar het groene hesje maat 46. 'Doet u dan toch deze maar,' zegt ze toegeeflijk.
'Heel goed, mevrouw, had u verder nog wensen?' blijft Dorien hoffelijk. 'Nee? Loopt u dan even mee naar de kassa?'
Dorien slaat handig het bedrag aan. 'Alstublieft, mevrouw.' Terwijl de koopster in haar tasje grabbelt krijgt Dorien even de gelegenheid háár te bespieden. Ik wou haar niet graag als vriendin hebben, denkt ze, en in mijn kennissenkring past ze ook niet.
'Je werd wel meteen voor de leeuwen gegooid,' zegt mevrouw Van Haaren, tegen wie ze intussen Joke mag zeggen.
'Voor een leeuwin, ja,' grinnikt Dorien. 'Wat goed van je, dat je me vorige week een paar spelregels hebt geleerd. Ik heb er meteen gebruik van gemaakt.'
Meneer Geertsema komt bij hen staan. 'Hoe ging het?' wil hij weten.
Jij snaak, denkt Dorien, je weet deksels goed hoe het ging. 'Och,' antwoordt ze, 'volgens mij wel goed. Ik heb in elk geval mijn eerste artikel verkocht. En ja, je treft wel eens een lastige klant.' Alsof ze sprak vanuit een jarenlange ervaring!

Samen met Joke van Haaren en nog twee andere werkneemsters begeleidt Dorien die dag verder het kooplustige publiek. Het gaat haar goed af, ze krijgt meer en meer het gevoel dat ze op een goeie plek terecht is gekomen – leuk werk, prettige collega's en een welwillende chef, wat wil je nog meer!
Tegen winkelsluitingstijd voelt ze trouwens wel haar voeten. 'Ja, je moet wel vaak lang achtereen op de been zijn,' zegt meneer Geertsema, 'maar je zult zien dat het gauw went. Bovendien heb je nog jonge benen,' veroorlooft hij zich te filosoferen. 'Dat kan ik van de mijne niet zeggen.' Ter illustratie strompelt hij overdreven een eindje bij haar weg.
Dorien zou graag iets aardigs terug willen zeggen, maar ze kan even geen geschikte woorden vinden. Daarom repliceert ze maar gauw: 'Bedankt voor alle aanwijzingen, ze kwamen de eerste de beste dag al goed van pas.'
Hij neemt haar bedankje met een vriendelijke glimlach in ontvangst.

Op de fiets naar huis bedenkt ze dat ze nóg een ervaring heeft opgedaan. Een ondervinding die haar van tevoren niet gemeld was. Toch is het verschil aanzienlijk: krijgt ze vrouwelijke klanten, dan kan ze zich klaarmaken op een halfuurtje passen en meten, waarbij een eventuele echtgenoot zich stierlijk staat te vervelen en ongeïnteresseerd toekijkt als er weer een nieuwe creatie uit het pashokje tevoorschijn komt en die al na een minuut of wat met de portemonnee in zijn hand staat. Hij vindt alle pogingen van zijn vrouw om tot een aanvaardbare aankoop te komen prima, hij wil desnoods de hele winkel wel opkopen, als hij maar weg mag.

Een mannelijke koper is binnen enkele minuten klaar. Past het jasje? Kleurt het goed bij de broek? 'Mooi, prachtig, dan moet dit het maar worden.' Opgeruimd verlaat hij de winkel. 'Ziezo, dat is weer voor elkaar.'

Als zijn vrouw erbij is en hem kritisch bekijkt in zijn nieuwe outfit, moet ze niet aandringen op nóg een poging: 'Dit zit me lekker en je zegt zelf dat het goed staat, dus...'

Dorien grinnikt nog als ze hun tuinpaadje opfietst.

Onder het eten doet ze verslag van haar belevenissen. Het wordt een levendig verhaal met alvast een paar anekdotes voor een nieuwsgierig publiek. Egbert en Yvonne komen met dwaze vragen om het nóg leuker te maken. Belangstelling alom.

Hoewel? Eelkes lach is maar zuinigjes, hij stelt ook geen vragen en al helemaal geen dwaze.

Opa Age reageert trouwens ook wat terughoudend.

10

Doriens woorden hebben zich toch vastgehaakt in Eelkes brein. 'En als straks blijkt dat je vader verzorging nodig heeft, wat dan? Dat kan ik er niet bij hebben, Eelke.' Het zinnetje maakt voortdurend een rondgang door Eelkes hoofd. Moet hij zichzelf niet bekennen dat Dorien gelijk heeft? Want stel je nu eens voor dat vader Age bedlegerig wordt, hoe moet het dan? Hij kan onmogelijk van haar vragen die verzorging op zich te nemen. En het is maar de vraag of de bijstand van de wijkverpleegster voldoende soelaas biedt.

Dat Eelke onder het probleem gebukt gaat, nou nee, dat nog niet. Toch doemen er wolkjes op aan zijn de laatste tijd zo vrolijke hemel.

Vrolijk? Zijn leven bestaat duidelijk uit twee delen. Op school is hij de blijmoedige onderwijzer die het goed met zijn klas kan vinden, en het hoofdschap ervaart hij als verrijkend. Bovendien doet zijn koor het goed, het begint al naamsbekendheid te krijgen.

Thuis slaat hij een toontje lager aan. Aan de ene kant is hij blij dat Dorien het naar de zin heeft op haar werk – in zoverre gaan ze gelijk op – maar met de reden van haar regelmatige absentie in hun woning kan hij nog steeds niet overweg.

Voor de buitenwacht vormen ze met z'n vieren een goed gezin, waar normen en waarden gelden, waar het goede gezocht wordt en waar ze een plaats inruimen voor een eenzame weduwnaar.

De weduwnaar zelf hoort niet bij de buitenstaanders. Hij weet wat er omgaat in het gezin Couperus. Hij merkt dat er telkens stekeltjes worden opgezet, hij hoort een koele toon en hij ervaart het gemis van harmonie.

Dorien heeft het tegen Eelke nog altijd over 'je vader' als ze hem bedoelt. Laatst hoorde hij zich benoemen als 'je opa' toen ze hem noemde in een gesprekje met Yvonne. Hij reageert er niet op, hij trekt zich almaar verder in zijn schulp terug. Wat moet hij anders?

Het vervelende is dat zijn kwaal zich langzaamaan feller manifesteert. Hij kan ook niet meer wegkomen met een vervelend rugspiertje, hij weet wel beter. Het is zijn heup die hem parten speelt.

Dorien weet dat nog niet, Eelke wel. Age heeft een paar dagen terug zijn zoon verteld dat zijn rechterheup hem behoorlijk zeer doet. 'Ik probeer de pijn met tabletten de kop in te drukken en dat lukt ook wel zo'n beetje, maar ik vrees dat het om een aandoening gaat die doorzet en hoe moet het dan?'

Eelke heeft het beeld van een aangeslagen oudere man nog scherp voor zich. Ze zaten tegenover elkaar op zijn kamertje, zijn vader een beetje voorover in de rookstoel met een ietwat hangend hoofd. Eelke zag opeens dat de kale plek op zijn hoofd zich nogal uitgebreid had en dat de schouders smaller geworden waren. Was de vroeger zo rijzige gestalte langzaamaan bezig met een metamorfose?

De aanblik van de neerslachtige man deed Eelke wat. Automatisch vlogen zijn gedachten in eerste instantie naar Dorien – zij moest raad schaffen. Meteen besefte hij dat die tijd voorbij was. Hijzélf moest hier uit zien te komen.

'Lijkt het je ook niet het beste om maar eens naar de dokter te stappen?' heeft hij zo luchtig mogelijk voorgesteld. 'Wie weet gaat het om een ontsteking en daar zijn vast wel middelen voor. En verder zou ik er niet te veel mee zitten als ik je was, komt tijd, komt raad.'

Het hoofd van zijn vader kwam omhoog en begon langzaam te knikken. 'Ja,' zei de man, 'dat kon wel eens een goede zaak zijn. Misschien is er wat aan te doen,' kwam er hoopvol achteraan. Er vloog zowaar een lachje over zijn gezicht. Maar Eelke zag in zijn ogen de bange twijfel.

Zwijgende mensen in de wachtkamer, een driftig zoemertje dat de volgende patiënt oproept.

Age kan zijn zit niet vinden op de harde stoel, hij is gespannen.

'Ah! Heer Couperus, ga zitten,' begroet na een kwartiertje de dokter hem. 'Wat is er aan de hand?'

Age verduidelijkt zijn komst – pijnlijke heup, moeizamer lopen en ook het gaan zitten en opstaan doet zeer.

De arts wenkt hem naar zijn onderzoeksvertrek. Het consult hoeft niet lang te duren, de man constateert hetzelfde wat Age hem al gezegd heeft. 'Slijtage aan de heup, vermoed ik. Artrose noemen we dat en daar is helaas niet veel aan te doen. Het beste is dat we een foto laten maken, dan kunnen we zien hoe ver het proces is.'

Age knikt, hij had zoiets al verwacht. 'Is er echt helemaal niets aan te doen?' vraagt hij.

'Laten we het resultaat van de foto's afwachten,' is het antwoord van de arts.

Age krijgt een verwijsbrief mee voor de polikliniek en de volgende patiënt mag komen.

Buiten, nog maar net van dokters tuinpad af, staat hij plotseling stok-stijf stil. Op zijn gezicht een uitdrukking van: het is niet waar! Nee toch?

Een eindje voor hem uit loopt een oudere man met een stok, net als hij. Age kijkt hem na en schudt vertwijfeld zijn hoofd. 'Dat kan toch niet?' mompelt hij in zichzelf. 'Hoe kan die nou zomaar ineens hier zijn?'

Age loopt de andere kant op, een paar stappen maar trouwens. Dan kijkt hij om en ziet de man om een hoek verdwijnen.

Zie je wel? De kerel heeft hem natuurlijk ook wel gezien maar geen enkel blijk van herkenning gegeven. Verbeelding dus, stelt Age zichzelf gerust.

Toch keert hij op zijn schreden terug en loopt nu in de richting van de verdwenen man, om maar helemaal zeker te zijn. De straathoek voor-bij ziet hij hem een eind verderop lopen. En opnieuw klemt een vuist zich om zijn hart. Want de man heeft wel hetzelfde postuur als vroe-ger en ook zijn gang is herkenbaar. Maar omkijken doet hij niet, nog steeds niet.

Age loopt naar huis, sneller dan gewoonlijk.

Vanuit zijn lokaal ziet Eelke hem gaan. Toeval, dat hij juist nu even naar buiten kijkt. Hij ziet zijn vader, de rug ietwat gebogen, de kin omhoog, driftig tikkend met zijn stok.

Wat is er? Vanwaar die haast? En waarom geen blik op de school? Straks thuis eens vragen.

'Was er wat, pa?' vraagt Eelke in de middagpauze. Ze zijn met z'n twee-ën. Dorien is op haar werk, Egbert is op school en Yvonne is nog niet thuis. 'Of had de dokter een vervelend bericht?'

Hij krijgt geen antwoord. Age loopt de kamer uit, de trap op. Of lopen? Het is meer rennen. Een vlucht, lijkt het wel.

Eelke begrijpt er niks van en springt ook de trap op. 'Zeg eens wat, pa!'
Zijn vader brengt kort verslag uit van het doktersbezoek, maar hij heeft
zijn gedachten er duidelijk niet bij. Hij kijkt zijn zoon zelfs schichtig
aan.

'En verder?' Eelke voelt dat er meer is.

'Ik zag op straat iemand lopen, een man,' antwoordt zijn vader met een
hoge, hese stem.

'Ja, en wat zou dat?' vraagt Eelke.

'Ik kan me natuurlijk vergissen, ik... eh...'

'Je kende die man?'

'Ik dacht te zien wie het was.'

'Nou, én?'

'Maar dat kan toch helemaal niet? Hoe komt iemand uit mijn dorp...'

'Zeg nou eindelijk eens wie je op het oog hebt!'

'De man die mijn levensvreugde in handen heeft,' zucht vader Age.

Eelke schrikt. 'Pieter Cnossen? Dat kan toch niet? Die woont hier toch
helemaal niet?'

'Ik meende hem te herkennen,' stamelt zijn vader.

Eelke schudt resoluut zijn hoofd. 'Onzin, pa. Ik kan me voorstellen dat
je het akelig vindt iemand te zien die op hem lijkt, maar ik geloof er
niks van. Het zou ál te toevallig zijn.'

'Heb ik ook al bedacht,' zegt zijn vader, 'maar ik kan het maar niet uit
mijn kop krijgen.'

Eelke geeft hem een mep op zijn schouder. 'Hoofd leegmaken, pa! Ik
moet nu naar beneden, want ik hoor Yvonne. Kom je ook?'

De rest van de dag vertoeft vader Age op zijn kamertje. 's Middags na
schooltijd vindt Eelke hem daar weer. 'Wat nou? Niet aan de wandel?
Doet die heup opeens zo'n pijn?' Hij weet best dat daar de knoop niet
zit en gaat door: 'Dit kunnen we natuurlijk niet hebben, pa. Je kunt
hier niet als een kluizenaar zitten piekeren omdat je méénde Cnossen
gezien te hebben. Anders zou ik zeggen: samen even een loopje maken,
maar ik heb zo meteen een vergadering.'

Zijn vader knikt gewillig. 'Mijn stok en ik kunnen het met z'n tweeën
wel af,' probeert hij een grapje te maken. En hij vermant zich.

Of hij het nou wil of niet, Couperus senior speurt onder het lopen voortdurend de omgeving af. Nee, geen onraad. Maar het gespannen gevoel kan hij niet kwijtraken. Er is toch weer een schaduw over zijn leven gevallen. Beter gezegd: er doet zich een nieuwe moeilijkheid voor.

Wat een dag! Eerst dat consult bij de dokter en daarna... Wat is het ergste van die twee zaken?

Kiest hij zijn route doelbewust langs de state die verbouwd wordt? Er wordt een verzorgingshuis van gemaakt en ze schieten al mooi op. Over een maand of wat zal het klaar zijn.

Age blijft er een tijdlang naar kijken. Een bouwvakker met een betonboor en oordoppen laat zijn werktuig dreunen, hamerslagen weerklinken en mannen sjouwen planken.

'U hebt belangstelling voor het werk, lijkt me.' Naast Age staat opeens een man van zijn leeftijd. 'Het is begrijpelijk,' gaat hij verder, 'het is het voorland van onze generatie, is het niet zo?'

Als Age een paar tellen zwijgt vervolgt hij: 'U bent toch Couperus, hè? Ik zie u nogal eens een loopje maken, maar het valt u hoe langer hoe zwaarder, hè? Ach ja, zo gaat dat met ons, oude knakkers die we zijn, het leven is een kwestie van opgaan, blinken en verzinken. En afgedankte rommel zoals wij stoppen ze in een hok, is het niet zo?' Een fijnbesnaard iemand vindt Age hem niet.

Hij knikt ter bevestiging naar de man, maar is zelf een totaal andere mening toegedaan. Hoewel? Moet hij er niet rekening mee houden dat zijn 'gesprekspartner' weleens gelijk kan krijgen? 'Ze schieten al mooi op,' zegt hij met een gebaar naar de state, en vervolgt dan: 'Ik ga maar weer verder.'

De man kijkt hem bevreemd aan en haalt achter Ages rug zijn schouders op.

Age zelf is ten prooi aan een werveling van gedachten. Twee ervan zetten zich vast in beelden: het ene is een kant-en-klaar verzorgingshuis, het andere is een persoon: Pieter Cnossen.

Die nacht wordt Age gekweld door een akelige droom. Hij loopt samen met Eelke door zijn dorp van vroeger en de meeste bewoners kennen hem nog. Ze zwaaien naar hem, sommigen vragen hoe het ermee gaat, kortom: ze zijn hem niet vergeten en uit hun manier van doen blijkt dat ze hem hoogachten, net als vroeger. Hij hoort iemand vragen: 'Zie je niet wie dat is? Couperus immers! Woonde op die boerderij daar en was veehandelaar. Ik zie hem nog zitten in de kerk. Vooraan, want hij was ouderling, net als Pieter Cnossen.'

Op dat moment komt Cnossen er zelf bij staan. Hij kijkt Age vernietigend aan en richt zich tot de omstanders. 'Vergis je maar niet,' zegt hij met een rauwe stem, 'weet je wat deze meneer in de oorlog uitgespookt heeft? Nee? Dan zal ik je dat eens vertellen.'

'Neeneenee,' hoort Age, wakker wordend, zichzelf kreunen, 'nee, dat niet!'

Hij gooit zijn deken af want hij zweet erg. Hij staat op, vlugger dan hij eigenlijk kan, knipt het licht aan, drinkt bij de wastafel een flinke slok water en ziet daarbij in de spiegel een ontdaan gezicht.

Aan de ene kant is hij blij dat het maar een droom was, maar tegelijk maakt hij zich zorgen over het feit dát hij dit droomde. Tekenend, oordeelt hij. 'Kun je zien wat voor impact deze situatie op me heeft,' mompelt hij.

Met het slapen is het voorlopig gedaan. Pas tegen de morgen valt hij in een lichte sluimer.

'Je hebt geloof ik een wit voetje bij de baas, hij heeft in elk geval nogal belangstelling voor jou,' zegt collega Heleen Brederveld.

'O ja?' doet Dorien verbaasd. 'Niks van gemerkt, hoor!'

'Ach kom,' gaat Heleen verder, 'zoiets heb je toch gauw in de gaten?'

Dorien haalt haar schouders op en bepaalt zich bij het op zijn plaats hangen van rokken. 'Je snapt niet hoe gauw sommige klanten de boel door elkaar halen,' zegt ze geërgerd.

Van al haar collega's vindt ze Heleen de minst sympathieke. Ze is met haar dertig jaar ongeveer de jongste van het stel en ze ziet er met haar blonde haar en bruine ogen leuk uit, en dat weet ze zelf maar al te goed. Jaloers is ze ook. Het is duidelijk dat ze haar, Dorien, de aandacht van meneer Geertsema misgunt.

Dorien is voorlopig wel even bezig met het verhangen van de kledingstukken, als Heleen meer nieuws heeft kan ze dat kwijt tegen haar rug.

Intussen is het wel een beetje waar. Meneer Geertsema komt elke dag wel even een praatje met haar maken. Zo op de manier van: 'Gaat het nog steeds naar wens? Ja? Mooi zo. Als er wat is, weet je dat je bij mij terechtkunt, hè?' Hij tutoyeert haar al een tijdje. Ze vindt hem gewoon een aardige man.

En hij vindt háár aardig, dat voelt ze. Ze ziet ook de ogen van haar collega's hun kant op gaan als de chef weer eens bij haar informeert naar de gang van zaken. 'Bevalt het nog? Ik blijf graag op de hoogte, hoor, om eerlijk te zijn zou ik je niet graag meer kwijt willen.'

Nounou! Dorien moet na zo'n uitspraak snel iets omhanden hebben, want niemand hoeft te zien dat ze een kleur krijgt. Stom eigenlijk, daar is ze me bijna veertig jaar en daar staat ze te blozen als een tiener. Maar als die man dan ook zulke dingen zegt!

Een tijdje later komt hij met een voorstel. 'Dorien, je hebt een leuke voornaam, maar ik heb er ook een. Heel gewoontjes, dat weet ik wel, maar zou je me voortaan Meindert willen noemen?'

Dorien knikt bedeesd en weet dat ze daar voorlopig nog niet aan toe is. Trouwens, is dat niet pijnlijk voor de anderen? Neem nou Joke van Haaren, die wordt nog altijd met mevrouw aangesproken.

'En Jakob had Rachel lief, in tegenstelling met Lea.' Waar haalt Dorien dat zinnetje ineens vandaan? Het zit in haar hoofd en het wil daar ook niet weg. 'Haal je nou niks in je hoofd, Dorien,' vermaant ze zichzelf, 'draaf nou niet door. Meneer Geertsema, pardon: Meindert bedoelt er waarschijnlijk niks mee.'

Nou ja, als Heleen de rol van Lea zou krijgen, zou Dorien daar geen moeite mee hebben. Onmiddellijk na die gedachte roept ze zichzelf opnieuw tot de orde: Houd op, doe niet zo aanstellerig. Er is toch niets bijzonders gebeurd? Nee. Maar haar collega's kijken wel op een andere manier naar haar. Zelfs Joke van Haaren leeft als het ware achter een glazen wand.

'Kun je me even helpen, Joke?' vraagt Dorien. 'Ik weet niet hoe ik dit bedrag moet boeken.' Ze overhandigt haar een bon met het stempel 'Korting 10 %'. 'Eerst het volle bedrag opschrijven, zeg je?

Maar wat doe ik dan met die korting?'

Joke helpt haar uit de droom. Direct na haar uitleg stapt ze weg.

Er is dus iets dat veranderen moet, beseft Dorien. Ze zal er direct werk van maken. De eerste de beste keer dat meneer Geertsema haar weer aanschiet zal ze proberen hem met de juiste woorden duidelijk te maken dat ze liever geen bijzondere aandacht van zijn kant heeft.

Op een middag na schooltijd fietst Eelke niet rechtstreeks naar huis, hij maakt een ommetje langs de state. Hij is hier al vaker geweest en hij ziet dat de verbouwing flink vordert.

Wat doe ik hier? vraagt hij zich af. Waarom ben ik geïnteresseerd in dit bouwwerk?

Dat weet hij best, al wil hij het niét weten. Och, zomaar wat nieuwsgierigheid, je moet toch op de hoogte blijven? Trouwens, als je leerlingen het al hebben over hun opa en oma die niet langer thuis kunnen blijven en die hopen op een kamertje in het aanstaande verzorgingshuis, dan moet je toch weten waar het over gaat? houdt hij zichzelf voor.

Hij loopt met de fiets aan de hand het terrein op en staat even later door de poort naar binnen te gluren. Dat gaat vrij gemakkelijk, want de poort bestaat alleen nog maar uit een rechthoekige opening in de muur – van een deur is vooralsnog geen sprake.

Eelke zet zijn fiets tegen een boom en stapt door de fictieve deur naar binnen. Het gebouw begint al vorm te krijgen, Eelke kan de kamertjes herkennen. Zijn ogen gaan langs een lange gang en die ruimte daar rechts, zou dat de centrale keuken moeten worden? En die hokjes links daarvan, moeten daarin straks liften aangelegd worden? Volgende vraag: welk kamertje zou het geschiktst zijn voor zijn vader? Een vertrek op het zuiden? Zoek de zonzij?

Op dat punt gekomen roept Eelke zichzelf een halt toe. Wat drommel, hoe ver is hij met zijn gedachten? Wat heeft hij zijn vader beloofd?

Ja maar, als het absoluut mis dreigt te lopen tussen Dorien en zijn vader, wat dan? Toegegeven, Dorien leeft blijer nu ze een werkkring buitenshuis heeft, ze zal dan ook niet meer zo gespitst zijn op het vertrek van haar schoonvader, maar stel nu eens...

Eelke voelt zich roerganger van een boot die tussen klippen door moet zeilen. Of iemand die de kool en de geit wil sparen? Lastig, om niet te zeggen: erg moeilijk.

Teruglopend naar zijn fiets komt hij een mevrouw tegen die hij niet kent. Ze draagt een donker mantelpakje, met op haar jasje een bescheiden gouden broche. Een jaar of veertig, schat Eelke snel, en een prettige verschijning. Haar blonde kapsel steekt leuk af tegen haar kleren.

'Goeiemiddag,' zegt hij met een hoofdknik.

'Hallo,' beantwoordt ze zijn groet. 'Hier even wat aan sightseeing gedaan?'

Ze blijft staan en lacht hem toe – mooi gebit!

Eelke staat ook stil en vertelt dat hij even illegaal een kijkje heeft genomen en dat hij gezien heeft dat er mettertijd wel eens een mooi en tegelijk ook functioneel verzorgingshuis uit kan groeien.

'Prettig dat te horen,' zegt de dame, 'u hebt misschien belangstelling voor een plaatsje? Niet voor uzelf natuurlijk,' lacht ze – weer die tanden! – 'maar het zou om uw ouders kunnen gaan.'

'Zo is het,' hoort Eelke zichzelf zeggen en staat tegelijk versteld van zichzelf. Wat staat hij hier voor onzin uit te kramen?

'Dat dacht ik al,' is haar antwoord. 'Nou, het is goed dat u er vlug bij bent, want ik verwacht straks een grote toeloop. Weet u wat, ik geef u alvast een kaartje met adres en telefoon, goed?'

Ze grabbelt in haar tasje en dat geeft Eelke de gelegenheid haar wat nauwkeuriger op te nemen. Haar mond is iets te breed, dat wel, maar het doet aan haar uitstraling niets af. Hetzelfde geldt voor haar neus. Maar haar diepblauwe ogen zijn werkelijk mooi, Eelke kan de zijne er maar moeilijk van afhouden.

'Alstublieft,' zegt ze hem het kaartje overhandigend.

Eelke neemt het graag aan. Regionale Stichting Verzorgingshuizen, leest hij. Compleet met adres van het bestuur. Onderaan staat haar naam: mevrouw A. Hoogma, met telefoonnummer.

'U bent... eh...' aarzelt Eelke.

'Ja, ik ben lid van het stichtingsbestuur,' glimlacht ze, 'als u belangstelling heeft uit naam van wie dan ook, kunt u mijn nummer draaien. Ik ga ook even poolshoogte nemen. Kijken hoever ze zijn.' Met kittige stappen loopt ze weg, de rechthoekige opening door, kijkt daar nog even om, maakt een klein zwaaiend handgebaartje naar haar plotselinge gesprekspartner en verdwijnt om een hoek.

Hij kijkt haar een beetje beduusd na, ook als ze niet meer in beeld is. Wat een vriendelijke vrouw, wat een verschijning ook! En zo aardig. Zou ze zo tegen iedereen doen?

Van pure bewondering vergeet Eelke op zijn fiets te stappen, de eerste meters loopt hij ernaast. Tegen wil en dank zet hij mevrouw Hoogma en Dorien naast elkaar. Of is het tegenover elkaar? Het vergelijken is moeilijk, maar wil hij dat soms? Niet doen, Eelke, het kan penibele situaties opleveren, oreert hij in stilte.

Alsof ze het afgesproken hebben, komen ze precies tegelijk bij hun tuinhekje aan, Eelke en Dorien.

Hij ziet het aan haar ogen, ze heeft een plezierige dag achter de rug. Terwijl ze beiden hun fietsen in het hok stallen, vertelt Dorien enthousiast over de omzet die ze vandaag op haar conto kon bijschrijven – niet gering. Meindert had er dan ook veel woorden van lof voor over.

'Meindert?' vraagt Eelke vlak.

'Nou ja, Geertsema dan. Maar we vormen met z'n allen een team en dan kun je niet afstandelijk blijven, waar of niet?'

Daar kan Eelke inkomen. 'Meindert dus,' mompelt hij, toekijkend hoe ze lenig haar rijwiel aanvat en op zijn plaats zet. In een flits ziet hij mevrouw... hoe heet ze ook alweer... o ja, mevrouw Hoogma naast haar staan. Of tegenover haar? Hij wil zichzelf een draai om de oren geven, maar vraagt belangstellend: 'Aan welk bedrag moet ik dan denken?'

'Het ging om honderden guldens!' antwoordt ze trots. 'Meindert heeft ronduit gezegd dat hij mij niet graag meer kwijt wil!'

'Nou dan! Wat een eer, een gouden complimentje!' Eelke weet zelf niet of het oprecht klinkt of dat er een cynisch ondertoontje meedoet.

Dorien maakt er geen punt van. 'Ik ga gauw eten koken, help je even?'

Een kwartiertje later staan ze samen in de keuken. Hij schilt aardappelen, zij maakt groente klaar. Intussen babbelen ze, dat wil zeggen: Dorien praat honderduit. Opeens vraagt ze: 'En heb jij ook nog wat bijzonders beleefd? Je was laat thuis, hè?'

Nee, niks speciaals, de gewone dingen van de dag, Eelke heeft gewoon een ommetje gemaakt.

Ze is er even stil van, maar keuvelt daarna verder over haar werk. Eelke op zijn beurt doet zijn best om af en toe ook een duit in het zakje te doen. Het is een beetje als vanouds, daar in de keuken.

In de kamer zitten Egbert en Yvonne elkaar aan te kijken op een manier van: Hoor eens aan! En ze lachen elkaar zowaar toe. Een paar minuten later kibbelen ze weer over wie moet afwassen, ook als vanouds.

Die avond, in bed, is Dorien nog altijd niet uitverteld. Nooit gedacht dat het buitenshuis werken haar zo goed zou bevallen. En het is nog een prachtige betrekking ook, je komt in aanraking met een verscheidenheid aan mensen, je leert karakters peilen, kortom: je wordt er geestelijk rijker door.

'Niet alleen maar mentaal, het brengt nog geld in het laatje ook,' snuift Eelke.

Ze liggen hand in hand en realiseren zich dat het al een tijd geleden is dat ze zich zo verbonden voelden.

Het kan dan ook haast niet anders dan dat het uitdraait op een volledig samenzijn. Het is een feest en dat zeggen ze ook tegen elkaar. 'Laten we vooral niet vergeten dat dit er ook bij hoort!'

Na afloop liggen ze stil naast elkaar, nu weer elk met zijn eigen gedachten. Die van Dorien zwermen door de kledingzaak en blijven haken bij haar chef, die ze voorzichtig te verstaan heeft gegeven dat ze liever geen voorkeursbehandeling ondervindt. Geertsema heeft bijzonder hartelijk gereageerd: hij stelde haar openheid op prijs en vond haar 'een eerlijke meid'. Verder zou hij zich op dat punt voegen naar haar wens. 'Toch wil ik je even zeggen, Dorien, dat je een apart plekje in mijn leven inneemt.' Werkelijk een fijne man!

Eelkes gedachten vertoeven bij het verzorgingshuis in aanbouw. Echt een prachtige plek om te verblijven. Voor wie? Ja, voor wie? Dat is duidelijk, maar wat dat betreft komt er een slot op zijn mond. Vader Age zal hierover geen woord van hem horen. En Dorien helemaal niet.

Toch eens een keertje vaker daar een kijkje nemen. Volgende week of zo. Misschien loopt hij dan opnieuw dat bestuurslid tegen het lijf. Letterlijk? Ach, houd op, doe niet zo stom.

Hoe heet die mevrouw ook alweer? O ja, mevrouw Hoogma. A. Hoogma. Welke meisjesnamen beginnen met een A? Anna, Annigje, Anneke, Aafje, Aagje... geen beginnen aan. Hoe komt hij daarachter? Laat maar, aan zijn oogleden hangen onderhand loodjes.

'Had de dokter nog een advies voor je vader behalve dat hij in beweging moest blijven?' vraagt Dorien opeens.

Klaarwakker is Eelke. Daar heb je hun frictiepunt weer. Hij zegt kort en goed dat het bij die ene raadgeving gebleven is.

Een paar seconden daarna komt hij met een opmerking. 'Je bent dus al zover dat je Meindert tegen die winkelier mag zeggen.'

'Ja, zover ben ik,' antwoordt Dorien. Het klinkt net niet kortaf.

'Welterusten,' zegt ze dan en keert zich van hem af,

11

Op een zaterdagmorgen staat Eelke langs de zijlijn van het voetbalveld, waar zoon Egbert zo meteen samen met tien leeftijdsgenoten slag moet leveren tegen een gelijkwaardig elftal uit een naburig dorp. Eelke is niet echt een voetbalfanaat, maar nu Egbert hem herhaaldelijk heeft gezegd dat het om een belangrijke plaats op de competitielijst gaat, komt hij er niet onderuit om zijn club aan te moedigen. Zelf heeft hij eertijds nooit een bal met zijn voeten beroerd, maar het geven van aanwijzingen gaat hem wel aardig af, vindt hij zelf. Zodra de scheids het beginsignaal fluit, laat Eelke zich onmiddellijk horen. 'Kom op, Egbert! Ráák hem!'

Zo'n aanmoediging kan er altijd mee door. Hij krijgt meteen bijval van andere vaders die voor hun zoon ook een glansrol voor ogen hebben. Zelfs de schrille kreten van enkele moeders bereiken de oren van hun nageslacht.

Egbert doet het niet gek, oordeelt Eelke, alleen komen zijn passes te vaak bij een tegenstander aan. Eelke zet zijn handen als een toeter voor de mond en schalt: 'De bal niet in de voeten van de tegenstander spelen!' Het levert hem een nijdige blik van zijn zoon op, die vindt dat zijn vader hem te schande maakt. Met een wegwerpbeweging maakt hij zijn ergernis kenbaar.

Goed, best, Eelke heeft het signaal begrepen. 'Mooie voorzet!' schalt hij als Egbert vanaf het middenveld de bal met een lange haal naar voren speelt. Egbert zegt maar niks meer.

Eelkes buurman, althans voor dit ogenblik, wil voor zíjn zoon ook het onderste uit de kan. Zijn schreeuwen is meer oordeelkundig, dat voelt Eelke wel aan. Eelke kent hem wel, het is Hans Bergsma. Hij heeft een betrekking bij een bank in de stad en hij woont hier nog maar kort. Toch zit hij 's zondags al als diaken vooraan in de kerk – iemand die thuis is in het bankwezen kun je in de kerkenraad altijd gebruiken.

'Onze jongens zullen wat meer vechtlust moeten tonen,' concludeert hij lachend als hij het spel een tijdje heeft gadegeslagen. 'Uw zoon is trouwens wel een van de steunpilaren als ik het zo bekijk.'

'Hm, ja, kon minder,' zegt Eelke bescheiden, 'ik geloof wel dat hij wat lijn in het spel brengt.' Hij zegt maar wat, is overigens wel overtuigd van zijn ondeskundigheid op dit gebied.

'Je moet maar zo denken: het gaat bij die knapen meer om de knikkers dan om het spel,' poneert Bergsma.

'Zo is dat,' zegt iemand achter hen.

Hans Bergsma draait zich om. 'Ha, oom Pieter, u kwam ook even de wedstrijd meebeleven? Kom erbij staan.'

Met een ruk draait ook Eelke zich om. Die stem! Meteen staat hij oog in oog met Pieter Cnossen. Hij zegt geen woord, hij lijkt met stomheid geslagen. Een vreemd gevoel welt in hem op, het is alsof zijn maag omhoog wil, althans de inhoud ervan.

De man komt tussen hen in staan en heeft klaarblijkelijk ook even geen woorden voorhanden.

'Ja,' zegt hij dan tegen Hans Bergsma, 'ik was benieuwd naar de prestaties van Lieuwe. Gaat wel aardig, niet?'

Eelke begrijpt dat Lieuwe de zoon van Hans is en kijkt strak voor zich uit. Heel gek, hier staat hij dan, op nog geen meter afstand van Pieter Cnossen. Nog steeds komt er geen woord over zijn lippen.

'Eh... wij kennen elkaar, hè?' wendt de man zich tot Eelke. Weer die stem. Eelke zou hem herkennen uit duizenden. Niet onaangenaam trouwens, dat zeker niet, maar wat heeft diezelfde stem eenmaal tegen hem gezegd over zijn vader? Welke verwoesting heeft hij met zijn woorden aangericht?

'Couperus is de naam,' zegt Eelke koel, 'Eelke Couperus. En u bent Pieter Cnossen.'

Stilte, althans tussen hen beiden. Naast hen schreeuwen toeschouwers hun kroost naar voren.

Hans Bergsma niet, hij staat verrast van de een naar de ander te kijken. 'U en mijn oom kennen elkaar,' stelt hij dan vast. Hij wacht hun reactie af en als die uitblijft vermeldt hij dat hij een zoon is van een zuster van Cnossen.

'Precies,' stemt Cnossen met hem in. 'Waar is Lieuwe?'

'Daar op het middenveld,' antwoordt Hans Bergsma, 'hij staat nu met de rug naar ons toe.'

Eelke wil hier weg, maar dat kan hij niet maken tegenover zijn zoon. Een paar stappen opzij misschien?

'Oom Pieter woont hier nog maar een paar weken,' vertelt zijn neef, die duidelijk vist naar opheldering van de relatie tussen zijn buurmannen. 'Omdat hij sinds kort weduwnaar is heeft hij een huis gekocht in het dorp van mijn moeder, ze hebben al veel aan elkaar.'

'Ah, juist,' zegt Eelke. Het dringt tot hem door dat het rustige leven van zijn vader hiermee ernstig bedreigd wordt. Hoe moet hij in vredesnaam hiermee overweg?

'Hoe gaat het met uw vader?' vraagt Cnossen op een toch wel innemende toon.

'Wel aardig,' antwoordt Eelke.

'Ik zag hem laatst uit het spreekuur van de dokter komen, hij loopt met een stok, is het niet?'

'Ja,' knikt Eelke terwijl hij om zich heen kijkt naar een betere plek om de wedstrijd te volgen.

'Hij wordt ouder, lijkt me.' Cnossen weer, hij hengelt duidelijk naar meer informatie over zijn voormalige dorpsgenoot. Voormalig? Was het maar waar!

'Ik zie daar een collega van mij staan, die moet ik nog even hebben.' Eelke beent met net iets te grote passen weg. Aan de overkant van het veld staat inderdaad Roel Bijlsma, ook in de ban van de kwaliteiten van een zoon. Eelke bespreekt druk en opgewonden het verloop van het spel met Roel, die hem na een tijdje verbaasd aankijkt. 'Je bent er nogal bij betrokken, hè?'

Zo is het niet. Eelke camoufleert zijn probleem onder een stortvloed van voetbalkundige beschouwingen. Wat zegt hij straks tegen zijn vader? Helemaal niks misschien? Dat lijkt hem voorlopig het beste. Voorlopig, ja, want op een keer komt hij er toch achter.

Het is rust, de spelers drentelen naar de kantine. Roel stelt een rondje om het veld voor. Daar is Eelke niet voor te vinden, hij zou het liefst naar huis gaan. Een kopje koffie in de kantine dan? Best. Zonder op of om te kijken baant Eelke zich een weg naar de tap.

Een eindje verderop laat Egbert quasi ongeïnteresseerd zijn blik over hem gaan. Eelke steekt lachend twee duimen omhoog. Even later groet hij Roel en maakt dat hij wegkomt. Achter zijn rug haalt Roel zijn schouders op.

Thuis zit zijn vader op het tegelterrasje achter hun woning aardappels te schillen. Hij lijkt het naar de zin te hebben, er speelt een dun lachje om zijn mond.

Waar denkt hij nu aan? vraagt Eelke zich af terwijl hij zijn fiets naast het schuurtje parkeert. Zijn vader heeft dat wel vaker – stille binnenpretjes, die af te lezen zijn van zijn gezicht. Maar wat die pretjes zijn? Daar komt zelfs Eelke niet zo gauw achter.

Eelke heeft geen plezierige gedachten. Hij zit met de vraag of hij zijn vader moet inlichten of niet. Hij kan zijn moeilijke verhaal natuurlijk uitstellen, maar op een keer komt vader Age het toch aan de weet. Gegarandeerd. Aan de andere kant: kan hij hem niet beter een zo goed mogelijk weekend gunnen?

'Wedstrijd afgelopen?' vraagt senior.

'Eh... nog niet helemaal,' stamelt zijn zoon. 'Ik ben een beetje voortijdig weggegaan.'

'Ging het wat? Maakte Egbert er wat van?'

'Eh... ja... dat ging goed.' Eelke heeft zijn gedachten er niet bij. 'Toen ik wegging was de stand 1–0 voor onze ploeg.'

'Goed zo,' knikt vader Age en mikt een blanke aardappel in een pan met water naast zijn stoel.

'Ik heb ook iemand ontmoet.' Waarom in vredesnaam zegt hij dat nou? Het schiet er zomaar uit.

Onmiddellijk richt zijn vader zich op uit zijn gebogen houding. 'Wie?' vraagt hij scherp met het mesje in ruststand in zijn ene hand en een halfgeschilde aardappel in de andere. Zijn oogopslag is opeens onrustig.

'Dat kun je haast wel raden,' zegt Eelke met een zucht.

Het hoofd van zijn vader zakt voorover. 'Dus toch. Ik was er wel bang voor. Hoe moet het nou? Ik zal me maar niet meer op straat vertonen, ik... eh... ik weet het niet meer... ik...'

'Ho even, pa, die kant moeten we niet uit,' komt Eelke iets te fors uit de hoek. 'Bedenk eens goed hoe lang het al geleden is. Als je het mij vraagt is die geschiedenis allang doodgebloed.'

Ze zitten een poosje stil langs elkaar heen te kijken. Af en toe slaakt vader Age een zucht.

Op dat moment ziet Eelke ineens het vreemde van de situatie in. De houding van zijn vader is niet gewoon meer, dit wordt te gek, nee, dit wordt bizar. Lijdt hij niet aan paranoïa? In elk geval kun je wel van een trauma spreken. Maar... om eerlijk te zijn viel de uitstraling van die Pieter Cnossen hem niet tegen. Zou die man eigenlijk wel in de gaten hebben hoezeer zijn medeouderling van vroeger aangevreten wordt door een zonderlinge angst? En heeft hij, Eelke, zich niet jarenlang op sleeptouw laten nemen door een excentrieke inbeelding?

Vader Age verbreekt hun zwijgen met: 'Ik kan toch wel op je blijven rekenen, hè?'

'Natúúrlijk!' Opnieuw komt het er iets te kort en krachtig uit. 'Denk maar niet dat ik je ooit in de steek zal laten,' laat Eelke er op mildere toon op volgen.

Zijn vader pakt een nieuwe aardappel. Zijn hand beeft.

'Hoor ik iets over elkaar in de steek laten?' Dat is Dorien, die met een volle boodschappentas het tegelpad op komt. Ze kijkt van de een naar de ander en als er geen antwoord op haar vraag komt gaat ze verder: 'Of trap ik op een groot geheim?'

Nee, o nee, niets te betekenen, het ging nergens over volgens Eelke. Vervolgens wil hij weten of het wat ging met de boodschappen.

'Dus toch een geheim,' constateert Dorien, 'nou, jullie moeten het zelf maar weten.' In de keuken zet ze de zware tas met een bons op het aanrecht.

De anders wel vrolijke zaterdagmorgenstemming is weg. Dat zien de wolken aan de hemel ook wel, ze schuiven bereidwillig opzij, de zon komt tevoorschijn. Het helpt niet.

De thuiskomst van de kinderen helpt wél. Yvonne snatert over een plannetje voor de middag met haar vriendinnetjes, Egbert meldt zuur dat ze met 2-1 verloren hebben. 'Een waardeloze scheids,' verklaart hij de oorzaak van het smadelijke verlies, 'die man had zijn ogen dicht. Iedereen zag dat de spits van die gasten buitenspel stond bij die goal, maar nee, hoor, hij niet. Onze trainer wil protest aantekenen bij een of andere commissie.'

'Meestal weinig aan te doen, man,' meent Eelke, 'je hebt je er maar bij neer te leggen.'

'Een wáárdeloze vent,' gromt Egbert.

Dagen vervliegen, weken verstrijken, voor je het weet staat november voor de deur. Voor het gezin Couperus gaat het haast een beetje te snel, ze zouden de tijd willen afremmen – alles zou twee keer zo langzaam moeten gaan, zodat ze ook dubbel konden genieten.

Eelke ziet wel in waar het gevoel dat de tijd hun door de handen glipt vandaan komt: het gaat hen bijzonder goed. Dat wil zeggen, hij en Dorien genieten allebei van hun werkkring. Als je vraagt of het thuis ook zo lekker gaat, dan heeft Eelke daar vraagtekens bij. Er zijn twee levens: eentje binnen en eentje buiten de voordeur. Hij weet zeker dat dat voor hen allebei geldt.

En vader Age? Hij maakt elke dag zijn ommetje. Dat is de opdracht van zijn zoon. 'Pa, ga nou alsjeblieft niet de kluizenaar uithangen. Daar help je niemand mee, jezelf al helemaal niet.'

Kort na 'de ontdekking' liep Age als een schicht door het dorp. Hij keek recht voor zich uit, tikte hard met zijn wandelstok op het wegdek en moest zich bedwingen om niet telkens achterom te kijken.

Opnieuw een reprimande: 'Pa, je loopt alsof de duvel je op de hielen zit. Het moet de mensen wel opvallen, dat kan niet anders. Zou je het niet eens wat rustiger aan doen?'

Daarna hield senior zich in toom, maar koos zijn weg wel door veiliger dreven. Ondanks zichzelf kwam hij nogal eens bij het verzorgingshuis in aanbouw terecht.

Eelke vroeg zich af – en dat doet hij nog steeds – of zijn vader niet enigszins gestoord overkomt. Hij is er intussen van overtuigd dat zijn vader psychisch labiel is geworden. Of was hij dat altijd al en heeft hij, Eelke, dat nooit gezien? Met blindheid geslagen misschien? En was Dorien degene die de ogen goed open had? Maar zij heeft ze onderhand óók dicht, maar dan wel moedwillig – ze wíl niet meer zien wat zich voor haar ogen afspeelt. Erover praten doet ze al helemaal niet meer en Eelke kan er niet toe komen zijn veranderde zienswijze kenbaar te maken. De kloof tussen hen is niet gedicht, integendeel, hij gaapt wijder.

Het kon niet uitblijven. Op een ochtendwandeling treffen ze elkaar bij de supermarkt. Allebei met een boodschappentas. Alsof het om een wedstrijdje gaat wie het eerst bij de deur is, zo staan ze daar schouder aan schouder. Beiden verstarren. Als stenen beelden staan ze een ogenblik tegenover elkaar. Wie zal het eerst met woorden over de brug komen? Geen van beiden dus – de elkaar aftastende blikken zijn een mengeling van vrees, afkeer, gramschap en hoop, ja, van dat laatste ook een beetje.

Als op commando keren ze zich van elkaar af en nu wordt het echt een wedstrijd, althans voor het oog: wie zal als eerste naar binnen gaan? Dat wordt Age. Natuurlijk Age, door angst gedreven is zijn overwinning het resultaat van een vlucht. Hij snelt langs de vakken, doet hier en daar een greep en is in no time bij de kassa, waar hij in een recordtijd afrekent, nagekeken door een hoofdschuddende Pieter Cnossen. Voorlopig is het gedaan met het wandelen van Age. Dat is tenminste zijn opzet, maar als Eelke achter de gebeurtenis komt – zijn vader vertelt hem altijd álles – stuurt hij hem meedogenloos de straat op. 'Pa, doe je wapenrusting aan en ga als het moet een nieuwe ontmoeting aan en let op wat ik nu ga zeggen: het zou je best eens mee kunnen vallen!'

Het volgende treffen is op het terrein van de state, waar de verbouwing in alle hevigheid zijn einde tracht te bereiken. Ze komen elkaar tegen in de buurt van de massale deur die intussen het zicht op het interieur heeft weggenomen. Voor de argeloze toeschouwer moet het wel een spelletje lijken. Ze zien elkaar, staan allebei op slag stil, kijken elkaar een ogenblik aan, krijgen het absurde van hun gedrag in de gaten, lopen zonder iets te zeggen elkaar voorbij, blijven opnieuw stilstaan en kijken precies op hetzelfde moment om. Daar staan de stenen beelden weer, seconden lang. Pieter Cnossen is de eerste die iets te berde brengt, al gebruikt hij daarvoor geen woorden: hij schudt langzaam zijn hoofd. Gek genoeg doet Age het tegenovergestelde: hij knikt. Waarom, dat weet hij niet. Even later is er alleen nog maar het tikken van twee stokken.

'Wat zei ik je?' vraagt Eelke die avond als hij het verslag van de gebeurtenis aanhoort. 'Het viel wel mee, hè?'

Vader Age doet iets dat het midden houdt tussen ja knikken en nee schudden. Dat alleen al is winst, oordeelt Eelke in stilte.

Of Dorien straks na sluitingstijd even naar het kantoor wil komen, heeft Geertsema gevraagd. Ze heeft geknikt en trouwens ook geslikt. Wat wil haar baas? Heeft ze een fout gemaakt? Meerdere misschien? Staat haar werkhouding hem niet aan? Haar gedachten vliegen langs de dingen van de dag. Wie heeft ze te woord gestaan? Tegen wie is ze niet hoffelijk genoeg geweest? Welke lastige klant heeft ze afgescheept met een loos praatje? Niemand voor zover ze weet.
De hele middag blijft zijn verzoek in haar achterhoofd hangen. Wat ze ook probeert, ze krijgt het er niet weg. Tegen zessen wordt ze echt nerveus – hij zal toch niet komen met een mededeling over haar ontslag? Maar nee, hij heeft toch duidelijk gezegd dat ze een apart plekje in zijn leven heeft? En: 'Ik zou je niet graag meer kwijt willen.' Nou dan!
Als alle collega's de deur achter zich hebben dichtgetrokken, raapt Dorien al haar moed bij elkaar en klopt met een vriendelijk gezicht en een bonzend hart op de deur van het kantoor.
'Ja?' komt er van de binnenkant. Het klinkt in elk geval niet vreesaanjagend.
Ze stapt naar binnen. Hij zit achter zijn bureau en lacht haar toe. 'Ga zitten.' Hij wijst haar een stoel bij het ronde tafeltje in een hoek van het vertrek, komt overeind, loopt met afwisselend grote en kleine stappen naar haar toe en neemt de stoel tegenover haar. Opgelucht constateert Dorien dat hij haar dus niet vanachter zijn massieve bureau gaat toespreken.
'Koffie?' vraagt hij.
Koffie om deze tijd van de dag? Maar het koffiezetapparaat pruttelt inderdaad. Kopjes zijn er ook en kijk nou eens, daar staat de koekjestrommel.
'Graag,' zegt ze en ziet toe hoe hij de gastheer speelt – dat doet-ie wel handig.
'Je zult je afvragen wat ik voorheb met mijn uitnodiging, heb ik gelijk of niet?'
Ze antwoordt dat ze er inderdaad een beetje verbaasd over was. 'Ik

dacht: wat zou meneer Geertsema willen?'

Hij doet alsof hij van haar woorden schrikt. 'Wat hoor ik nou? Wat hadden we afgesproken? Jij heet Dorien en ik...'

'... Meindert,' zegt ze gedwee. De gedachte dat hij tegen haar praat als een onderwijzer tegen zijn leerling duwt ze opzij.

'Koekje?' Hij houdt haar de trommel voor.

Ze neemt er eentje en wordt met de seconde nieuwsgieriger.

'Dorien, ik zal open kaart met je spelen. Daarbij heb ik wel een verzoek. Ik ga je iets uitleggen en daarna wat vragen. Op het moment dat je denkt: dit wil ik niet langer aanhoren, zeg je me dat. Goed?'

Ja, knikt ze.

Ze drinken koffie en Dorien bespeurt een licht beven van zijn hand bij het hanteren van de kan. Ze wacht.

Hij zit een tijdje te bewegen. Dat wil zeggen: hij wrijft in zijn handen, verschuift een keer op zijn stoel, trekt een beetje met zijn mond en vouwt zijn handen.

Er komt dus iets moeilijks, denkt Dorien, en wacht verder.

'Je weet dat ik weduwnaar ben? Een weduwnaar zonder kinderen? Goed, niks nieuws dus. Wat ik je nu ga zeggen is dat ik me eenzaam voel. Begrijpelijk, is het niet zo? Misschien kun je je voorstellen dat ik, nu het herfst is, opzie tegen de lange avonden. Ze willen maar niet voorbij. Ik kijk wel graag tv, hoor, dat leidt wel wat af, maar intussen houd ik dat lege gevoel.'

Hij pauzeert even, neemt zijn kin tussen duim en wijsvinger en kijkt haar vragend aan. 'Je zegt nog niets over stoppen,' constateert hij, 'goed, dan ga ik door.'

Dat doet hij nog niet, hij zoekt klaarblijkelijk naar de juiste woorden voor het vervolg van zijn betoog. Ze knikt hem haast onmerkbaar toe.

'Als je nu mocht denken dat ik je vragen wil 's avonds wat aan mijn eenzaamheid te doen... nee, dat niet. Jij bent een getrouwde vrouw en ik ga je integriteit geen geweld aandoen. Toch verklap ik je geen geheim als ik je zeg dat wij elkaar goed liggen.'

'Hm, hm,' kucht Dorien.

Hij schrikt meteen terug. 'Wees niet ongerust, Dorien, ik kom niet met onoorbare voorstellen. Maar ik wil wel bekennen dat ik je doen en laten vaak voor ogen heb. Sterker nog, soms spiegel ik me aan jou en zolang het daarbij blijft...' Hij grinnikt even.

'Nog altijd hoor ik niet 'stop',' stelt hij dan met genoegen vast.

Nu is het Doriens beurt om onrustig te bewegen. Had ze hem niet allang een halt toe moeten roepen? Waar draait dit op uit?

Hij observeert haar nauwlettend. 'Houd goed voor ogen dat ik...' Hij kan opnieuw de juiste bewoordingen van zijn gevoelens niet vinden.

'... dat u het goede zoekt,' vult Dorien aan. 'Maar dat hoefde u niet te zeggen, dat wist ik al een hele tijd.' Waar haalt ze het zo gauw vandaan? Ze weet het zelf niet, het was er opeens.

Hij lacht en zegt: 'Prachtig, prachtig, woorden naar mijn hart.'

Het is een ogenblik stil. Dan kijkt hij haar guitig aan. 'Maar je maakte wel een foutje. Je hebt twee keer u tegen mij gezegd.'

Dorien bekent lachend haar abuis met: 'Van nu af aan zal ik nog beter mijn best doen u, nee jou te tutoyeren. Zo goed, Meindert?'

Daarmee ebt de spanning weg.

'Nog koffie?' Hij zwaait al met de pot.

'Welja,' stemt Dorien toe en wijst subtiel naar de koekjestrommel, die hij gehoorzaam ter hand neemt. 'Maar nu kom ik in alle ernst met mijn vraag. Zou je af en toe wel eens een wandeling of een autorit met me willen maken?'

Wandeling? Doriens gezicht trekt even strak. Opeens staat Geert daar, Geert Kamp, smetteloos witte broek, gebruind gezicht, gentleman in vakantiekleren. Waar is haar contact met hem op uitgelopen?

Maar Meindert is Geert niet. Het lijkt er niet op. Als je twee verschillende mannen wilt zien...

'Je mag je er natuurlijk over beraden,' zegt Meindert wat onzeker, 'je mag me je antwoord morgen of overmorgen ook wel zeggen...' Zijn stem zakt een beetje weg.

'Ik denk dat we...' Verder komt Dorien even niet.

'Ja?' vraagt hij gespannen.

'We zouden best eens samen een ritje kunnen maken,' zegt Dorien plotseling vastberaden.

'En na afloop ergens gezellig wat eten?' grijpt hij haar toezegging snel en gretig aan.

Dorien knikt. 'Je vindt het goed dat ik dit met mijn man overleg, hè?'
'Natuurlijk, natuurlijk.' Hij is enthousiast, ze hoort het aan zijn toon.
Een kleine belemmering ziet ze nog wel. 'Ik ben bang dat ik hier op de
zaak uit de toon val als de collega's lucht krijgen van onze uitstapjes,'
zegt ze nadenkend.
'Zaken en privéleven zullen we strikt gescheiden houden.' Plotseling is
hij de chef, die gedecideerd de lakens uitdeelt. Tot haar eigen verbazing
doet het Dorien goed.

Diezelfde avond sluit Eelke de school af. Het is halfelf, de bestuursvergadering is afgelopen en Eelke neuriet zonder dat hij het in de gaten
heeft de melodie van *Jesu bleibet meine Freude* van Bach. Opgewekt
zet hij de verwarming laag, doet de lichten uit en werpt nog een keer
een blik in de personeels- en bestuurskamer. Met de hand aan de licht-
knop overziet hij het interieur. Vooraan zat voorzitter Ten Have, tegenover hem was de plaats van het hoofd der school. De plaatsen van de
overige bestuursleden lagen niet vast, althans niet zo dat een afwijking
van het normale patroon beroering zou wekken.
Bij de rondvraag had de penningmeester de kwestie van de ziekte van
meneer Datema ter tafel gebracht. Volgens hem was er nog altijd geen
sprake van een voorspoedig herstel – moest er niet nog eens een bloemetje naar hem toe?
Akkoord, vond de vergadering, maar moest het probleem niet verder
uitgediept worden? Want hoelang zou het duren voor het echte
schoolhoofd zijn taak weer op kon nemen?
Eelke kromp onzichtbaar een paar centimeter en verzette zijn lege kof-
fiekopje een eindje. De voorzitter las daarin een verzoek om er iets over
te zeggen. Eelke staarde naar het tafelblad.
Goed, dan wilde Ten Have er wel wat over kwijt. 'Het is een moeilijke
tijd voor meneer Datema en zijn naasten en het is jammer dat hij niet
op school kan zijn. Maar volgens mij hebben we niet te klagen over zijn
vervanging. Ik vind dat het op school op rolletjes loopt. Er is een goede
samenwerking tussen Couperus en zijn collega's, met het onderwijs
gaat het prima en ook de ouders zijn meer dan tevreden. Ik bedoel: we
kunnen het herstel van Datema niet bespoedigen, en voor de school is

het waarnemend hoofdschap van Couperus de juiste oplossing.'
Op de fiets naar huis fluit Eelke voor de verandering *Air* van Bach. Hij zou op deze maanverlichte avond een heel eind willen fietsen, maar thuis wacht Dorien.

Ze bevragen elkaar over de dingen van de dag en Eelke luistert eigenlijk maar half. Hij zit nog in de bestuurskamer en de woorden van Ten Have maken voortdurend een rondje door zijn hoofd. Zo meteen zal hij Dorien vertellen wat de voorzitter allemaal zei.
'En toen moest ik bij Meindert op kantoor komen,' vertelt Dorien, 'hij kwam met een voorstel.'
'Aha,' zegt Eelke, die bedenkt dat helemaal niet afgesproken is wie voor de bloemen van Datema zal zorgen.
'Hij zou graag eens samen met mij een wandeling maken. Om wat te babbelen. En om wat aan zijn eenzaamheid te doen.'
'Nou nou, tjonge jonge,' zegt Eelke en hij vraagt zich af of hij het licht in het kamertje wel uitgedraaid heeft.
'En tot slot een hapje eten en verder praten over zaken die ons allebei bezighouden,' vervolgt Dorien.
Eelke is wat beter bij de les. 'Hij is nogal op jou gesteld, geloof ik. Ik zou zeggen: pas maar op, met samen wandelen heb je deze zomer ervaringen opgedaan, met... hoe heette hij ook alweer?'
'Meindert is Geert Kamp niet,' stelt Dorien bitsig vast. 'Mijn chef voelt behoefte aan een goed gesprek. Nou, mag dat?'
O ja, best hoor, Eelke vindt het prima. 'Ten Have zei dat bestuur en ouders heel tevreden zijn over mijn functioneren als hoofd. Ik vond dat een mooie uitspraak!'

12

TIJDENS HUN TWEEDE AUTORIT EN HET AANSLUITENDE ETENTJE WORDEN hun gesprekken al wat losser en lichter van toon. Ze beseffen dat allebei. Op een gegeven ogenblik kijkt Meindert met zijn handen aan het stuur iets te lang opzij naar zijn reisgenote en moet hij voor de naderende bocht flink remmen. Dorien schokt even naar voren en flapt eruit: 'Ogen op de weg, meneertje!'

Hij kan tegen een luchtige reprimande en repliceert: 'Moet je er maar niet zo leuk uitzien.'

Dorien snuift.

Een tijdje later, als ze in een restaurant tegenover elkaar zitten, krijgen ze het over politiek en godsdienst. Een gevaarlijk terrein, weet Dorien. Thuis, op feestjes en zo, vermijdt ze deze onderwerpen; ze heeft te vaak een gesprek zien ontaarden in een verhitte discussie, waarin met stemverheffing geprobeerd werd het eigen gelijk te halen. Oppassen dus.

Meindert vertelt dat hij hervormd is gedoopt en naar een christelijke school is geweest. Ook zijn vervolgonderwijs was van die signatuur, maar met de kerk heeft hij nu niet veel binding meer. 'Niet de schuld van de kerk, hoor, ik heb het gewoon laten sloffen en om eerlijk te zijn mis ik niks.'

Hij knikt begrijpend als Dorien vertelt over haar inzet voor de kerk en dat haar echtgenoot organist is. 'Ook onze beide kinderen willen we zo veel mogelijk bij de kerk betrekken. We trachten hun te leren het leven te beleven vanuit een christelijke opvoeding,' betoogt ze. En ze denkt: hij moet meteen maar weten waar hij met mij aan toe is.

Hij is tolerant en wijs, merkt ze. Ze zijn het op dit punt niet eens, maar hij maakt er geen kwestie van. Sterker nog, hij toont belangstelling voor haar standpunt. En hij blijft haar mild aankijken. Brede blik, verstandige benadering van haar ideeën en milde toon – het respect dat ze al voor hem had wordt er alleen maar groter door.

De ober vraagt of ze al een keuze hebben gemaakt. Nee dus. Meindert en Dorien bladeren een tijdje in de map met geplastificeerde bladzijden. 'Zoek het vooral niet in de goedkopere menu's, ik vind het leuk je iets heel lekkers aan te bieden,' spoort hij haar aan.

'Dat heb je de vorige keer anders ook wel gedaan,' herinnert ze hem aan een copieuze maaltijd waarna ze voorlopig ook niets meer naar binnen konden krijgen.

Na de bestelling praten ze verder. Onwillekeurig komen ze bij de politiek terecht. Hij noemt zijn favoriete partij niet, maar Dorien begrijpt uit zijn uitlatingen dat hij het in de liberale hoek zoekt. Goed, ze leven in een vrij land en ieder mag stemmen zoals hij wil, maar: 'Eelke en ik kiezen voor een confessionele partij. Daar voelen we ons nu eenmaal het beste thuis. Onze opvoeding in dezen speelt natuurlijk ook een rol.' Weer knikt hij inschikkelijk en met een klein gebaar – open hand in haar richting – maakt hij duidelijk dat hij haar keuze respecteert.

Het gesprek valt even stil. Ze zien naar buiten kijkend zichzelf weerspiegeld in het zwarte raam. Een vertekend beeld trouwens, want aan de buitenkant glijden druppels in grillige sliertjes naar beneden.

'November laat zijn ware gezicht zien,' mijmert Meindert. 'Op ogenblikken zoals nu voel ik hoe goed het is om gezelschap te hebben,' gaat hij verder. 'En dan ook nog zulk fijn gezelschap.' Het laatste komt er met een glimlach uit.

Ze verbiedt zichzelf te blozen, ze verzet zich er zelfs tegen. Prettig is zijn opmerking wel, daar niet van, maar hoe moet ze erop reageren?

Af en toe zegt hij iets in die richting en ze voelt hoe hij haar dan observeert. Voorlopig reageert ze vrij neutraal of helemaal niet. Het kan ook zijn dat ze een nieuw onderwerp aansnijdt, waarop hij dan met graagte ingaat.

Is het een spel? Probeert hij haar uit de tent te lokken? Misschien wel, maar dan nog blijft ze hem aardig vinden. Aardig? Innemend is een beter woord. Of? Lief misschien?

Ze merkt dat hij soms, als ze weer aan een verdieping van hun dialoog toe zijn, wat aarzelend aan een zin begint en zich dan plotseling inhoudt. Alsof hij eerst nog eens bij zichzelf wil overwegen of hij zijn gedachten wel op de juiste manier verwoordt.

Ze eten. Gebabbel is het nu, wat ze te berde brengen. Hindert niet, diepzinnigheid hoeft niet altijd.

Af en toe kijkt ze tersluiks naar hem. Hij eet rustig, bijna sierlijk, en maakt nogal vaak gebruik van zijn servet. Slanke handen heeft hij, zonder ringen. Hij ziet er trouwens helemaal uit als een heer en zo gedraagt hij zich ook. Doodzonde toch dat hij een beetje mank loopt. Hoewel, stoort het haar? Nee, stelt ze vast, eigenlijk niet meer.

Maar wat ziet hij in haar? Waarom is hij zo gesteld op deze uitstapjes? Op een gegeven moment legt hij vork en mes neer, leunt wat achterover en vraagt: 'Zeg eens eerlijk, Dorien, bevalt het je? Ik bedoel daarmee niet alleen het eten, maar het geheel, ons samenzijn dus.'

Juist op dat ogenblik heeft ze dan wel geen tedere, maar toch wel hartelijke gedachten over hem en voor ze het weet zegt ze: 'Meindert, ik vind het gewoon fijn!' Meteen bedwingt ze een gebaar van haar hand voor de mond, maar ze voelt warmte naar haar wangen stijgen. Dit had ze zo niet moeten zeggen, het komt te hard aan. Te familiair. Bedeesd prikt ze een sperzieboontje aan haar vork en brengt het als eenzaam hapje naar de mond. Is er een duidelijker blijk van verlegenheid denkbaar? Bah, ze moest eens leren niet zo spontaan te reageren!

'Dat doet me goed,' is zijn kalme bescheid en hij wijdt zich weer aan zijn maaltijd. Vier rustige woorden zijn het en ze waren gemeend, dat voelt ze.

Groeit er iets tussen hen? Iets van waardering? Iets van verbondenheid zelfs? Het komt Dorien voor dat er, wat de Duitsers *Anklang* noemen, tussen hen beiden is.

Op de terugreis moeten de ruitenwissers aan. Driftig zwiepen ze de druppels opzij. In de gele baan van de koplampen lichten regenstralen op.

Ze zeggen niet veel meer, Meindert manoeuvreert de wagen langs bochtige binnenwegen, Dorien zit in gepeins naast hem. Eén ding weet ze zeker: ze wil hem graag beter leren kennen, hem doorgronden en... afwachten of het voorlopige beeld dat ze van hem heeft gekregen juist is.

Hij stopt voor huize Couperus, laat de motor zachtjes verder ronken en legt een hand op haar arm. 'Was het goed genoeg voor een vervolg, Dorien? Ja? Fijn, zullen we dan direct maar een nieuwe datum vaststellen? Over veertien dagen misschien?'

'Hm,' aarzelt Dorien, 'is dat niet wat vlug? Zou drie weken niet beter zijn?' Eigenlijk vindt ze zijn voorstel wel goed, maar houdt zich toch voor niet te hard van stapel te lopen.

'Goed. Ik voeg me graag naar jouw wensen,' stemt hij met haar suggestie in. Dan zegt hij: 'Je moest eens weten hoe goed jouw gezelschap me doet.' Meteen stapt hij uit, loopt om de auto heen en houdt in de regen het portier voor haar open. 'Hollen naar de voordeur, Dorien!'

Ze rent inderdaad. In de open deur keert ze zich om en ziet twee rode achterlichten rustig om de hoek verdwijnen. In een flits ziet ze zijn profiel voor zich – rechte neus, hoog voorhoofd, een golvende donkerbruine haardos en een ietwat scherpe kin. En, als hij opzij kijkt, eerlijke ogen.

'Nou, jullie hebben het aardig lang volgehouden,' zegt Eelke de gang inkomend. 'is er van wandelen nog wat terechtgekomen? Zal wel niet, hè?'

Echt hartelijk vindt ze zijn toon niet, hij klinkt zelfs een beetje rauw.

'Nee, het is een autorit geworden,' antwoordt ze, 'daarna hebben we een restaurant opgezocht.'

'En dus behoorlijk lang over het eten gedaan, het is nu halftien!' meesmuilt Eelke.

Ze haalt onwillig een schouder op en bedenkt dat ze haar paraplu op de achterbank heeft laten liggen.

Een paar weken daarna zit Dorien op een vrijdagmiddag met haar borduurwerkje. Ze is alleen, Eelke, Egbert en Yvonne zijn naar school. Schoonvader Age doet boven zijn middagslaapje.

Ze heeft het borduurwerkje een tijdlang niet onder handen gehad. Te druk met andere zaken – de kerk en het andere vrijwilligerswerk en niet te vergeten haar job in de stad hebben veel van haar actieve leven opgeëist. Het is wel lekker om nu weer eens wat creatiefs te doen.

Buiten probeert een wazige novemberzon de strijd met wolkenpartijen in zijn voordeel te beslechten. Het gaat hem niet gek af, af en toe is de kamer vrolijk verlicht.

Onder het borduren laat Dorien haar gedachten de vrije loop. Ze springen van het ene onderwerp op het andere. Van haar huishouding gaan ze naar haar werk in de stad en komen uiteraard terecht bij Meindert. Maar waarbij ze blijven steken is de nieuwsuitzending van vanmiddag één uur. Het hoofdnieuws ging weer over Vietnam. Amerikaanse troepen schijnen daar een bloedbad aangericht te hebben. De nieuwslezer bracht het bericht onbewogen, de laatste tijd komen er veel meldingen over de oorlog in dat land.

Dorien schudt opnieuw verbijsterd haar hoofd. Amerikanen! Hoe kan dat nou! Amerika is toch een goed land, waar redelijke mensen wonen? Het waren toch de Amerikanen die ons land in 1945 bevrijdden van de gehate Duitsers? Toegegeven, voor de noordelijke provincies waren het veelal Canadezen, maar maakte dat veel uit?

Dorien schenkt zichzelf een kopje thee in en intussen gaan haar gedachten een eind in de geschiedenis terug. Ze ziet zichzelf als twaalfjarig meisje staan voor het stadhuis in hun stadje. Drommen mensen verdrongen elkaar om maar niks van het grootse schouwspel te missen. Berichten en geruchten vlogen dwars door de menigte heen.

'Ze zeggen dat de Canadezen nog maar een kilometer of tien weg zijn.' 'Weet je dat alle moffen gisteren de stad uit zijn gevlucht? Ze hebben nog gauw een brug opgeblazen, want ze zijn doodsbenauwd voor onze bevrijders!' 'Heb je al gehoord dat alle NSB'ers ook de stad uit zijn? Haha, van die smerige verraders zullen we geen last meer hebben.'

Dorien stond naast haar ouders, ze mocht niet bij hen weglopen want je wist maar nooit wat er ging gebeuren. Spannend was het wel!

Na een uurtje werd het volk ongeduldig. Waar bleven ze? Het geroezemoes veranderde van klank, het klonk dieper, vond Dorien.

Een paar jongemannen in blauwe overall en met een oranje band om de arm kwamen op de fiets op de menigte af. Op de fiets nog wel! Wie had er nu nog een rijwiel? Nou ja, zij van de ondergrondse wel natuurlijk.

Ze zetten hun karretjes tegen de muur van het stadhuis en sprongen het bordes op. Met hun handen als een toeter voor hun mond schreeuwden ze de mensen toe dat de bevrijders vlakbij waren. 'We hebben hen zelf gezien, we hebben met hen gepraat!'

Een blij 'hoera!' uit vele kelen steeg juichend op. Ook Dorien riep mee. Wat ze zei was niet belangrijk, het ging erom gehoord te worden.

En ja, hoor, na een paar minuten denderden ratelend tanks door de straat. Jonge soldaten in bruinachtige uniformen zaten erbovenop en zwaaiden naar het publiek, dat het gebaar beantwoordde met een donderend gejuich. Dorien voelde het trillen tot in haar buik.

Toen liep alles door elkaar. Mensen stoven op de militairen af, staken handen uit, schreeuwden en juichten, kinderen beklommen de nu stilstaande tanks en ook andere voertuigen. Eén groot feest!

Dorien weet nog dat haar vader haar bij de hand nam en haar meetrok naar een officier in een jeep. Met hem maakte hij een praatje – als leraar Engels had hij daar geen moeite mee, integendeel, het was hem een groot genoegen.

Onuitwisbare beelden, gave herinneringen. Dorien kan het zich allemaal weer zo voor de geest halen. Wat een blijdschap, sommigen werden dol van vreugde en sprongen in de gracht, waar ze door lachende omstanders weer uitgetakeld werden.

En die Canadezen? Hun redders? Prachtkerels waren het! En zo moest het ook met de Amerikaanse bevrijders zijn geweest, jazeker, precies zo!

En wat hoort Dorien nu door de radio? Een bloedbad? Dat is toch niet te rijmen. Goed, de bevrijding is vijfentwintig jaar geleden, de bevrijders zijn onderhand ook zoveel ouder geworden, maar zouden hun zonen daar in Vietnam precies het omgekeerde doen? Zouden ze massaal mensenlevens vernietigen?

Het wil er bij Dorien niet in. Amerika is toch een christelijk land?

De telefoon gaat. Ze is al bij het toestel aan de wand en neemt de hoorn van de haak. Het is de directeur van Egberts school.

'Ja, mevrouw Couperus, ik heb even een vervelende mededeling.'

Dorien schrikt, een ijzig gevoel bekruipt haar. De toon van die man! Zo voorzichtig en bij voorbaat inlevend.

'Zegt u het maar,' antwoordt ze met een droge mond.

De directeur begint met haar te verzekeren dat knapen van een jaar of veertien nog wel eens dwaze streken uithalen, dat heeft hij al veel vaker gemerkt. En zo was het ook met Egbert in de middagpauze, nee, niet meteen dodelijk ongerust worden, maar toch...

'Een ongeluk?' vraagt Dorien.

'Een ongeluk, ja, zo kunt u het wel noemen, Egbert is intussen naar het ziekenhuis gebracht en...'

'Ernstig?' onderbreekt ze hem.

'Och, ernstig, wanneer noem je iets ernstig?' vraagt de man zich hardop af en vertelt dan meteen de rest van het verhaal. Egbert is met een paar andere jongens op het dak van het fietsenhok geklommen en daar zijn ze wat aan het stoeien gegaan. Hoe het precies gebeurd is weet de directeur niet, maar Egbert is er op een kwaad moment afgevallen.

'Lelijk terechtgekomen, ja, hij klaagde over zijn rechterbeen en verder deed zijn nek ook behoorlijk zeer.'

'Geen levensgevaar, hoop ik?' vraagt Dorien, die zich naar begint te voelen.

'O nee, hoor, absoluut niet!' Het is te horen dat de man opgelucht is haar dat te kunnen verzekeren.

'Moet hij in het ziekenhuis blijven of mogen we hem ophalen?' is haar volgende vraag.

Op slag verandert de toon van de directeur weer. 'Daar is mij nog niets over bekend, mevrouw, maar ik heb zo'n idee...'

'Ja?'

'Ik heb zo'n idee dat hij daar wel een tijdje moet blijven. Weet u, de verpleging neemt altijd het zekere voor...'

'... het onzekere,' vult Dorien snel aan. Ze bedankt de directeur en staat binnen een minuut of wat voor de deur van Eelkes klas. Door het raampje ziet ze hem vrolijk gnuiven naar een groepje leerlingen en weet het meteen weer: hij zit op zijn werk lekker in zijn vel.

Ze tikt op het raampje en ziet hem schrikken. Hij springt van de tafel, zijn zitplaats, af en komt met grote stappen naar haar toe.

Ze vertelt hem in korte trekken wat er mis is met Egbert en zegt dat ze er meteen heen gaat. Kan hij straks Yvonne opvangen en heeft hij misschien de autosleutels in zijn zak?

Ontdaan zegt hij dat hij na schooltijd zo snel mogelijk naar huis zal gaan. 'Wil jij me dan bellen? Ik wil graag op de hoogte blijven.'

Ze knikt en is al weg.

Even later zit ze in hun kever en moet ze zich beheersen om het gaspedaal niet te ver in te drukken. Zoals het wel vaker bij haar gaat in zulk soort gevallen gaan haar gedachten wervelen. Het vreemde is dat ze telkens beelden van Vietnam verwisselt met die van een ziekenhuis.

Ze ziet in gedachten Egbert liggen met zijn hoofd in het verband en met zijn been in het gips. En hij huilt. Gek is dat, zoiets past niet meer bij hem. Bijna veertien jaar en dan schreien als een kind. Kinderen in Vietnam liggen stilletjes in hun ziekenhuisbed, heeft ze laatst op tv gezien. Daar liggen kinderen trouwens vaak héél stil, in een greppel of zo, of in het vrije veld. Heel stil, want ze zijn dood.

Kijk, nu rijdt ze opeens tóch te hard, los dat gas!

Met een opgewonden en schrikachtig gevoel parkeert ze de auto bij het ziekenhuis en staat een paar ogenblikken later naast het bed van Egbert.

Hij huilt...

Ze legt een troostende hand op zijn hoofd en zegt dat hij niet hoeft te vertellen wat er is gebeurd. Ze weet alles wel, stil maar, hoor, het komt allemaal weer goed.

Maar ze weet níet alles. Twee mensen in het wit staan plotseling naast haar, een dokter en een verpleegster.

'Tja, mevrouw, dat is schrikken, hè? Maar zoiets kan gebeuren, van het ene ogenblik op het andere.'

'Is het erg, dokter?' fluistert ze.

Hij wenkt haar mee naar de deur. Op de gang hoort ze zijn diagnose: 'Dat zijn been gebroken is, och, dat komt wel weer goed. Moet zijn tijd even hebben. Wat ik vervelender vind is de kwetsuur aan zijn nekwervel. Neenee, dat hóeft niet te betekenen dat er iets ernstigs is, maar het kán. U moet namelijk weten dat een beschadiging van een nekwervel...'

'Verlamming? Nee toch!' roept Dorien.

Hij legt een vinger over zijn lippen. 'Sst, laat hem niets horen. Mevrouw, ik beloof u, we zullen het zo gauw mogelijk onderzoeken, misschien kunnen we u morgen al wat meer vertellen. Komt u maar even mee.'

Hij leidt haar naar een kamertje, waar ze mag gaan zitten en verkreukelde tijdschriften doornemen, hij komt zo terug.

Automatisch neemt ze een afgeleefd periodiek in de hand en smijt het meteen weer terug. Een dokter die zoveel tijd voor haar neemt, dat is geen goed teken, o nee.

Hij laat haar niet lang wachten, daar is hij al, met een röntgenfoto. 'Ziet u wel, mevrouw, daar is de beenbreuk. Wat wij noemen een mooie breuk. Met gave randen, begrijpt u?'

Ja, dat snapt ze. 'Maar die wervel, dokter?'

De man schudt zijn hoofd. 'Misschien morgen, mevrouw.' Hij heeft alweer haast. Bij de deur zegt hij nog: 'Kan best meevallen, hoor, misschien krijgen we het met een gipskraag weer in orde.'

Het is onwerkelijk. Daar loopt ze weer door de witte gang. Bloedbad in Vietnam. Wat vreselijk. Egbert bleek en stil tussen witte lakens. Is het wel waar?

Ze zit naast hem en praat over onbelangrijke dingen. 'Ik reed zopas een beetje te snel. Dat zag ik net op tijd, want even verderop stonden agenten te controleren. Je bent erg geschrokken, natuurlijk. Wat dacht je toen je van dat dak af tuimelde? Wat zullen we nou hebben?'

Egbert produceert een halve glimlach. Dan vraagt hij: 'Weet papa dat ik hier lig?'

Een snelle blik op haar horloge – halfvier. 'Ik ga hem zo meteen bellen,' zegt ze, 'dan komt hij zo gauw mogelijk.'

De jongen probeert te knikken, maar dat levert alleen maar een pijnlijk vertrokken gezicht op.

Die wervel! begrijpt ze. Meteen vraagt ze zich af hóe haar man hier moet komen. Met de bus?

Wat vreemd dat die gruwelijke gebeurtenis in Vietnam niet uit haar beeld verdwijnen wil.

De avond wil maar niet voorbij in huize Couperus. De wijzers van de klok verschuiven tergend langzaam. De televisie is alweer uit, niks aan. Hoe kun je je gedachten nou bij een quiz houden terwijl je weet dat je zoon hier bij je had kunnen zitten? Nee, Yvonne hoeft nog niet naar bed, het is immers vrijdagavond.

Hun gedachten cirkelen om één vraag, een heel belangrijke: zou het goed komen met die nekwervel?

Tegen tienen zegt Eelke dat hij nog een ommetje gaat maken. 'Even wat frisse lucht happen.'

'Met je vader?' vraagt Dorien.

'Nee.'

In het weekeinde dat volgt slaan ze geen bezoekuur over. Ook Yvonne wil telkens mee, ze heeft een tekening gemaakt voor haar broer. Het stelt een breed lachende jongen in een ziekenhuisbed voor, met een enorme vaas met bloemen op zijn kastje. Het onderschrift luidt: Heel erg sneu voor je. Gauw beter worden en thuiskomen, dan kunnen we lekker weer samen afwassen.

Egbert gnuift als hij het leest. 'Mijn afwasbeurt mag je voorlopig vergeten, ik kan nog niet staan.'

Zijn ouders hebben schik om hun redenering waarbij hun dagelijkse corvee centraal staat. 'Wacht maar af,' zeggen ze, 'eerst moet-ie maar eens thuis zijn.' Veel meer genoegen beleven ze aan de mededeling van de artsen – er is in de nek van Egbert niets kapotgegaan.

'Hooguit kunnen we van een kneuzing spreken, meneer en mevrouw Couperus, en na verloop van tijd gaat dat weer over.'

Beter bericht konden ze niet krijgen. Bijna te mooi om waar te zijn. Ze knijpen elkaar van vreugde in de arm en ziedaar, een dikke kus in het openbaar!

De dokter remt de 'openbare blijdschap' wat af met: 'Dat wil niet zeggen dat uw zoon op slag beter is. Daar zal hij nog geruime tijd over moeten doen. Het lopen op krukken zal hij snel leren, maar om zijn wervel weer op peil te krijgen moet hij veel rusten. Liggen dus. Nee, mevrouw, uw zoon kan de eerste weken niet naar school. Wanneer wel? Zullen we zeggen: na de kerstvakantie? Maar dan wel onder voorbehoud.'

Het wordt lang niet zo'n moeilijk weekeinde als ze vreesden. En als dan de week daarop blijkt dat Egbert over een dag of wat naar huis mag, is Eelke geneigd de vlag uit te steken; hij zet hem in elk geval alvast klaar.

De dag waarop de vlag echt uit mag is een groot feest. Het gezin wordt haast bedolven onder bloemen en gebak, en de voordeur kan wel zo'n beetje open blijven staan, het is een open huis!

Vanuit zijn bed in de huiskamer ligt Egbert het allemaal mee te maken. Hij glundert bij voorbaat als de bel weer gaat – nieuwe handtekeningen op zijn gips. Nee, niet op zijn kraag.

Zijn klasgenoten bekijken hem met respect. Van een toch aardig hoog fietsenhok vallen en dan toch maar weer een groot woord hebben. Dat noemen ze nou knap! Ook zijn sportvrienden laten zich waarderend uit over, ja waarover? Over zijn baltechniek dan maar. 'Kom maar gauw weer een balletje trappen, hè!'

Er is vrede, gezelligheid en harmonie in huize Couperus.

Maar bij Eelke en Dorien gaan de gedachten verder. Hoe zal het straks gaan als ze allebei aan het werk moeten? Ze kunnen Egbert niet een lange dag alleen laten, geen dagdeel zelfs. Een van beiden zal Egbert moeten verzorgen, hij moet het immers van rusten hebben.

Voor Eelke is het geen punt. 'Kijk, Dorien, één ding is duidelijk: ik kan niet zomaar vrijaf nemen. Stel je voor, zeg, daar zou ik een collega opzadelen met een dubbele klas en dat niet voor eventjes, nee, je weet maar nooit hoelang het gaat duren met Egbert. En bovendien,' ratelt hij verder, 'ik ben ook nog eens schoolhoofd...'

Dorien snuift. 'Ja, dat laatste telt vooral zwaar,' zegt ze met een grimas. 'Maar ik kan je begrijpen, hoor, jij kunt niet makkelijk thuisblijven, maar dat wil niet zeggen dat ik... eh...'

'Nou?' dringt Eelke aan. 'Nou? Ga door.'

'Dat betekent niet dat ik automatisch als eerste voor onze nieuwe taak geplaatst word.' Het klinkt wat onzeker, wat aarzelend zelfs.

'Ik dacht van wel.' Bij Eelke geen spoor van weifeling. 'Het ligt toch voor de hand?'

'Waarom wordt de vrouw nog steeds als tweederangswezen aangemerkt?' stuift Dorien op. 'Ik begrijp niet waarom de man als haantje-de-voorste door het leven mag gaan, terwijl de vrouw een heel eind naar achteren ook mee mag spelen.'

Eelkes gezicht is een en al verbazing. 'Je wou de rollen omgedraaid hebben? Moeder de vrouw naar haar baan in de stad en de man aardappels koken en het huishouden doen?' Hij moet er ineens om lachen, zo onvoorstelbaar vindt hij het.

'In ons geval geldt het niet,' repliceert Dorien die zich uit alle macht probeert rustig te houden, maar wier handen zijn gebald tot vuisten waarvan de knokkels grote witte punten zijn, 'maar ik kan me voorstellen dat er situaties zijn...'

Eelke onderbreekt haar met een diepe zucht en een gebaar van wanhoop – wie bedenkt er nu zoiets!

'Goed, goed,' zegt Dorien beheerst berustend, 'ik zal me aan de geldende maar ongeschreven regels houden en ik vraag Meindert of ik een tijdje vrij mag.'

Eelke knikt, maar wel op een manier van: het moest er nog bijkomen ook! Hij grijpt wild zijn dagblad, bladert er luidruchtig in en mompelt iets onverstaanbaars.

'Wat zei je?' vraagt Dorien vinnig.

'Ik zei: Ga maar met hem wandelen en eten, dan heb je toch iets.'

Weg is de harmonie, het drukkende zwijgen komt ervoor in de plaats.

'Toen Egbert in het ziekenhuis lag hadden jullie nooit ruzie,' stelt Yvonne een paar dagen daarna vast. Ze heeft gelijk, beseffen haar ouders.

Egbert zelf hoort zo af en toe ook het een en ander, maar hij houdt zijn gedachten binnenskamers. Alleen is hij minder vrolijk dan in het begin. Toch spreekt hij zich wel uit. Hij zoekt zijn toevlucht bij opa Age, die hem met goede woorden tegemoetkomt.

Op een avond zitten ze met z'n vieren in de kamer. De gordijnen zijn al een tijdje dicht, de lampen aan, sfeerlampjes aan de muur en boven het bed van Egbert kunnen voor een gezellige stemming zorgen. Kunnen, ja, maar doen ze het ook?

'Mag de tv aan?' vraagt Yvonne, die haar ogen al een tijdje van haar vader naar haar moeder heeft laten gaan.

'Och jawel,' stemt Dorien ongeïnteresseerd toe.

Op dat ogenblik komt opa Age binnen. Hé, dat is ongebruikelijk, meestal zit hij in z'n eentje boven; dat wil hij ook het liefst.

'Ik... eh... zou wat willen zeggen.'

Vier gezichten waar de nieuwsgierigheid van af te scheppen is.

'Ga uw gang,' zegt Dorien, 'en ga toch zitten.'

Hij neemt plaats aan de huiskamertafel. 'Kijk, ik weet dat Egberts ziekte jullie in verlegenheid heeft gebracht en dat jullie besloten hebben dat Dorien haar baan tijdelijk opgeeft.'

'En?' vraagt Dorien gespannen.

'Ik had zo gedacht: waarom zou ik niet in plaats van jou voor Egbert kunnen zorgen?' wendt Age zich tot Dorien. 'Alleen moeten jullie me dat dan wel toevertrouwen.'

Verbaasde stilte. Drie gezichten vol verwarring en één met een glunderende uitstraling. Het laatste is van Egbert.

Dan opeens is het vertrek vol met geluiden. Eelke slaat zich op de knieen van vreugde, Yvonne steekt twee gebalde vuisten in de lucht en Dorien loopt op haar schoonvader af en geeft hem zowaar een kus. En Egbert lacht geheimzinnig.

13

WAAIT ER EEN VLEUGJE VROLIJKHEID DOOR HUIZE COUPERUS? YVONNE zingt of neuriet af en toe, papa Eelke en mama Dorien praten zonder ijzige ondertoon met elkaar en Egbert lacht, wel voorzichtig, want zijn nek kan nog niks verdragen, maar hij lacht.

Bij opa Age is er ook iets veranderd. Onder het eten zit hij nog wel stil en meestal zwijgzaam aan tafel, maar het is duidelijk dat ook hij geniet van de plotseling opgewekte sfeer.

Het komt allemaal door zijn toezegging om op Egbert te passen en voor hem te zorgen. Daar is iedereen blij mee. Hijzelf trouwens ook, het is alsof hij een ander gezicht heeft gekregen, vindt Egbert. Nou ja, een ander gezicht? Nee, natuurlijk niet, maar hij kijkt wel anders uit zijn ogen.

Direct al na het weekeinde is iedereen naar school of werk gegaan. Egbert niet, hij ligt languit op zijn bed voor het raam van de huiskamer en leest in een boek.

Het duurt niet lang of daar gaat de kamerdeur langzaam open. Opa Age. 'Eens even kijken wat ik voor je kan doen, Egbert. Een glas water? Ranja? Iets anders?'

Egbert moet er om lachen, heel voorzichtig dus. Nee, hij heeft niks nodig. 'U kunt wel gaan zitten, opa, en de krant lezen of zo.'

Het is genoeglijk. Ze praten wat, lezen soms wat. Er gaan ook wel minuten voorbij waarin ze allebei geen woord zeggen. Dat is helemaal niet erg, vinden ze allebei. Ieder moet maar doen waar hij zin in heeft, dat gaat het beste.

De dag duurt niet eens lang, voor ze het weten komt Dorien de kamer alweer binnen. 'Alles goed gegaan? Prachtig, dat hoor ik graag.' Ze is vrolijk en vertelt over klanten die ze vandaag geholpen heeft. Ook Eelke heeft een sterk verhaal. Het gaat over een van zijn leerlingen die een spreekbeurt ging houden over katten en die zijn poes had meegebracht. Maar voor hij goed en wel van wal was gestoken had de kat zich uit zijn armen gewrongen en was op de loop gegaan. De jongen erachteraan, maar het dier liet zich niet vangen. Uiteindelijk had Eelke hem nog te pakken gekregen, maar met de spreekbeurt werd het niks meer.

Yvonne vraagt wanneer Egbert weer zover is dat hij mee kan helpen afwassen, ze begint zelfs op hem te katten omdat hij haar in de steek laat – het oude vertrouwde patroon is terug.

In de dagen die volgen stemmen opa Age en Egbert hun levens op elkaar af. Opa Age gaat niet meer geregeld de deur uit voor een wandeling en als Egbert zegt dat hij dat gerust kan doen, schudt de oude man zijn hoofd. 'Ik hoef niet meer zo nodig een loopje te maken, ik heb nu wat anders omhanden en dat ben jij,' legt hij uit.

Op een ochtend komt het gesprek op de oorlog. Egbert weet dat zijn opa die tijd heeft meegemaakt en vraagt of hij er wat over wil vertellen. Opa verzinkt een ogenblik in gepeins, met de kin op zijn borst denkt hij na over de vraag.

'Dat wil ik wel doen, maar ik weet niet hoe ik zal beginnen, er is namelijk zoveel over te zeggen,' komt er dan.

'Maakt niets uit, opa, ik vind alles interessant,' verzekert zijn kleinzoon. 'Echt waar, ik houd van verhalen over de Tweede Wereldoorlog en ik heb er boeken over gelezen.'

'Ik vraag me af of ik je er dan nog wel wat nieuws over kan vertellen,' grinnikt opa. 'Maar... je vader heeft die tijd ook bewust meegemaakt, heeft hij het er nooit met je over gehad?'

Egbert antwoordt dat zijn vader er op school wel mee bezig is geweest, maar dat hij zijn eigen belevenissen niet vaak genoemd heeft. 'Hij heeft ook niet in het verzet gezeten zoals u.'

Er gaat een schokje door het lichaam van opa Age, Egbert ziet het duidelijk.

'In het verzet... ja... ja,' komt er dan aarzelend. Na een paar ogenblikken van nadenken kijkt hij zijn kleinzoon weer aan. 'Ik was tweeënveertig jaar toen de oorlog uitbrak en wij hadden een zoon van negen,' begint hij.

'Mijn vader,' weet Egbert. 'Negen jaar dus, nog jonger dan Yvonne nu. En verder?'

'Toen de Duitsers ons land veroverd hadden deden ze eerst wel aardig tegen ons. Ze zeiden dat hun aanval een betreurenswaardige noodzaak was, omdat de Engelsen en Fransen op het punt stonden ons land te bezetten.'

'Welja,' zegt Egbert grimmig, want hij weet wel beter.

Opa Age vertelt verder en komt daarbij helemaal terug in die tijd. Hij ziet en beleeft als het ware de toestanden opnieuw en hij maakt er om zo te zeggen een schilderij van. Een schilderstuk dat Egbert in de loop van het verhaal steeds duidelijker wordt. Hij laat zijn grootvader met zijn ogen en oren niet los, hij geniet.

'Ik was toen boer en veehandelaar tegelijk. Je weet toch wel waar onze boerderij stond?'

'Natuurlijk wel, we hebben toch wel bij u gelogeerd?'

Opa Age werkt verder aan zijn schilderij. De gebeurtenissen worden penseelstreken die in elkaar overvloeien, het geheel wordt almaar duidelijker. En mooier. Spannender ook.

Jammer dat hij er voorlopig mee wil stoppen, hij wil niet alles in één keer vertellen.

'Morgen verder?' dringt Egbert aan.

'Goed.'

De volgende morgen ligt Egbert al op zijn grootvader te wachten. De man zit nog maar net of Egbert herinnert hem aan zijn belofte.

Opa Ages ogen lichten op. 'Je hebt échte belangstelling, hè? Goed, dan ga ik nu iets over de Jodenvervolging vertellen.'

Een tweede landschap op een doek. Egbert ziet het weer ontstaan. Hij komt nu aan de weet hoe erg de Joden verdrukt werden. 'Ze mochten niet in de tram en trein en bus, ze moesten een gele ster met het woord Jood erop dragen en soms werd er een razzia, een soort drijfjacht, gehouden om hen te vangen en naar een concentratiekamp te voeren.'

'En u kon daar niets tegen doen?' wil Egbert weten. 'U zat toch in het verzet?'

Weer zo'n schokje bij opa Age. 'Ja,' zegt hij dan zacht, meer tegen zichzelf dan tegen Egbert, 'ik was bij ons op het dorp een van de leiders van het verzet...' Er volgt een lange stilte.

Egbert wacht ongeduldig. 'Er was ook een keer een staking, hè?'

Zijn grootvader kijkt een tijdje langs hem heen. Probeert hij zijn gedachten te verzamelen en op een rijtje te zetten?

'U denkt na?' dringt Egbert aan.

Dan begint opa. Hij vertelt. Soms gedreven, andere keren wat geremd, maar er verschijnt wel weer een schilderij. Alleen... álles wat hij weet, zegt hij niet. Er zijn een paar dingen die hij niet over zijn lippen krijgt – zaken waarover hij niks kán loslaten.

Hij beleeft het zelf alles weer helemaal opnieuw. Het gebeuren speelde zich af in de meimaand van het jaar 1943. De Duitse bezetters hadden hun vriendelijkheid allang ingeruild voor een hard, zeg maar hardvochtig, optreden.
Op donderdag 29 april kwamen ze met een keiharde bekendmaking: alle Nederlandse militairen die na de overgave van ons land in de meidagen van 1940 vrijgelaten waren en naar huis mochten, moesten zich nu weer melden voor krijgsgevangenschap.
Het was een klap in het gezicht van Nederland. Hoe kregen ze het in hun hersens! Dachten die Duitsers nu werkelijk dat die jongemannen zich netjes zouden aanmelden? Nou, dan vergisten ze zich verschrikkelijk.
Overal in ons land werd opgeroepen om ongehoorzaam te zijn. Sterker nog, heel Nederland moest zich verzetten tegen de Duitsers. 'Staken, mensen, staken!' werd er geroepen. 'Leg je werk neer, laat zien dat je vanaf nu Duitse bevelen niet meer opvolgt!'
Ook op het dorp van Age Couperus staken de mensen de koppen bij elkaar. Ze vroegen zich af hoe ze zich nu moesten opstellen. Het leek hen het beste om eerst maar eens een paar mannen te zoeken die plannen wisten te bedenken en leiding konden geven. Lang hoefden ze daar niet over te doen, ze wisten algauw dat Age Couperus een van de geschiktste mannen was. Pieter Cnossen trouwens ook, die was ook niet mis als het op leidinggeven aankwam. Zij moesten met hun tweeën het roer in handen nemen en bepalen wat er nu verder ging gebeuren. Wilden ze dat?
Couperus en Cnossen stemden na een poosje van weifelen toe, maar zeiden wel dat ze de voorzichtigheid niet uit het oog zouden verliezen, je wist intussen dat de Duitsers wreed konden optreden. Maar als het dorp aan de staking wilde meedoen, goed, dan zouden zij erover nadenken.

Dezelfde dag nog werd bekend dat boeren in andere dorpen voorlopig geen melk meer zouden leveren aan hun fabriek; ook een manier van staken dus. Zou dat ook niet wat voor hen zijn?

De nieuwbakken leiders zochten een paar medestanders en spraken af dat ze die maandagmiddag zouden samenkomen. In de consistorie van de kerk – daar vergaderden Couperus en Cnossen, allebei ouderling, immers vaak genoeg.

Maar terwijl de heren daar plannen aan het smeden waren, klonk buiten de kerk het geluid van ronkende vrachtwagens. Daar kwamen de dorpelingen op af. Ook het nieuwgevormde stakingscomité stak de neus buiten de kerkdeur, Couperus en Cnossen voorop.

De 'lading' van de vrachtauto's stond inmiddels op straat. Het waren Duitse soldaten, in een apart soort groene uniformen.

'Grüne Polizei!' schrokken de omstanders. Vanbinnen sidderend schuifelden ze achteruit. O wee, Grüne Polizei!

De militairen liepen met hun geweer in de arm wat heen en weer en keken telkens dreigend in de richting van het publiek.

Tussen de militairen stond ook een onbekende man in burger. Hij zei niks, keek alleen maar. Op een gegeven moment liep hij op een paar kleine kinderen af, toonde een vriendelijk lachend gezicht en vroeg of ze misschien wisten hoe die twee mannen daar bij de kerkdeur heetten. Een jongetje stak zijn vinger op en zei triomfantelijk: 'Ik weet het.'

'O, prachtig,' zei de man. 'Kun je hun namen ook zeggen?'

Dat wist het ventje: 'Couperus en Cnossen!'

'Heel knap,' reageerde de vreemdeling en voegde zich weer bij de soldaten.

Er klonk een Duits bevel, de soldaten klommen weer naar binnen en de voertuigen reden weg.

Een opluchting. Ja, wie zou niet bang worden voor zo'n zware dreiging?

'Laten we wel weten wat we doen,' waarschuwden de dorpelingen elkaar, 'want deze heren, nou ja, heren? zijn gevaarlijk!'

Dat beseften Couperus en Cnossen en hun medewerkers ook. 'We moeten ervoor zorgen dat ze ons dorp niks kunnen maken,' stelde Age Couperus. 'Ik zou zeggen: eerst de zaak maar eens aanzien. Laten we die Duitsers vooral niet uitdagen, want ik heb zo het idee dat het dan niet goed afloopt.' En ze vergaderden rondom de consistorietafel verder.

Maar om een uur of zes 's middags verzamelden zich spontaan jongelui op het kerkplein.

Eling, de ongeveer twintigjarige zoon van timmerman Van Dijk stond in het midden. Hij wilde wat zeggen, of liever: hij had een vraag.

'Zijn we vanmiddag bang geworden voor die *Grünen*? Ze wilden zien of we hier ook staakten, hè, en als dat zo was zouden ze die staking breken, hadden jullie dat wel in de gaten? En moeten we die moffen laten zien dat we ons niks van hun bevel aantrekken of niet?'

Kijk, dat was een regelrechte vraag en precies wat de groep wilde horen. De enthousiaste antwoorden waren niet van de lucht, iedereen wilde dat de Duitsers aan de weet kwamen dat ze er ontzettend naast zaten als ze dachten dat ze de staking zomaar even konden verbieden. 'We gaan er met z'n allen wat aan doen!'

Ja, prima, maar hoe?

Dat wist Eling wel. 'De boeren hebben op bevel van de Duitsers hun volle melkbussen aan de weg gezet en straks komt de melkrijder voorbij om de opbrengst naar de fabriek te brengen. Laten we dat zomaar gaan?'

'Neenee, absoluut niet! Staken is staken en er komt geen druppel melk in de fabriek!' schreeuwden de jongelui.

'Kom dan maar met mij mee,' zei Eling. Als een rasechte aanvoerder wenkte hij zijn volkje mee naar de rand van het dorp. Gedwee en tegelijk opgewonden liepen zijn volgelingen mee.

Plotseling keerde Eling zich om, keurde zijn troep en gebood kinderen terug te gaan. 'Nee, voor jullie te gevaarlijk,' stelde hij vast.

Pruilend gehoorzaamde de jonge jeugd de nieuwe bevelhebber.

De groten hadden begrip voor zijn besluit en volgden hem op zijn schreden. Na ongeveer een halve kilometer, bij een kruispunt, stak aanvoerder Eling de hand op en gaf instructies. 'Hier moet hij zo meteen van rechts komen en wat doen we dan? We houden hem doodgewoon tegen. Dan pak jij, Bas, het paard bij zijn hoofdstel en zegt ho. Daarna tillen de anderen de melkbussen van de wagen. Die komen hier in de berm te staan. Akkoord?'

Begrepen! 'Mogen wij ook meedoen?' vroegen een paar meiden.

Even een kleine weifeling bij Eling, maar hij stemde toe: 'Vooruit dan maar.'

'Daar komt-ie!' werd er geroepen.

'Iedereen op zijn post!' gebood de leider.

Dus stond de groep direct midden op de weg. Naarmate de wagen dichterbij kwam veranderde het gemompel in een dreigende stilte. Het geklik van hoefijzers op de weg en het gepiep van wielen was het enige geluid dat zich liet horen.

Daar was de wagen met een ongerust kijkende bestuurder.

'Bas!' riep Eling.

'Ho!' schreeuwde Bas en hield het paard tegen. Het oude dier wilde wel meewerken en stond gewillig stil.

'Wat moet dit?' riep melkrijder Klaas boos. 'Laat me erdoor!'

'Nee! Geen melk naar de fabriek! Staken!' maakte Eling duidelijk.

'Dat kan niet, hoor, ik moet rijden op bevel van de Duitsers!' De toon van de man was plotseling jankerig. 'Alsjeblieft, laat me gaan, anders kom ik in grote moeilijkheden!'

'Dan zeg je maar dat wij je hebben tegengehouden,' blafte Eling. Hij draaide zich om, zocht met zijn ogen om bijval en leek even te weifelen. Als om steun te zoeken vroeg hij: 'Of niet, jongens?'

Er volgde een grote instemming. 'Geen melk naar de fabriek! Staken!'

Eling hoefde maar even te wijzen naar de wagen of zijn onderdanen klommen er al op. Rappe handen zetten de bussen aan de rand, andere grepen ze vast en zetten ze in de berm.

'Niet doen, niet doen,' kermde de melkrijder.

'De wagen draaien,' klonk het bevel van Eling.

Daar wilde Bas wel voor zorgen. In een mum van tijd stond het paard er weer voor, nu in tegenovergestelde richting.

Wie zei dat het eerst? Dat van: 'Omtrappen die dingen?'

Niemand die het wist, maar er werd een deksel van een bus gerukt, een voet schoot uit en de bus lag om. Witte golven zochten hun weg door het gras en kleurden het slootwater wit. Het was een sein. Want vlak daarna gingen ze allemaal. Onder luid geschreeuw ook nog. 'De Duitsers zullen er nog versteld van staan! Nu kunnen ze eens zien dat wij ons niet op de kop laten zitten!'

De melkrijder kon wel ophouden met zijn: 'Dit mag niet van de Duitsers! Jullie maken hen alleen maar kwaad!' Dat die man zich niet stilhield! Dat huilerige toontje van hem, hij moest zich schamen!

De lege bussen stonden intussen weer op de wagen en Bas gaf melkrijder Klaas met een handbeweging het teken van: wegwezen! In elkaar gedoken zette de man zijn paard aan, keek nog eenmaal naar de witte sloot en schudde zijn hoofd.

Het geratel van de wielen werd zwakker en zwakker en vreemd genoeg werd het in de groep ook stil. Zelfs het laatste gemompel loste zich op in een onbehaaglijk zwijgen.

'En nu?' vroeg iemand uit de groep.

'Naar huis,' adviseerde Eling. Hij nam alvast het voortouw en wierp net als de melkrijder nog een laatste blik in de sloot. Dat deed de rest van het gezelschap dus ook.

Intussen leek de groep opeens haast te krijgen, iedereen versnelde zijn pas. Had het te maken met een toenemend gevoel van ongerustheid?

Plotseling zette Eling zijn arm als een slagboom opzij. 'Wacht even,' zei hij. 'Niet om het een of ander, maar het lijkt me het beste dat we thuis en op straat nergens over praten. Geen mens hoeft te weten wat hier gebeurd is. Goed?'

Ja, goed, maar verschillende gezichten en ook gebaren drukten twijfel uit. Kón dit verborgen blijven? En de melkrijder dan? Enne, die witte sloot?

Elings schouders zakten een eindje. Toen had hij nog wat: 'Als hier wél praatjes van komen, dan hoeven jullie niet te zeggen dat ik hier zo'n beetje de leiding had. Oké?'

O, maar dat was prima. Nee, Eling hoefde zich geen zorgen te maken, ze zouden er met geen woord over reppen. Absoluut niet!

'De meiden ook niet, hè?' vroeg Eling.

Als reactie kreeg hij alleen maar een verontwaardigd hoofdschudden. Kom nou, Eling!

Terug in het dorp vond iedereen dat ze nu lang genoeg op straat waren geweest. Het werd zo langzaamaan bedtijd en morgen was er weer een dag, waar of niet?

Alle leden van de groep zochten haastig hun voordeur. Of zochten ze bescherming binnen de veilige muren van hun huis?

Om ongeveer halftien tikte er iemand bij de boerderij van Age Couperus op het raam. Het was zijn arbeider.

'Neem me niet kwalijk dat ik zo laat nog langskom, Couperus, maar wat ik nu gehoord heb... ik dacht dat ik het u toch maar moest vertellen.'

'Kom binnen,' zei Age, 'en zeg wat je op je hart hebt.'

De man vertelde in korte trekken de overval op de melkwagen. 'Het moet er nogal ruig zijn toegegaan, alle melkbussen geleegd in de sloot en melkrijder Klaas teruggejaagd.'

'Nee toch? Zomaar zonder ons medeweten?' vroeg Age ontsteld. 'Wie waren die jongelui?'

'Weet ik niet. Ik weet alleen maar dat Eling van Dijk de leiding had.'

'Eling van Dijk. Hoe bestaat het! Anders zo'n rustige jongen.' Age stond versteld.

Een uur later, het was al donker, werd er bij Age Couperus op de deur gebonsd.

Age sprong verschrikt overeind.

'Wie moet hier om deze tijd nog wezen?' vroeg ook zijn vrouw Wietske zich af. Beiden liepen naar de gang en de voordeur. Wietske knipte de ganglamp aan.

'Wie?' riep Age door de dichte deur.

'Openmaken!' was het antwoord van buiten.

Age schoof de grendel weg. In het vage licht van de ganglamp stonden twee mannen op de stoep, politieagenten, die meteen naar binnen stapten.

Ze keken vanonder hun petten niet vriendelijk, ook niet onwelwillend trouwens.

'Wat komen de heren hier doen?' vroeg Wietske scherp.

'Wij als Nederlandse politiemannen hebben een opdracht van de *Grüne Polizei*,' antwoordde de een.

'U moet even mee naar hun bureau,' voegde de ander eraan toe.

'Mee? Waarom?' Age snapte er niks van.

'Mensen, het is nacht!' kreet Wietske.

Tja, dat wisten de mannen ook wel, maar: 'Niets aan te doen. *Befehl ist Befehl*, zeggen de Duitsers, weet u wel?'

'Ik moet dus nu mee?' vroeg Age ongelovig.

De heren knikten. 'Kom maar.'

Wietske wilde weten wanneer ze haar man terug mocht verwachten. 'Moet ik hem wat eten meegeven?'

De agenten haalden hun schouders op. 'Niet te zeggen, vrouw Couperus.'

Age trok zijn overjas van de kapstok en Wietske haalde een reep koek uit de keuken. 'Hier, jongen, dan heb je wat voor onderweg.' De snelle blik die de heren op de mat wisselden ontging haar.

'Ik hoop dat wij uw man gauw weer terug mogen brengen,' zei een van de agenten terwijl ze met Age het tuinpad van de boerderij af liepen. Op de weg stond een auto te wachten. Age moest achterin gaan zitten. Daar zat al iemand, zag Age in het schemerdonker. Nee, het waren er twee. Kon hij daar nog bij?

Pas toen hij zat ontdekte hij dat agent nummer drie op de achterbank zat. Naast hem een onbekende.

'Goeienavond, Couperus,' zei de onbekende. Het was de stem van Pieter Cnossen.

'Hé, u ook hier. Hoe kan dit allemaal?' Age begreep het nog steeds niet.

'We mogen een ritje maken, geloof ik,' zei Cnossen. 'Nee, ik weet ook van niks.'

De wagen reed. De koplampen belichtten bekende wegen.

'Waar gaan we naartoe?' vroeg Age de agenten.

'Even naar het bureau van de *Grüne Polizei*, dat zeiden we toch al?' was hun respons. Verder deden ze het zwijgen ertoe. Ook gedurende de rest van de reis ontkwam hun geen woord.

'Enig idee waarom we opgepakt worden?' vroeg Pieter Cnossen aan zijn lotgenoot.

Nee, Age wist het echt niet. Hij kon niet bevatten wat dit allemaal te betekenen had. 'We hebben immers nog niks gedaan? Geen enkele beslissing of zo genomen?'

'Sst,' siste Cnossen.

Ze reden naar de stad. Daar reden ze door verlaten straten. Voor een groot gebouw stonden ze stil. In het schijnsel van een straatlantaarn stond een Duitse militair. Zijn helm glom in het lamplicht dat door het raampje in de zware deur naar buiten viel.

'Uitstappen maar,' zei de man aan het stuur.

Onder geleide van de twee agenten stapten de beide boeren naar binnen. De wachtpost keek hen meewarig aan.

Ze liepen over een betegelde vloer het gebouw in. De ene agent klopte op een deur. Er verscheen iemand in een glad en strak zittend uniform, blootshoofds en met een dreigende uitdrukking op een hard gezicht. Vast een officier, dacht Age. De agenten salueerden en rapporteerden de arrestatie van de heren Couperus en Cnossen.

'Ach so,' grijnsde de man. '*Willkommen, meine Herren!*'

Arrestatie? Gevangenneming? Nieuwe schrik sloeg Age om het hart.

De officier liep zijn kamer weer binnen, draaide een telefoonnummer en ging achter zijn bureau zitten om een aantekening te maken.

Zware laarzen met ijzerbeslag dreunden door de gang en twee soldaten meldden zich bij de officier. '*Herr Hauptmann?*' vroegen ze.

'Breng deze beide mannen naar een cel en wacht nadere instructies af!' gaf de officier hun in bijtende bewoordingen te verstaan.

'*Mitkommen!*' De soldaten maakten een bevelend gebaar, grepen de beide boeren bij een schouder en duwden hen voor zich uit.

Ze kwamen in een zijgang met veel deuren. Een van de militairen nam een sleutel van een enorme ring, maakte een deur open en duwde Pieter Cnossen naar binnen. Achter hem knarste de sleutel in het slot. De tweede cel was voor Age.

14

HET WAS BEKLEMMEND, BEANGSTIGEND, SCHRIKAANJAGEND. AGE ZAT OP een bankje te rillen van kou, van vrees, van bezorgdheid. Hij stond op, liep wat heen en weer, keek naar de tralies voor het kleine venster, richtte zijn blik op de vreselijk dichte deur en ging weer zitten.

In het vale licht van een armoedig peertje zag hij de houten bank, de brits waarop hij eventueel mocht gaan liggen – hij dácht niet aan rusten. Heen en weer lopen was beter.

Hij probeerde zijn gedachten te verzamelen; het bleef bij onrustige flitsen. Dreigende woorden als arrestatie, internering en lange gevangenisstraf maalden door zijn hoofd.

Hij wist van zichzelf dat hij geen held was. Hij was er zelfs van doordrongen dat hij heel onzeker was. Tot nog toe had hij zijn onvaste psyche voor de buitenwereld verborgen kunnen houden – behalve dan voor Wietske. Het camoufleren van die vervelende eigenschappen was hem tot een tweede natuur geworden. Maar nu? Wat hing hem boven het hoofd? Wat wilden ze van hem? Hij had toch niets strafbaars gedaan? Waarom moesten ze hém nu juist hebben?

Hij legde zijn hand om een tralie. Het ding voelde koel aan, weldadig haast. In een poging om de zaken op een rijtje te zetten dwong hij zichzelf de dingen van deze dag na te gaan.

Goed, hij zat in de consistorie, besprak met Cnossen en een paar anderen de mogelijkheden van verzet tegen de Duitsers. En verder? Daar was plotseling die militaire wagen met *Grüne Polizei*. Wat deden die mannen? Niks, alleen maar intimideren. En er liep iemand in burgerkleren. Wat had die daar te zoeken?

Na de bijeenkomst in de consistorie was hij naar huis gegaan, na melktijd had de arbeider de volle bussen aan de weg gezet, en daarna was hij naar binnen gegaan. Toen het al donker werd was de arbeider gekomen met het bericht over de staking.

Staking. Daar zat het 'm dus in. Maar wat had híj daarmee te maken? 'Age,' mompelde hij en merkte dat zijn stem zelfs beefde, 'je staat er volkomen buiten. Je hebt je nergens mee bemoeid en ze kunnen je dus niks maken.' Hij probeerde die waarheid in zijn hoofd te prenten, rotsvast moest hij erin geloven. Opnieuw ijsberend hield hij zichzelf voor dat hij met die staking niets, maar dan ook niets van doen had.

Stappen van laarzen met ijzerbeslag in de gang. Age stond doodstil. Een deur werd van het slot gedraaid, nee, niet de zijne. Stemmen, hard en kortaf, voetstappen van weglopende mensen en... stilte.

Ze hebben Cnossen meegenomen, wist Age, ze gaan hem verhoren. Nou, dat zou wel niet lang duren, want voor zover Age kon beoordelen stond de goeie man ook volledig buiten de staking.

Age zat weer en repeteerde zijn gedachten en stellingen. Zo meteen zou hij zelf aan de beurt zijn en dan moest hij zijn mening of opvatting helder en duidelijk naar voren brengen. Het begon trouwens wel te tollen in zijn hoofd en hij vroeg zich af of hij straks de goede woorden zou kunnen vinden.

Er drong gerucht tot hem door. Wat was dat? Het klonk hem als gekerm in de oren. Nee, nu was er niks meer. Een vergissing zeker.

Maar nee, daar was het weer. Gekreun, geschreeuw zelfs. Was dat Pieter Cnossen? O God, nee toch? Wat deden ze met hem? Age hoorde gestommel en hulpgeroep. Rauwe mensengeluiden kwamen dichterbij. Duitse klanken! Daartussendoor smartelijk gekreun. Pieter, het was Pieter! Ze brachten hem terug naar zijn cel!

Ages hart leek te bevriezen en al zijn gedachten waren weg. Zijn deur ging open en daar stonden ze, de twee Duitse militairen. Een gebiedend wenkende vinger: '*Mitkommen!*'

Als in een droom liep Age tussen hen in de gang door. Hij was in- en inkoud en tegelijk brak het zweet hem uit.

Aan het eind van de gang stond een deur open en Age werd naar binnen geduwd. Achter een bureau zat dezelfde officier van daarnet, hij schreef iets op een blocnote en verwaardigde zich niet Age aan te kijken.

Daar stond Age. Schuin achter hem de beide militairen. En er was stilte, een beklemmend zwijgen.

De officier legde zijn vulpen neer en bekeek zijn arrestant met een blik zoals Age die van zichzelf kende als hij een koe op waarde moest schatten. Nog steeds zei de man niets. Toen ineens wendde hij zich met een vingerknip naar iemand achter in het vertrek.

'Meneer Couperus, als ik het goed heb?' hoorde Age achter zich. Hij keerde zich om en stond oog in oog met een man in burgerkleren, die hem vriendelijk toeknikte. 'Kunnen wij even een praatje maken?'

Er viel een last van Age af. Een Nederlander! Een aardig iemand zelfs! Zie je wel, hij had zich voor niets druk gemaakt. Toch ging het sidderen vanbinnen niet over.

'Gaat u toch zitten.' De Nederlander wees hem een stoel bij een tafeltje in de hoek van het vertrek en nam zelf ook plaats.

Age zat. En vroeg zich af waar hij deze meneer toch van kende.

'Rookt u?' wilde de man weten en haalde een sigarettenkoker tevoorschijn.

Age bedankte, hij kon op dit ogenblik zelfs geen sigaret opsteken vanwege zijn trillende handen.

'Ik zie dat u geschrokken bent,' zei de man, 'maar dat is helemaal niet nodig, hoor.' Het klonk zo gemoedelijk, zo ongedwongen, dat Age even glimlachte. Met deze meneer viel misschien wel te praten.

'Wij wilden een paar dingen met u bespreken,' ging de man verder terwijl hij zo te zien in gedachten aan zijn trouwring zat te draaien.

'Dat kan,' probeerde Age ferm te antwoorden, maar die twee woorden kwamen er schor uit. Uit zijn ooghoek zag hij dat de officier hen onbeweeglijk observeerde. Nare, felle ogen had die kerel.

De Nederlander verschikte even op zijn stoel, kneep eens in zijn neus en keek Age aan.

Dat gebaar! Opeens wist Age waar hij hem eerder had gezien: vanmiddag bij de *Grüne Polizei*!

Er vloog een wilde angst door hem heen. Wat had hij ook al weer bedacht te gaan zeggen? In elk geval dit: dat hij volkomen onschuldig was!

'Er zijn op uw dorp een paar vervelende dingen gebeurd.' De man zei het vrij achteloos, alsof het om een onbelangrijke zaak ging. 'Daar wilde ik graag uw mening over horen.'

O, was dat alles? Zou het niet om een verhoor gaan, maar enkel om een oordeel? 'Als u me zegt waar het om gaat...' begon Age.

'Dat weet u niet?' was de snelle tegenvraag. 'Vast wel!' kwam er overredend achteraan.

'U bedoelt de staking?' vroeg Age. 'Nou, die is er niet bij ons.'

'Toch wel, hoor,' antwoordde de man, nog steeds welwillend.

'U bedoelt misschien het tegenhouden van de melkrijder?' Age probeerde het achteloze toontje van zijn ondervrager over te nemen.

'Precies,' zei de man, nu wat afgemeten.

'Ach, dat mag geen naam hebben.' Age wachtte even en ging toen ferm verder met: 'Als u dat dwarszit ben ik wel bereid om de kosten van de verspilde melk op me te nemen.'

'Heel aardig van u, maar daar gaat het ons niet om.' Toon en uitstraling van de man veranderden, de woorden rolden hem wat bozig uit de mond.

Age reageerde niet. Achter het bureau werd nijdig een stoel verschoven.

'Kijk,' zei de man met een schichtige blik naar de officier, 'dat daar veel melk in een sloot terecht is gekomen is het ergste niet. Het beroerde is dat het wel degelijk om een staking ging. En nu willen wij weten wie daar achter zat.'

'Mijn arbeider heeft me verteld dat het om een hele groep ging. Als u mij nu vraagt wie daar allemaal bij waren, nee, dat weet ik echt niet.'

'Dat begrijp ik, dat begrijp ik.' De Nederlander vatte zijn toegeeflijke houding weer op. 'U kunt onmogelijk alle namen noemen. Maar dat hóeft ook niet, meneer Couperus, als u ons maar wel de leider van de groep noemt. En die weet u wel!'

Age schudde langzaam zijn hoofd. 'Nee,' zei hij bedachtzaam, 'die naam kan ik u niet zeggen.'

De man tegenover hem zakte achterover. 'Wat jammer nou,' zei hij.

'Ja, ik kan er niks aan doen,' stelde Age vast.

Zijn ondervrager kwam weer wat voorover. 'Weet u, ik ben er zeker van dat u heel goed weet wie de aanvoerder was.' Zijn gezicht had nu alle vriendelijkheid verloren, zijn ogen priemden in die van Age.

Ages blik dwaalde af en kwam terecht bij de officier, die hem met een zijdelingse hoofdknik duidelijk maakte dat hij hem niet geloofde.

De Nederlander legde zijn ellebogen op het tafelblad en liet zijn kin rusten op zijn gevouwen handen. 'Ik krijg de indruk dat u niet van plan bent mee te werken. Het spijt me erg voor u, maar dan dwingt u ons de toevlucht te nemen tot andere methoden.'

'Andere methoden?' vroeg Age. 'Wat bedoelt u?'

'Ik bedoel... ik bedoel... ja, snapt u dat niet? Goed, ik zal het u zeggen: dit gesprek kan heel pijnlijk worden. Pijnlijk in de letterlijke zin van het woord. De heren militairen achter u kennen verschillende manieren om u aan het praten te krijgen. U bent dom als u het zover laat komen. Waarom zou u straks met gebroken vingers op uw brits liggen? Om maar niet te spreken van het uittrekken van nagels.'

Age voelde het bloed uit zijn gezicht wegtrekken. Radeloos keek hij om zich heen. Was er een vluchtweg? Hij begon te sidderen over zijn hele lichaam.

De man werd weer vriendelijk. 'En dat terwijl het zo eenvoudig te voorkomen is. Even die naam noemen en u kunt weer naar huis. Nou?'

'Ik... eh... ik... eh,' hijgde Age.

'Toe maar. Of wilt u de martelkamer toch vanbinnen zien?'

Golven van angst waren het nu. Ze overstroomden Age, ze lieten hem er bijna in verdrinken, radeloosheid verstikte hem, wanhoop vloeide door zijn aderen.

'U zegt niks? Dan zelf maar weten!' zei de man plotseling onverschillig. En met een gebaar naar de militairen: 'Neem hem maar mee.'

De soldaten kwamen gretig in beweging en staken alvast grijpgrage handen uit.

Zo hebben ze Cnossen ook meegenomen, ik heb het gehoord! flitste het door Age heen. Gaan ze nu hetzelfde met mij doen? Nee toch? O neeneenee! Het voelde alsof zijn lichaam vol geperst zat met angst. Doodsangst.

'Eling!' riep hij. 'Eling, de zoon van de timmerman!'

'Eindelijk,' zuchtte de Nederlander, 'u wordt eindelijk verstandig. Nee, mannen, laat deze meneer maar met rust, hij gaat me nu het adres geven van die... eh, hoe heet-ie ook alweer, meneer Couperus?'

Age moest de naam opnieuw over zijn lippen zien te krijgen.

'Eling van Dijk,' mompelde hij halfluid.

'Het adres?'

'Het timmermansbedrijf achter de kerk.' Age zei het met pijn in het hart. Maar kon hij anders?

De officier trommelde met zijn vingers op het bureau. De Nederlander begreep het signaal, hij stond op, verdween naar de gang en kwam na een paar ogenblikken terug met twee Nederlandse politieagenten. Het waren niet dezelfden die hen opgepakt hadden.

De Nederlandse burger kreeg opeens haast. 'De heren kunnen naar huis. U bent verantwoordelijk voor hun terugreis.'

Een van de politiemannen beduidde Age mee te komen. Gelukkig een goeie kerel, dat zag Age zomaar.

Op de gang stond Pieter Cnossen al te wachten. Maar wat zag hij eruit! Zijn gezicht was opgezwollen en hij hield zijn ene hand angstvallig vast met de andere. Hij keek zijn lotgenoot even onderzoekend aan.

Even later zaten ze weer achter in de auto, die zacht zoemend zijn weg koos naar hun dorp. De beide arrestanten van daarnet deden het zwijgen ertoe. Zo nu en dan kreunde Cnossen even, vooral als de wagen door een bocht ging. Age zelf ademde moeilijk.

De nacht was donker, de wereld leek leeg.

Het dorp sliep. De torenspits tekende zich vaag af tegen de donkere hemel.

Sliep het dorp echt? Op twee boerderijen waren in elk geval twee mensen klaarwakker, wist Age. Twee vrouwen.

'Stop hier maar,' verbrak Age de stilte toen ze bij de boerderij van Cnossen waren, 'wij redden ons nu wel, ik woon hier dichtbij.'

Toen de auto wegreed stonden de beide mannen in eerste instantie woordeloos tegenover elkaar.

'Hebben ze u ook zo te pakken gehad?' vroeg Pieter Cnossen moeilijk.

'Het was... het was verschrikkelijk,' antwoordde Age.

'Ze wilden mijn vingers breken. Dat is gelukkig niet gebeurd. Maar gestompt en geslagen hebben ze me wel en mijn hand is gekneusd.'

Ondanks de duisternis zag Age het vertrokken gezicht van zijn collega-ouderling. Hij wendde zijn ogen af en liet ze gaan over het donkere dak van de schuur van zijn buurman.

'Ze wilden dat ik een naam doorgaf. Maar hoe ze ook sloegen, ik heb niks gezegd. U natuurlijk ook niet.'

'Eh... nee,' zuchtte Age. En vervolgde: 'Vreselijk, vreselijk.'

'Ik stel voor dat we hier met geen woord over praten, want dat is

nergens goed voor,' zei Cnossen. 'Akkoord?'
'Akkoord,' zei Age.

Met niemand? Natuurlijk wel. Beide mannen zaten thuis bij de keukentafel verslag uit te brengen.
Op een gegeven moment legde Age zijn hoofd op Wietskes schouder en slaakte een paar diepe zuchten, gevolgd door droge snikken. Hortend en stotend vertelde hij het hele verhaal. 'En toen heb ik de naam van Eling doorgegeven, Wietske.'
'Je werd ertoe gedwongen, hè, je kón niet anders,' zei ze terwijl ze troostend over zijn haar streek. 'Ja? Hebben ze Pieter mishandeld? O, wat erg. Maar wat goed dat hij beloofd heeft hier met niemand over te praten.'
'Dat zéker,' zei Age zich oprichtend.

De volgende morgen gonsden berichten en geruchten door het dorp. Na verloop van tijd veranderden de nieuwtjes, ze werden steeds heftiger. Een enorm aantal melkbussen moest in de sloot zijn gegooid, de wagen lag er op de kop bovenop.
O ja? Waren er twee wagens? Kon best, er was immers zoveel melk te vervoeren. Nou, dan lagen er dus twee wagens op de kop in de sloot.
Melkrijder Klaas moest woedend zijn geweest. Hij wou Eling te lijf gaan, maar dan moest je Eling kennen, Klaas kon niks tegen hem beginnen, want die Eling was niet de eerste de beste! Zoals hij daar bij de viersprong gestaan had, de kalmte en beheerstheid zelve.
Over het algemeen hadden de dorpelingen veel goede woorden over voor Eling en zijn volgelingen. Zie je? Zo moest het. Natuurlijk was het voor de boeren spijtig dat ze zo hun melk kwijtraakten, maar ze moesten even doorbijten. Want de staking móest doorgaan!
Het dorp was trots op zijn jongeren. En de Duitsers zouden hun lesje wel geleerd hebben.
'Benieuwd of er vanavond nog een melkwagen komt. Om een uur of zeven toch eens een kijkje nemen.'
Maar zo lang hoefde het dorp niet te wachten. Om een uur of vier daverde het opeens van knetterende motorfietsen. Duitsers! De *Grüne*

Polizei! Ze reden ook zo weer weg. Waar waren ze zo gauw gebleven? Hoeveel waren het er? Acht? Tien? En waar zaten ze nu? Om de kerk heen gereden misschien?

Opeens waren er veel mensen op straat. Ze vroegen elkaar geschrokken waar die *Grünen* gebleven waren, en zeiden: 'O wee, als dat maar niks te maken heeft met dat akkefietje van gisteravond!'

Een paar jongens kwamen opgewonden vertellen dat de Duitsers hun motoren bij timmerman Van Dijk neergezet hadden en dat er een stuk of wat naar binnen waren gegaan. Het was alsof de bewoners van het dorp daarheen getrokken werden. In groepjes liepen ze over het kerkpad naar het timmerbedrijf, en ja, hoor, daar stonden een stuk of wat zware motoren op hun standers, sommige met zijspan. Er liepen soldaten heen en weer, hun geweer losjes in de arm.

De deur van de werkplaats stond open, je zag daarbinnen Duitse uniformen. Opeens werd er iemand naar buiten geduwd. Eling. Met de houtspaanders nog op zijn kleren.

Wit als een doek keek hij verwezen om zich heen, begreep niet wat hem overkwam. Opeens liep hij terug naar zijn veilige werkplaats. Dat probeerde hij tenminste. Ruwe soldatenhanden sleurden hem terug naar een motor met zijspan. 'Zitten!' grauwde een officier.

Eling zat. Meteen was zijn vader bij hem. 'Eling! Uitstappen en mee naar huis! Wat zullen we nou hebben?' Hij werd hardhandig opzij gezet.

De eerste *Grünen* trapten alvast hun motor aan, het geluid knalde de omstanders in de oren.

'Vertrekken!' gebaarde de commandant.

Op het laatste moment kwam Elings moeder met een jas over haar arm aanhollen. 'Eling, hier is je jas. Trek maar aan, anders vat je nog kou!'

Dat mocht nog van de commandant, die de haatvolle ogen van moeder Van Dijk ontweek.

Daar gingen ze. Het doordringende geknetter van de motoren klapte tegen de kerkmuur en kwam terug in de oren van de omstanders. Blauwe walmen bleven achter.

Timmerman Van Dijk hing verslagen met zijn rug tegen de muur van zijn werkplaats. Uit zijn ogen sprak wanhoop.

Gelukkig kwamen buren hem troosten. 'Het heeft natuurlijk met die melkwagen van gisteravond te maken, maar zal ik je eens wat zeggen? Ze gaan Eling verhoren, geven hem een stevige uitbrander en dan laten ze hem weer vrij. Let maar op, buurman, vanavond zit Eling weer bij jullie aan tafel.'

Dat wilde er bij de andere omstanders wel in. Ja, zo zou het gaan. Vanavond zou Eling weer thuis zijn. Of anders morgenochtend, daar twijfelden ze niet aan. 'Dus ik zou zeggen, Van Dijk, maar gauw aan het werk, het komt allemaal goed.'

Ja, knikte de man, zo zal het wel gaan. Maar hij bleef staan waar hij stond en wipte zijn klomp op en neer. Hij wist beter, hij had die officier in de ogen gekeken.

Die avond kwam Eling niet en de melkrijder wel. De boeren hadden hun melkbussen als altijd aan de kant van de weg gezet en geen mens die er een vinger naar uitstak.

De staking was gebroken...

De volgende morgen fietste de dorpsagent naar de pastorie. Na een kwartiertje stapte hij met een strak gezicht weer op. Een paar minuten later liep de dominee naar het timmerbedrijf van Van Dijk en bleef daar wel een uur.

'Ik vertrouw het maar niks,' zeiden de mensen op straat tegen elkaar, 'als hier maar geen luchtje aan zit. De dominee blijft me daar veel te lang.'

Iedereen had het druk, maar moest toch in de buurt van de timmerwerkplaats zijn. Zou er iets ergs zijn? Die arme Van Dijk en zijn vrouw. Zulke beste mensen! En Eling dan, een hele goeie, trouwe jongen toch? Eindelijk! Daar was de dominee. Grimmig keek hij voor zich.

'Dominee! Is eh... Eling... ik bedoel: is er wat met Eling?' stamelde een buurvrouw.

De predikant bleef staan. 'Ja,' zei hij schor, 'ja, er is wat. Jullie mogen het wel weten: Eling is gisteravond door de Duitsers doodgeschoten.'

Toen lag er een druk op het dorp. De bewoners praatten verdrietig met elkaar, telkens maar over hetzelfde. Want wat was het erg. Een van hen was voor het vuurpeloton tegen de muur gezet en neergeknald. Afgrijselijk! Wie had dat nou ooit verwacht. En dat om een stuk of wat bussen met melk, wie kon zoiets begrijpen? Was er dan geen recht meer in Nederland?

Nee. Ja, een Duits *Standgericht*, dat wel, dat was die arme Eling ook aan de weet gekomen. Maar kon je dat 'recht' noemen?

Iedereen probeerde de familie Van Dijk zo veel mogelijk bij te staan, maar wat moest je tegen die mensen zeggen? Wat voor troost was er te bieden? Alleen maar duidelijk maken dat je Eling een hele goeie kerel vond en dat hij nu in vrede was?

Dat was wel waar natuurlijk, maar de zwarte leegte bleef. In de werkplaats stond zijn spijkerbak nog precies zoals hij hem neergezet had toen die deur openvloog. En in de gang stonden onder de kapstok nog zijn zondagse schoenen.

Maar de mensen waren ook boos.

Boos? Zeg maar: woedend! Die verschrikkelijke Duitsers! Die moordenaars! Die nazi's! Was er een vreselijker volk te bedenken?

Maar wat moesten ze?

Niets. Ze waren machteloos. Dat hadden de mensen nu heel goed begrepen.

Op de dag van de begrafenis van Eling luidden de klokken niet. Die hadden de Duitsers uit de toren laten weghalen om er wapens van te maken.

Twee jaar later, in 1945, ook in de maand mei, verdrongen de mensen elkaar voor het bordes van het gemeentehuis. Er stond iets bijzonders te gebeuren en daar wilde iedereen bij zijn.

De Duitsers waren het land uit, de Canadezen hadden het volk bevrijd. Wat een verlossing, wat een heerlijkheid! Het vrolijke rood-wit-blauw wapperde weer vrijuit en het muziekkorps werd niet moe het Wilhelmus te spelen. En iedereen zong mee, het mocht immers weer. Zo meteen zouden de verzetsstrijders naar buiten komen, ze zouden gehuldigd worden en het publiek zou hen hartelijk toejuichen. Een festijn zou het zijn!

Natuurlijk konden lang niet alle verzetsmensen op het bordes staan. Daarom had de burgemeester – natuurlijk niet de NSB'er van tijdens de bezetting, die zat achter de tralies – alleen de hoofdleiders van de groepen uitgenodigd. Zij mochten namens hun medewerkers de dank van het gemeentebestuur in ontvangst nemen. En doorgeven natuurlijk.

Daar was de burgemeester. Hij wenkte met een wuivende hand om stilte, wat een vrij moeilijk op te volgen verzoek bleek te zijn.

'Beste mensen!' riep de burgervader boven het rumoer uit, 'graag even uw aandacht.' Het gegons van stemmen zwakte af tot gemompel en ebde weg.

De spreker vroeg zijn publiek op te letten, want als straks de deur achter hem openging, zou er een groep helden tevoorschijn komen – burgers waar je trots op kon zijn. Hij noemde een paar moedige optredens van de groep en vertelde dat een stuk of wat van hen hun leven in de waagschaal hadden gesteld ten bate van het vaderland. 'En nu vraag ik u deze helden met een luid hoera te verwelkomen.'

De deur achter het bordes ging open en meteen barstte een luid en lang gejuich los. Het schalde tegen het gemeentehuis op en vulde de hele omgeving. Want daar waren ze, de helden! Althans, de vertegenwoordigers van de verzetsgroepen.

Diep onder de indruk stonden ze daar, de mannen en ook een paar vrouwen. Ze knikten elkaar toe en zochten met hun ogen naar bekenden in het publiek.

Age Couperus stond ook op het bordes. Als eerste leider van zijn groep viel hem de eer te beurt om de ovatie aan te horen. Hij liet zijn blik dwalen over de mensenmassa, zijn ogen bleven een ondeelbaar ogenblik steken bij iemand die naast zijn zoon Eelke stond. Direct keek hij een andere kant uit, dat wilde zeggen: hij staarde naar het met oranje en groen versierde stenen muurtje dat het bordes omrandde.

Hij hoorde als van een afstand de lovende woordenvloed van de burgemeester. Hoe de man zich ook uitputte in het breed uitmeten van de geweldige inzet van de mannen en vrouwen naast hem, Age kon er niet echt blij van worden. Hij stond daar als enige met een strak gezicht tussen de andere 'helden', er was bij hem geen sprake van het feestelijk gevoel dat zijn vrienden uitstraalden.

Eelke, intussen veertien jaar, zag het en begreep het niet. Wat had zijn vader toch? Waarom keek hij niet? Hij vroeg het zijn moeder, die dicht bij hem stond. Ze bewoog even haar schouders. Eelke kende het gebaartje: ze wilde het er niet over hebben.

Zomaar opeens richtte Age zijn ogen op de man naast Eelke. Die ving zijn blik op en schudde langzaam en nadrukkelijk zijn hoofd.

Eelke zag het en vroeg: 'Wat is er, Cnossen?'

De man was wat rood aangelopen, zijn gezicht stond verkrampt en zijn ogen vonkten. 'Jouw vader is een verrader!' beet hij de jongen toe. Zijn snijdende woorden gingen verloren in het applaus dat net op dat moment opsteeg, want de burgemeester was klaar. Maar Eelke had ze verstaan, heel goed zelfs.

Geschrokken keerde hij zich tot Cnossen: 'Waarom? Waarom dan?'

Stond Pieter Cnossen op het punt hem zijn uitspraak uit te leggen? Of aarzelde hij? In zijn ogen was onzekerheid te lezen. Toen wendde hij zich van Eelke af met: 'Laat maar, jongen.' En hij liep weg.

'Wat wilde Cnossen van je?' vroeg moeder Wietske.

Toen haalde Eelke zijn schouders op.

15

DE DECEMBERMAAND IS ALS VANOUDS DRUK EN GEZELLIG. ZO HEEFT Eelke voorbereidingen getroffen voor het sinterklaasfeest op school. Een hele happening is dat, elk jaar weer. Hij heeft met de goedheiligman, toen nog een gewone Nederlandse burger, de derde december vastgesteld voor een bezoek.

Zoals altijd kloppen op die ochtend, als de schoolbevolking de Sint en zijn Pieten opwacht, vele hartjes vol verwachting. Het gekwetter op het plein is niet van de lucht.

Eelke staat zich in stilte te vermaken. Moet je het verschil zien: de groten ietwat meesmuilend – zij weten van de hoed en de rand – en de kleinen met een mengeling van vrees, verwachting en ontzag. Het leuke is dat de oudere kinderen hun geheim niet openbaren aan de kleintjes. Zoiets dóe je niet, het is nog niet zo lang geleden dat je zelf ook bij de 'gelovigen' hoorde, óf dat je in de menggroep zat: je wist hoe het in elkaar stak, maar op het moment suprême, als Sinterklaas waardig richting hoofddeur schreed en de Pieten over het plein dartelden, sloeg de twijfel toe – misschien was hij toch wel de echte Sint, je wist maar nooit.

Bij de ingang van de school staat ook Egbert, steunend op één kruk. De andere ligt onder zijn bed en Egberts kraag is intussen ook ingeruild tegen een kleinere. Naar school gaan is er voor de jongen nog niet bij, maar als het zo doorgaat is hij na Nieuwjaar weer van de partij.

Nu is hij in gesprek met opa Age, die zich ook present heeft gemeld. Sinds de dag waarop hij voor het eerst voor zijn kleinzoon mocht zorgen, lijkt er iets veranderd te zijn bij hem. Zo ook bij Egbert trouwens, die twee zijn nog dikkere maatjes geworden.

Het vertellen en beluisteren van verhalen is allang afgelopen, ze hebben samen de hele Tweede Wereldoorlog doorgespit. Wat voor nieuws kan opa Age dan nog brengen?

Toch leeft bij Egbert het idee dat hij op een of andere manier een afslag gemist heeft. Hij weet ook wel waar de knoop zit: bij opa's aandeel in het verzet. Als hij aandrong op meer bijzonderheden, werd zijn grootvader altijd ietwat aarzelend. Of hij stapte over naar een ander onderwerp. Maar hoe dan ook, ze waren er allebei rijker van geworden.

Als de bisschop met zijn knechten naar binnen is gegaan en de school-bevolking ook achter de deur verdwenen is, is het merkwaardig stil op het plein. Opa Age en Egbert kijken elkaar aan met een blik van: en nu? Terug naar huis? Of een korte wandeling? Opa Age wijst naar het park met het verzorgingshuis in aanbouw. Doen?

Daar gaan ze, de een met een wandelstok en een pijnlijke heup, de ander met een kruk en een starre nek.

Bij de oprijlaan blijft de grootvader staan. 'Dit zou wel eens mijn voor-land kunnen worden, jongen,' zegt hij. Komt er een zucht achteraan? Egbert kijkt hem verrast aan. 'Hoe komt u daarbij? Is het bij ons thuis niet goed genoeg meer?'

Zijn opa schokschoudert even. 'Misschien niet,' zegt hij dan. En, na enige aarzeling: 'Heb jij weleens gemerkt dat je moeder mij eigenlijk wel kwijt wil?'

Egbert is geneigd instemmend te knikken, maar hij moet zijn nek ont-zien. 'Gaat het niet een stuk beter sinds mama een baan heeft?' is zijn tegenvraag.

Opa Age kan wél knikken en dat doet hij dan ook.

Naast hen knarsen fietsbanden in het grind. Er stapt iemand af, een mevrouw. 'Even kijken hoe ver we zijn met de bouwerij?' Ze kijkt hen vriendelijk aan, tussen haar lippen blinken mooie tanden.

'Eh, ja,' antwoordt Age. Meer niet, hij kijkt alleen maar.

'Grootvader en kleinzoon?' raadt de mevrouw. Ze knikken.

'En allebei op hulpmiddelen aangewezen? De een tijdelijk, de ander wat langer?'

Weer raak. Maar de antwoorden die ze krijgt zijn uitermate kort.

Ze kan het niet laten, want ze vraagt verder: 'Hebt u misschien belang bij een plekje bij ons als we van start gaan?' Het is misschien wat pla-gend bedoeld, maar klinkt er niet een serieuze ondertoon door?

Opa Ages vrije hand wappert bij wijze van: 'Zou kunnen.'

'Ik zal me voorstellen, mijn naam is Hoogma, Aleida Hoogma, en ik word de directrice van deze instelling.'

De beide Couperussen mompelen ook hun namen.

'Opa en kleinzoon Couperus dus,' herhaalt ze en er vliegt een lachje over haar gezicht als ze zegt: 'Mocht u zin krijgen in een plaatsje bij ons, onthoud dan vooral mijn naam. Maar dat geldt alleen maar voor een van jullie beiden. Dág!'

Met de fiets aan de hand loopt ze naar de poort. Daar zwaait ze nog even naar opa Age en Egbert, die allebei voorlopig genoeg hebben aan hun eigen gedachten.

Een drukke maar gezellige tijd dus, huize Couperus floreert erbij. Vlak na sinterklaas oefent Eelke alvast met zijn koor voor een optreden in de kerstdienst. Een serieuze aangelegenheid, waarbij Eelke zich als musicus wil laten gelden. Het betekent wel inleveren van de weinige vrije tijd die hij nog heeft.

Het leuke is dat hij ook gevraagd is voor het dirigeren van het gelegenheidskoor dat in verband met advent door de kerkenraad samengesteld is. Een hele eer! Vorig jaar werd er nog een beroepsdirigent uit de stad aangetrokken. Eelke heeft de uitdaging aangedurfd en heeft nu helemaal geen tijd meer voor zichzelf. Toch bloeit hij.

Dorien ziet het. Ze merkt ook dat de knellende onzekerheid van haar man stukje bij beetje afbrokkelt en opnieuw sluipt bij haar de gedachte binnen: Zou hij die hoofdakte niet alsnog kunnen halen? Het is tegenwoordig immers niet zo moeilijk meer! Maar ze heeft niet de moed om dat denkbeeld te verwoorden. Het gaat immers, nu hij totaal in beslag genomen wordt door zijn werk, aardig beter tussen hen?

Maar wat zo vreemd is: nu Eelke steeds beter in zijn vel steekt gaat het bij haar wat minder. Nee, daar weet Eelke niks van, hij let niet zo erg op haar, maar ze heeft het gevoel dat er bij haar iets stagneert – ze is haar blije levensinstelling van een tijdje geleden kwijt.

Ze weet waar het aan ligt. Het is Meinderts manier van doen tegen haar. Dat komt zo niet goed, bepeinst ze, er moet verandering komen. Ja, maar hoe?

Een paar weken terug liet hij in de winkel iets te duidelijk merken dat hij haar boven haar collega's stelde. Het ging om een lastige klant die een cape had gekocht maar die na een paar weken terugkwam om het ding in te ruilen – hij beviel niet. 'En o ja, mijn bonnetje ben ik kwijtgeraakt, maar daar doen jullie niet moeilijk over, hè, jullie kennen mij als vaste klant,' wimpelde ze alvast bezwaren weg.

'O, dat wordt lastig, mevrouw,' zei verkoopster Joke van Haaren, 'wij hebben hier onze vaste regels, ik vrees dat wij u in dit geval niet kunnen helpen.'

De 'vaste klant' straalde op slag een grote mate van gekwetstheid uit en eiste op hoge toon een onderhoud met de directeur van dit bedrijf. Daar was Joke van Haaren niet van gediend, ze wist zeker dat meneer Geertsema precies hetzelfde zou zeggen. 'Dus, mevrouw, ik zou zeggen...'

Op dat moment verscheen Meindert himself. 'Moeilijkheden, dames?' informeerde hij innemend.

De dames namen allebei het woord. Dus vroeg de baas met bezwerende handen om stilte. 'Wilt u mij uw wensen kenbaar maken, mevrouw?' vroeg hij, haast kronkelend, volgens Jokes collega's.

Na het beleefd aanhoren van de grieven van de klant was zijn besluit gauw genomen. 'Voor u willen wij graag een uitzondering maken, mevrouw. Nee, dat bonnetje is niet erg, ga gerust langs de rekken en zoek wat anders. Over het prijsverschil worden we het zeker eens. Eh... Dorien, wil jij het begeleiden van mevrouw even overnemen?'

Dorien voelde stekende blikken van haar medeverkoopsters op zich gericht. Het waren pijltjes die zich in haar rug boorden. Maar ze hielp de dame zonder veel woorden aan een ander kledingstuk, rekende af en zag toen Meindert met zijn werkneemsters op een kluitje staan. Hij wenkte haar er ook bij te komen.

'Ik wou jullie erop wijzen dat we onze regels niet altijd strak en stijf hoeven na te leven,' stelde hij. 'Op die manier zou je klanten de winkel uit jagen. Bij een bedrijf gaat het erom zo veel mogelijk publiek te trekken. Dus als je merkt dat iemand ergens over geïrriteerd is, wees dan soepel, stap over jezelf heen en laat de klant vooral niet ontstemd de zaak verlaten – we moeten onze goede naam hoog houden. Ik wou maar zeggen: bespeel de klant zoals je het Dorien zopas zag doen.'

Dorien vertrok haar gezicht. Dat laatste had hij niet moeten zeggen. De ogen waarmee ze door haar collega's bekeken werd waren koel, om niet te zeggen koud. Ze voelde zich er niet lekker bij, maar kon ze er wat aan doen? En had Meindert niet in de gaten dat hij bezig was het voor haar te verknallen?

Geregeld voegt ze zich bij haar collega's met een vriendelijk praatje, maar ze krijgt niet echt gehoor. Het blijft bij een afstandelijk ja of nee of: 'Zeker, zeker. Je hebt gelijk.'
Merkt Meindert dat niet? Moet ze hem erop wijzen dat hij haar over-duidelijk voortrekt? Moeilijk. Hij is tenslotte haar chef.
Waar ze ook een hekel aan heeft is dat hij haar aan het einde van haar werktijd bij de deur vaak geestdriftig uitzwaait met een meer dan gewone slingerwijdte. Het móet de anderen wel opvallen, maar ach, wat maakt het nog uit? Ze weten allang dat ze bij Meindert een potje kan breken, om niet te zeggen: vele potjes!

De volgende keer dat hij me voor een autorit plus etentje vraagt, zeg ik dat ik niet kan, heeft Dorien bedacht, er moet eindelijk eens op de rem getrapt worden. Zo gezegd, zo gedaan.
'Ach, dat is nou jammer,' was zijn reactie geweest, 'maar ja, jij hebt ook je besognes. Volgende week dan maar?'
Nee, in de sinterklaasweek was Dorien ook te druk. 'Je moet bedenken, Meindert, dat ik thuis ook een leven heb.'
Daar kon hij het mee doen. Moest ze nog duidelijker worden? Nee, hij droop af.
Maar op dezelfde dag dat Eelkes school Sinterklaas op bezoek krijgt, komt Meindert bij Dorien staan als ze bezig is broeken op maat aan de rekken te hangen. Ze ziet uit een ooghoek dat hij haar staat op te nemen. Alwéér! Het wordt almaar erger met die man. Ze doet alsof ze niets merkt en neuriet een sinterklaasversje. Er glijdt alleen maar een guitig lachje over zijn gezicht, ziet Dorien, die het niet laten kan toch éven op te kijken.
Hij komt dicht bij haar staan, niet met een slepende tred, maar haast sluipend. 'Dorien!' Zijn stem klinkt geheimzinnig en zo staat zijn gezicht nu ook.
'Ja?' zegt ze zonder haar bezigheden te onderbreken.
'Ik heb een verzoek. Zou je vanmiddag voor je weggaat even bij mij op

kantoor willen komen?' Dat toontje! Moet het nu echt zo onderdanig?

'O, jawel,' antwoordt ze onbewogen.

'Graag,' zegt hij met een mysterieus lachje.

's Middags als het haar tijd is om te vertrekken zijn de anderen nog niet allemaal weg. Toch moet ze maar doen wat ze beloofd heeft. Na een beleefd klopje op zijn deur is ze al binnen.

Meindert komt vanachter zijn bureau moeizaam overeind. 'Je hebt vast wel in de gaten waar het mij om gaat, hè?' vraagt hij.

'Nou nee,' zegt Dorien naar waarheid.

'Vertelde je vanmorgen niet dat je man vandaag Sinterklaas op bezoek kreeg?'

'Ja.' Dorien weet niet waar hij naartoe wil, haar gezicht is een vraagteken.

'Sinterklaas gééft wel eens wat, is het niet?' giechelt Meindert. Meteen buigt hij zich voorover, trekt een la van zijn bureau open en haalt er een pakje uit. 'Voor jou,' zegt hij, 'omdat ik...' Verder komt hij niet.

O nee, hè, denkt Dorien, o alsjeblieft! Maar ze neemt het pakje aan en blijft er wat onnozel mee in de handen staan. Het is een mooi pakje, in glanzend sinterklaaspapier, en er zit een doosje in, voelt ze.

'Toe maar, maak maar open,' dringt hij aan.

Ze doet het en haalt inderdaad een doosje tevoorschijn. Maar wát voor doosje! Het is bekleed met zwart fluweel en er staat een versiering in goud op. Nee toch?

'Niet nieuwsgierig?' Hij staat nu vlak naast haar.

Dat is ze wel, maar ze heeft last van gemengde gevoelens. Want ze wil dit niet.

Toch trekt ze met haar duim het deksel open. Vanuit een hemelsblauwe ondergrond blinkt haar een gouden kettinkje met hanger tegemoet. Als verstard blijft ze er een tijdje naar kijken.

'En? Hoe vind je het?' Het komt er wat onzeker bij hem uit, nu wel.

'Heel mooi. Prachtig!' zegt ze en dat is geen leugen. 'Maar...'

'Wat maar?'

'Is dit voor mij bestemd? Ik kan het haast niet geloven!'

'Het is voor jou bestemd en je moet me wel geloven!' Daar is zijn gewone toontje weer terug. 'Doe het eens om.'

Werktuiglijk neemt ze het sieraad in haar handen, bekijkt het nog eens en legt het dan met een routineus gebaar om haar nek.

'Nou?' vraagt hij.

Ze neemt een spiegeltje uit haar handtasje, houdt het zich voor en ziet dat het niet het eerste het beste kettinkje is. Meteen denkt ze: dit durf ik Eelke niet te vertellen. Maar kan ze nog terug? Ze had het niet open moeten maken.

'Schitterend.' Ze hoort zelf de matte klank van haar antwoord en zegt vlug: 'Zoiets moois heb ik nog nooit gehad. Maar waaraan heb ik dat verdiend?'

Ze wil zich de tong wel afbijten. Die laatste vraag had ze nooit moeten stellen. Het is immers vragen naar een antwoord dat ze wel weet.

'Tja,' giebelt Meindert schalks, 'als je dát eens wist!' Hij trekt een guitig gezicht en geeft haar een kneepje in de schouder. Dan, opeens ernstig: 'Ik ben reusachtig blij dat je dit cadeautje waardeert en ik hoop dan ook dat je het vaak zult dragen en...' Hier laat hij het bij.

Dorien weet niets beters dan te knikken, terwijl er in haar hart een stormpje opsteekt. Ze rept zich naar de deur en kijkt daar nog even om. Het beeld dat ze dan ziet – een zelfgenoegzame Meindert met de glimlach van een overwinnaar om zijn mond – zet zich vast in haar brein en brengt daar iets vreemds teweeg. Het is alsof er iets gebeurt dat buiten haar om gaat, alsof ze slechts een opdracht van een ander uitvoert. Ze komt met ferme stappen terug, blijft recht voor hem staan en zegt afgemeten: 'Het is niet goed, Meindert, ik neem dit cadeau niet aan. Ik zou er niet mee in het reine kunnen komen.' Ze legt het doosje in ietwat verkreukeld cadeaupapier op het bureau.

Meteen loopt ze weer weg, zwaait bij de deur nog even naar haar chef en beent door de winkel naar de uitgang. Dat Joke van Haaren haar hoofdschuddend nakijkt ontgaat haar. Ze wil maar één ding: wég!

Die avond gonzen er onder het eten verhalen door huize Couperus. Eelke vertelt over een struikelpartij van Sinterklaas. 'De gang was nat door een lekkende kraan en voor hij het wist lag de goede oude man languit. Zijn mijter lag een paar meter verderop, maar dat was het ergste niet: de kinderen ontdekten dat hij onder zijn tabberd een spijker-broek aanhad. Een gevloerde Sint met blonde krullen boven zijn grij-ze baard en dan ook nog in spijkerbroek, het droeg niet bij tot zijn geloofwaardigheid, haha.'

Yvonne maakt duidelijk dat ze moeite had gedaan om de kleintjes ervan te overtuigen dat Sinterklaas zich met het aankleden vergist had, hij was nog een beetje slaperig natuurlijk – wat wil je, zo'n druk bestaan gaat je niet in de kouwe kleren zitten.

Dorien lacht een beetje zuurzoet met de anderen mee; zelf komt ze niet met verhalen.

Egbert en opa Age wel. Ze zijn naar het verzorgingshuis in aanbouw geweest en het schiet mooi op. 'Een mevrouw vertelde ons dat het gebouw over een halfjaar klaar moet zijn,' deelt Egbert mee. 'Aardig mens, ze wordt de directrice en ze heet Aleida Hoogma.'

'O ja? Heet ze Aleida?' Dat is Eelke, met een ietwat schelle stem.

'Ken jij haar soms?' vraagt Dorien scherper dan ze bedoelde.

'Och, kennen, kénnen, ik heb haar een keer gesproken,' gooit Eelke olie op de plotselinge golf, 'toevallig kwam ik haar daar tegen.'

Doriens ogen flitsen van hem naar opa Age, haar wenkbrauwen gaan een centimeter omhoog, maar er komt van haar kant geen commen-taar. Ze knikt alleen maar begrijpend, zo van: nounou, en daar weet ik niks van?

'Heb jij ook nog iets leuks meegemaakt, mama?' Yvonne heeft bij haar moeder iets aparts ontdekt en probeert haar bij de dag van vandaag te betrekken.

Nee, Dorien heeft niets bijzonders beleefd. Wil Yvonne nog wortel-tjes? Nee? Iemand anders soms?

Het gesprek verzandt niet echt, maar de toon is toch even anders.

Opa Age zit zonder zich ervan bewust te zijn voortdurend zachtjes te knikken.

Even later vraagt Dorien zich achter het aanrecht af of ze Meindert wel echt kent. Doorgrondt ze hem? Wat vreemd eigenlijk dat hij zelfs maar op het idee kwam om haar een sinterklaascadeautje te geven. En wát voor een! Schuilt er onder zijn toch wat kinderlijk gedrag niet een vasthoudend trekje? Om niet te zeggen: dramt hij niet heel vriendelijk door tot hij zijn zin krijgt? Is hij bij al zijn ontwapenende openhartigheid niet de gewiekste zakenman die het leven naar zijn hand weet te zetten? En dan de hoofdvraag: wat wil hij eigenlijk? Waar is hij op uit? Of weet ze dat eigenlijk wel?

Ze komt er voorlopig niet uit. Wéér niet! bespot ze zichzelf in stilte. Voorlopig niet? Wanneer dan wel? Als het te laat is? Wat moet ze met deze man aan?

Het begint als het ware een beetje te rommelen in haar hoofd. Ze zet het drinkglas dat ze afgewassen heeft te hard neer op het aanrecht. Het breekt. Een heleboel scherven. Geluk?

De tijd gaat snel voorbij, vooral als het half december is. Iedereen is in de ban van de komende feestdagen en werkt er zich naartoe. Dat is bij Eelke op school zo, maar Dorien heeft het niet minder druk. Opvallend hoe vooral dames de kledingzaken bestormen om met kerst 'iets te hebben om aan te trekken'. Daarbij lijken ze ook nog kieskeuriger te zijn dan gewoonlijk. Is het kerstfeest dan zo belangrijk dat het de aspirant-koopsters totaal in beslag neemt? Wat is dat toch? Schuilt het geheim van een geslaagd kerstfeest in een fraaie creatie van de dames?

Dorien weet wel beter. Feitelijk weet iedereen wel beter. Jozef en Maria hadden het niet breed, ze konden zich dus niet tooien met mooie gewaden, hun hotelkamer was een stal en hun Kindeke lag in een kribje met stro. Het contrast met hun feestgangers is door de eeuwen heen groter en groter geworden. Dorien zou erom moeten lachen.

Maar dat doet ze niet. Ze is moe. Klokslag vijf uur trekt ze op een middag de deur van Meinderts kledingbedrijf achter zich dicht en kruipt achter het stuur van haar Volkswagen. 'Hèhè.' Ze zit. En lekker ook. Ze is praktisch de hele dag in de benen geweest, alleen tussen de middag heeft ze zichzelf een kwartiertje rust toegestaan. Maar toen stond algauw weer de eerste klant van de middag op de mat.

Ze rijdt de parkeerplaats achter de winkel af. Het is al donker, ja, wat wil je, het is half december. Ze kan nu al uitzien naar de lange junidagen waaraan geen eind schijnt te komen. Nu moet ze tussen alle stadsverlichting en autolampen door manoeuvreren en zorgen dat zij en haar auto onbeschadigd de rustige binnenweg naar haar dorp bereiken en veilig thuiskomen.

Halverwege ontdekt ze donkere vlekken op de voorruit. Sneeuw. Welja, ook dat nog. Haar ruitenwissers zwiepen de vlokken opzij en ze neemt wat gas terug. Veel tegemoetkomend verkeer is er niet, de meeste auto's verláten de stad, net als zij.

Met een zucht draait ze voor haar woning de contactsleutel om, de motor gehoorzaamt onmiddellijk, het lijkt alsof het kevertje ook blij is dat de reis erop zit.

Bij de voordeur hoort Dorien het al: haar beide kinderen maken ruzie. In de gang blijft ze even luisteren, in de spiegel aan de wand ziet ze twee samengetrokken wenkbrauwen. Precies! Dit kan ze nou net niet hebben.

'Wat hebben jullie?' valt ze met de deur in huis. De ruziënde kinderen staan bij een half opgetuigde kerstboom.

'Hij wil altijd dat ik precies doe wat híj zegt!' verklaart Yvonne verontwaardigd. 'Anders neemt hij me de dingen gewoon uit handen.'

'Klopt dat?' Met de frons van daarnet kijkt Dorien haar zoon aan.

'Yvonne heeft gewoon geen verstand van versieren,' stelt haar broer vast, 'ze wil de boom vol slingers gooien. En dat kán niet,' besluit hij wijs.

'Weleens van overleg gehoord?' vraagt Dorien pinnig. 'Ik dacht dat ik dit gerust aan jullie kon overlaten.'

'Ja, maar...' Dat is het schelle geluid van Yvonne weer.

'Laat maar,' sluit Dorien de discussie, 'we zullen het er nog wel over hebben. Is papa nog altijd niet thuis?'

Ze verneemt dat Eelke een vergadering heeft. Ja, natuurlijk, hoe zou het ook anders?

'Hij zal zo wel komen,' sust Egbert, die zijn moeder al een tijdje observeert. 'Met etenstijd is hij er vast.'

Eten! Ze moet zo meteen gaan koken. En dat terwijl ze helemaal geen zin heeft, ze zou zich nu graag in een luie stoel neervlijen, haar benen lijken van lood en haar rug is doodmoe.

Het wordt haar even te veel. Als ze niet oppast komen er straks tranen. Zie je wel, ze moet haar neus al snuiten. Een zakdoek. Waar heeft ze haar zakdoek? In haar handtasje natuurlijk. Maar waar is haar tasje? Ze kijkt om zich heen. Nee, niet hier in de kamer. In de gang? Ook niet. In de auto dus.

Snel pakt ze de autosleutels van het hangertje naast de kapstok en maakt de wagen open. De stoelen zijn leeg. Hé, hoe kan dat? Op de vloer dan? In het dashboardkastje misschien?

In een flits weet ze waar het ding is. Het ligt open en bloot op de plank achter de kassa. Ze heeft er vanmiddag een pakje zakdoekjes uit genomen om haar neus te snuiten, jawel!

Maar dat tasje! Dat het daar ligt is levensgevaarlijk! Want wat zit er allemaal niet in? Haar portemonnee, haar agenda, haar verzilverde balpen en och mensen, haar betaalcheques ook! Alles zomaar voor het grijpen, ook voor de klanten!

Ze holt bijna naar de kamer en grijpt de telefoon. Misschien is er nog iemand op de zaak.

Maar nee, hoor, de roeptoon blijft zonder resultaat. Wat vervelend nou! 'Bel je papa?' vraagt Egbert belangstellend; een beetje benauwd ook. 'Ik krijg geen gehoor bij de zaak.' Dorien hoort zelf dat het snauwerig klinkt. 'En ik wil mijn tasje terug,' komt er wat vriendelijker achteraan. 'Ik ga het dus halen. Zeg maar tegen papa dat ik zo gauw mogelijk terugkom. En jullie zouden me een genoegen doen als dan de aardappelen geschild zijn en de worteltjes geschrapt. Oké?'

Zonder antwoord af te wachten loopt ze met haastige stappen naar de auto. Het trouwe voertuig reageert opnieuw gewillig op het omdraaien van de contactsleutel.

Buiten het dorp merkt Dorien dat het nog sneeuwt en flink ook. Dikke vlokken leggen zich tegen de voorruit te ruste en vertoeven daar een paar seconden tot ze onverbiddelijk door de wisser verwijderd worden. Dorien zit met haar neus boven het stuur en rijdt langzaam over de kale binnenweg naar de stad.

Het is rustig, een enkele fietser trotseert het nachtelijk duister, een donkere schim in een intussen witte wereld. Dorien probeert beter zicht te krijgen door met groot licht te rijden. Het wordt er alleen maar minder van: de vlokken komen opeens met duizenden op haar af. Hoe moet dat straks, als ze weer naar huis moet? Zou ze dan misschien door een centimeters dikke sneeuwlaag moeten ploegen?

Opeens is die fietser er. Vlak voor haar. Dorien remt en geeft een ruk aan het stuur naar links. Meteen verliest ze alle grip op het wegdek, de auto reageert niet op tegenstuur, ze voelt de wagen onder zich wegglijden. Onmiddellijk daarop bonst er iets tegen de zijkant van de auto. Dorien klemt haar beide handen om het stuur en blijft remmen. De wagen komt hobbelend tot stilstand. Tot haar opluchting ziet Dorien dat hij in de berm staat, de koplampen beschijnen een witte laag met groene vlekken.

Ze springt naar buiten, kijkt om zich heen en ziet in het donker een mensengedaante: een man die probeert overeind te krabbelen. Naast hem ligt een fiets dwars over de weg.

'O, o,' roept Dorien, 'wat erg! Ik heb u aangereden, hoe is het, kunt u opstaan, zal ik u even helpen, ik had u zo gauw niet gezien...' Ze is overstuur en dat weet ze zelf ook. 'Hoe kon dat nou?' vraagt ze zich vertwijfeld hardop af.

De man staat intussen overeind, schudt zijn benen, strekt zijn armen, betast zijn hoofd. 'Valt mee, geloof ik,' antwoordt hij kort en goed op al haar vragen.

Achter haar staan intussen twee auto's, met de bestuurders ernaast. De koplampen verlichten de plaats des onheils.

'Mevrouw Couperus, zie ik. Geslipt? Die verraderlijke sneeuw ook, hè?' Dorien herkent De Groot, aannemer in het dorp.

'Ja,' zucht ze, 'zo zal het wel zijn.'

'Nee hoor, het was mijn eigen schuld, ik had niet zonder achterlicht moeten fietsen.' De ten val gebrachte man, een onbekende overigens, wrijft voortdurend over zijn linkerarm en zegt: 'Ik mag me gelukkig prijzen dat er niets ernstigs is met mij, het had heel anders kunnen aflopen. Er zit alleen maar een kronkel in mijn voorwiel, maar dat tel ik niet. Hoe zit het trouwens met uw auto?'

Met z'n drieën inspecteren ze Doriens vervoermiddel. 'Nou, ik zie niks bijzonders,' stelt De Groot vast. 'U mag proberen uw wagen weer op de weg te krijgen. Of zal ik...?'

Dorien wil eerst zelf een poging wagen. Het gaat met veel gebibber gepaard, maar het lukt.

De Groot applaudisseert kort en wendt zich dan tot de veroorzaker van het ongeval. 'U moet naar de stad? Mooi, ik ook. Zullen we uw fiets in mijn kofferbak opbergen?'

Even later vervolgen drie auto's heel kalm hun weg. Dorien sluit de rij, vanbinnen nog altijd trillend. 'Je moet blij zijn,' spreekt ze zichzelf toe, 'voor hetzelfde geld lag je met een gebroken arm of zo in een sloot.'

Makkelijk gezegd, de uitvoering ervan laat te wensen over.

In de kledingzaak brandt nog licht, een zwak schijnsel maar trouwens. Dorien neemt de sleutel uit haar jaszak, opent de deur en stapt naar binnen. Niemand. Nee, natuurlijk niet, de winkel is gesloten.

Vastberaden stevent ze op de plank achter de kassa af. Het ding is verschrikkelijk leeg. Ze zorgt voor meer licht. Helpt niet, leeg is leeg.

Ze is verslagen, het beven van haar handen wordt weer erger. Ook dat nog. Tasje gestolen, geld weg, nog veel meer weg – wat een pechdag.

Tegen beter weten in loopt ze speurend langs de schappen en rekken en vecht tegen opkomende tranen. 'Bah!' roept ze hartgrondig.

Op dat moment laat de deur van het kantoor zijn vertrouwde piepgeluid horen.

Dorien staat er als versteend naar te kijken.

Meindert komt tevoorschijn. 'Als ik het niet dacht,' zegt hij hartelijk. 'Daarom ben ik hier maar even gebleven.' Zijn stem klinkt anders dan anders, hij kraait een beetje.

'Je zoekt je tasje, hè? Nou, wees gerust, het is in vertrouwde handen. Kom maar mee.' Hij loopt zijn kantoor weer in.

Dorien komt hem aarzelend achterna. Het eerste wat ze ziet is haar handtas op een leeg bureau. 'O, gelukkig!' zegt ze. 'Zit alles er nog in?'

'Dat moet wel. Controleer maar even.' Weer die andere stem, hoger dan anders.

'Ik ben er erg blij mee, heel hartelijk bedankt dat je het voor mij bewaard hebt en ja, alles ís er. Wanneer merkte je het?'

Hij geeft geen antwoord, hij lacht maar wat. Dan zegt hij: 'Ik wist bijna zeker dat je terug zou komen, daarom ben ik hier gebleven.'

'O, geweldig,' zegt Dorien. Het komt er ietwat mat uit. Er komt ineens een zekere drang tot vluchten over haar. Want Meinderts gezicht is rood en nu hij een stapje dichterbij komt ruikt ze het – drank.

'Ik kan me voorstellen dat je ongerust was. Wacht, ik pak even een stoel.' Hij loopt naar een hoek van het vertrek en komt met een stoel terug. Zwalkt hij een beetje?

'Ga zitten, zullen we het nu je hier toch bent even gezellig maken?'

Ze zit, maar dat is ook de enige vorm van dankbaarheid die ze wil betonen. Hoe komt ze hier zo gauw en zo goed mogelijk weg?

'Een sherry?' biedt hij aan en neemt al een fles en een glaasje uit zijn bureau.

'Nee, dank je, ik ben met de auto.'

'O ja, daar had ik zo gauw niet aan gedacht. Vind je het niet vervelend als ik mezelf dan wel op wat geestrijk vocht trakteer? Ik vind namelijk dat ik wel wat verdiend heb. Nou, vertel eens.'

'Ik was al thuis toen ik mijn tasje miste. Ik schrok ervan en ben meteen weer hierheen gereden,' zegt Dorien braaf en zo onaangedaan moge- lijk.

Hij schenkt zijn glaasje boordevol en hapt het als het ware direct maar voor de helft leeg.

Ik moet maken dat ik hier wegkom, denkt Dorien. Wat zal ze aandra- gen, de warme maaltijd, de reis door de sneeuw, haar vermoeidheid?

'Ik vind het elke keer weer fijn om jou te zien,' verkondigt haar chef, 'daarom ben ik niet naar huis gegaan.'

Zie je wel? Ze was er wel bang voor. 'Aardig van u,' is haar respons.

'U, u? Sinds wanneer ben ik u voor jou? Nee, Dorien, zo zijn we niet getrouwd.' Hij lacht kirrend om zijn grapje.

'Ik denk dat ik maar ga, thuis wordt er op mij gewacht.' Dorien tovert een vriendelijk lachje tevoorschijn.

'Och, nee toch? Ik had me er wat anders van voorgesteld. Dorien, lieve meid, wil je nog even naar me luisteren? Mag ik dicht naast je komen zitten?'

Met een ruk staat ze op. 'Ik moet nu echt gaan.'

Met eenzelfde beweging komt ook hij overeind, zijn bureaustoel rolt geschrokken achteruit en hijzelf wankelt even. 'Dorien!' het klinkt opeens gesmoord. 'Dorien, ik... ik...'

Plotseling staat hij voor haar, op een afstand van centimeters. Hij slaat zijn armen om haar heen, trekt haar hoofd naar zich toe en kust haar wild op de mond. Meteen gaat zijn hand tastend over haar linkerborst. Ze walgt. Van de dranklucht en van hem. 'Laat me los,' gebiedt ze fel. Er gaat een schokje door hem heen en hij doet een stapje achteruit. Zijn zoekende hand valt slap naar beneden. Op zijn vertrokken gezicht is woede te lezen. Of is het verdriet? 'Dorien,' fluistert hij hees, 'ik wou je zo graag wat zeggen, ik... eh...'

'Nee, laat maar,' zegt ze ijzig.

Ze heeft dat wel vaker. Midden in een moment van grote spanning of opwinding kan ze zomaar bevriezen. Alsof er bij haar vanbinnen een knop wordt omgezet. Alsof niets en niemand haar uit een plotseling optredend evenwicht kan brengen.

Nu ook. Ze voelt dat ze hem áánkan. Zij is van hun tweeën de sterkste. 'Ga maar even weer zitten,' zegt ze met een wijzende vinger. Hij doet het gedwee.

'Meindert,' zegt ze kalm, 'ik moet je wat zeggen. Wat je nu doet staat me helemaal niet aan. En ik had al een hele tijd het gevoel dat je me een bepaalde kant uit probeert te sturen. Dat wil ik niet, Meindert, ik wil mijn eigen weg zoeken.'

Ze wacht even op zijn reactie. Die komt niet, hij zit daar als een kleine jongen die de les gelezen wordt.

'Ik weet zeker dat je een goed mens bent, Meindert, maar toch neem ik op dit moment een onomkeerbaar besluit: ik neem ontslag, nu.'

Ze ziet hem bleek worden en legt zich op geen medelijden met hem te hebben.

Hij heft stuntelig zijn handen omhoog, laat ze weer zakken, wil wat zeggen maar kan geen woorden vinden. Na een paar seconden stamelt hij met grote schrikogen: 'Ontslag? Jij?'

Ze geeft geen antwoord.

'Heb ik dan... alles verkeerd aangepakt...?' vraagt hij verbijsterd.

'Daar gaat het niet om, Meindert, ik wil alleen maar duidelijk maken dat ik deze verhouding tussen ons niet meer aankan. En ook niet wil! Ik ga nu.'

Ze keert zich om, gaat het kantoor uit, loopt de winkel door, mét handtasje, en krijgt het onwezenlijke gevoel dat dit allemaal niet echt gebeurt. Maar ze hoort hem duidelijk achter zich aan komen. Ze is al bij de voordeur.

'Dorien!' klinkt het gesmoord achter haar. Ze weet dat ze nu niet moet omkijken, want dat zou een grote verwikkeling kunnen geven. Daarom verdwijnt ze met een wuivend handje door de deur en staat in de koele winteravond.

Het sneeuwen is opgehouden, de maan verleent bijstand. Dorien stuurt haar kevertje kalm door een sprookjesachtige wereld – door en door rustig. Komt dat door het zekere weten dat ze een goede beslissing heeft genomen? Ze verjaagt beelden die zich als foto's in haar hoofd proberen te nestelen – ze wil de onthutste ogen van Meindert niet meer voor zich zien, net zomin als ze zijn geschokte woorden wil horen: 'Heb ik dan... alles verkeerd aangepakt...?'

Nee, Meindert, in jouw ogen is er niets mis gegaan tussen ons, maar had je dan echt niet in de gaten dat dit wel fout móest lopen? Waarom wachtte je mij op? Was dat alleen maar argeloosheid? Meindert, zal ik jou eens wat zeggen? Ik ken je nóg steeds niet. Ben jij een naïeveling of speel je de vermoorde onschuld? Misschien een mengeling van die twee?

Het dorp is een plaatje, een kerstkaart. Opeens verlangt ze er sterk naar thuis te zijn. Wat zal Eelke blij zijn als hij hoort dat ze stopt met haar werk. Eigenlijk heeft hij altijd een beetje tegengestribbeld als het gesprek op haar baan kwam. Op een keer is hij wat bozig uitgevallen: 'Ben ik niet goed genoeg om mijn gezin te onderhouden?' Daar kwam nog bij dat hij niets van die Meindert moest hebben.

Ze lacht wat grimmig: 'Je krijgt je zin, je zult blij zijn, Eelke.'

Op dat moment is Eelke helemaal niet blij. Hij zit aan de huiskamer-tafel zijn schooladministratie bij te werken. Nog geen avond is hij deze week thuis geweest en nu staat hij voor een inhaalslag. Dat lukt slecht, want waar blijft Dorien? Moet dat akkefietje met dat tasje zo lang duren?

Hij is bij de salarisstaat van Marie Koning uit klas één opnieuw de tel kwijt. Bij zijn ratelende telmachine, een verkleind kassamodel, moet je wel aan de juiste hendeltjes trekken. Weer zijn gedachten er niet bij gehad dus. Waar die dan wél zaten? Bij Dorien natuurlijk, waar zit ze toch? Als ze maar niet een slipper heeft gemaakt en in een sloot terecht is gekomen. Dat zou toch kunnen, met dit weer?

Maar daar is opeens het bekende korte claxonnetje, het teken van hen allebei dat ze er weer zíjn.

Eelke is opgelucht en wordt vreemd genoeg meteen ook nijdig. Het is al zeven uur, moet er nog gegeten worden of niet?

Dorien kan dan wel vrolijk binnenkomen, hem een kus geven en vragen of hij nog altijd niet klaar is met zijn werk, maar daar heeft hij op dit ogenblik geen boodschap aan. 'Moest je nou echt zo lang wegblijven? We vergaan hier van de honger!'

Doriens blijheid zakt een eindje weg. 'Het is inderdaad laat geworden, later dan mijn bedoeling was, maar het zal niet meer gebeuren, ik...'

Hij laat haar niet uitpraten. 'En ik hier maar zitten werken, het moet ook niet gekker worden, ik zou willen dat je ophield met...'

'Je hebt het te druk, dat zie ik ook wel,' onderbreekt ze hem.

Hij foetert nog een tijdje door en zij maakt maar gauw dat ze in de keuken komt. Wel met de gedachte: had hij zelf niet een begin kunnen maken met het koken? Maar die opwelling duwt ze weg. In plaats daarvan vraagt ze: 'Wil je misschien een kop koffie vooraf?'

'Nee, laat maar,' zegt hij kortaf en buigt zich weer over zijn papieren.

Zover is het al gekomen tussen ons, denkt Dorien, we verstaan elkaar niet eens meer. Toch blijft het rustig binnen in haar. Ze weet zeker dat ze een goed besluit heeft genomen. 'Benieuwd wat Eelke ervan zegt als hij aanspreekbaar is,' giechelt ze in zichzelf, ondanks het gramstorige gezicht van haar man.

16

DE DAGEN TUSSEN KERST EN OUD EN NIEUW HEBBEN VAAK EEN BIJ-
zondere bekoring, vindt Eelke. Dat heeft niet altijd te maken met het
weer – een witte Kerst is mooi, maar een groene Kerst heeft ook zijn
charme, zoals nu. De sprookjesachtige sfeer van het afgelopen weekeinde heeft het niet lang volgehouden, de sneeuw verdween langzaamaan en op de straten lag een gore smurrie. Maar toch: die sfeer! Precies
genoeg om een goed gevoel aan te maken.

Eelke ziet met genoegen terug op de uitvoering van zijn koor tijdens
de kerkdienst. Direct al bij het openingslied *Ik kniel aan uwe kribbe
neer, o Jezus, Gij, mijn leven,* wist hij dat het goed zat. De heldere kin-
derstemmen vulden als het ware de ruimte in de kerk tot aan het
gewelf, zijn koortje dúrfde te zingen en het tweestemmige gezang
kwam aardig zuiver over. Aan het einde van de dienst had de dominee
er vanaf de preekstoel een complimentje voor over, waarbij kerkgan-
gers elkaar toeknikten als wilden ze zeggen: dat heeft de dominee goed
bedacht.

Thuis was Dorien ook al lovend, terwijl ze anders nogal voorzichtig
omgaat met lofprijzingen. Anders dan gewoon dus.

Ja, die Dorien. Eelke staat nog steeds versteld. Vertelde ze hem daar
langs haar neus weg dat ze stopte met haar baan. Waarom? Beviel het
werk haar niet langer? O, was het om die Meindert! Tja, daar had hij,
Eelke, het al nooit zo op. Die man legde te veel beslag op haar. 'Een
goeie zet, Dorien! Ik ben blij dat je op tijd op de rem hebt getrapt.
Verder past het precies bij jouw manier van doen – weinig woorden,
ferme daden. Typerend, dat je het me pas de volgende dag verteld
hebt!'

'Ik had het je direct na het diner al willen zeggen, maar je was er niet
voor in de stemming,' had ze gegiecheld. Nou, ook dat was typisch
Dorien.

Het was alsof er vanaf die tijd een andere geest in huize Couperus
heerste. Blijer, opgewekter, of mocht je van opgetogen spreken?

Met Egbert gaat het goed, binnenshuis wil hij van geen krukken meer
weten en een extra stevige kraag is niet meer nodig. Af en toe is hij

bezig aan wat hij plechtig zijn scriptie over WO II noemt en daarbij is zijn opa nog altijd goed voor feiten en bijzonderheden. Op een keer vroeg hij zijn vader: 'Papa, hoe komt het dat opa niet veel weet over de melkstaking van 1943?' Eelke, met de mond vol tanden, stotterde wat over opa als leider van het verzet en dat het daarbij niet altijd goed was gegaan, misschien dat hij er zich daarom niet graag over uitliet...

'Dan sla ik die melkstaking gewoon over in mijn scriptie.' Daarmee was voor Egbert de zaak afgedaan. Althans naar buiten toe, binnen in hem bleef een vraagteken over.

Opa Age zelf vertoont zich deze dagen niet vaak op straat. Nu en dan een boodschapje doen voor Dorien, daar blijft het bij. Tussen die twee kun je trouwens niet meer spreken van een gewapende vrede, het is alsof er iemand olie in de haperende machine heeft gegooid.

Prachtig! vindt Eelke. Zo moet het gaan, zo hoort het!

Hijzelf is elke dag wel even op school te vinden. Niet lang, want het is er koud. Toch even wat paperassen zus en een formuliertje zo halen. Hij bedenkt dat hij wel eens bij meneer Datema mag kijken, die man is nu al ruim vier maanden uit zijn werk.

Op een ochtend gaat hij bij Datema op bezoek. De haard brandt er gezellig en de koffie is zo klaar. Mevrouw Datema scharrelt bedrijvig van kamer naar keuken. Datema zelf kijkt wat somber voor zich uit.

'Nee, Eelke, ik heb er geen zicht op. De ene keer zegt de hartspecialist dat er licht aan de horizon is, maar een andere keer kan hij zomaar verklaren dat ik toch wel zo'n harde tik heb gehad dat ik... nou ja, je raadt de rest wel, hè? In elk geval mag ik de eerste maanden nog niet aan het werk.'

Eelke betrapt zich op een foutieve gedachte, maar hij zegt: 'Wat jammer voor u, want uw werk was uw leven.'

'Tja,' zucht de man, 'tja.'

'U zou wel graag weer naar school willen?' vraagt Eelke.

Datema kijkt hem alleen maar aan.

Stomme vraag! Eelke zou zijn woorden aan een touwtje terug willen trekken. Hoe krijgt hij het weer voor elkaar? Zulke onbezonnenheden ontkomen hem te vaak.

'Ik zou morgen weer willen beginnen,' zegt zijn gastheer dan.

Dan is er koffie. Plus een bijbehorend praatje. Over het korte wintertje dat snel weer voorbij is. En de dagen zijn erg kort, jazeker, maar deze tijd van het jaar hééft wat, gezelligheid en zo.

'Volgens mijn vrouw heeft je koortje het erg goed gedaan in de kerk,' zegt Datema met een welwillende glimlach. 'Ben je je roeping misgelopen?'

Eelke heeft het op de tong om onmiddellijk te antwoorden: Ja, ja! Als het erop aankomt ben ik liever hoofd van een school dan onderwijzer. Maar hij heeft een wacht voor zijn lippen, nu wel. 'Ik zie mijn leiderschap van een koortje zuiver als een hobby,' antwoordt hij bescheiden.

'Ja, maar je was ook al dirigent van het adventskoor, is het niet?'

'Ik ben en blijf een amateur op dat gebied,' onderstreept Eelke zijn woorden van daarnet.

Meneer Datema is nog niet klaar met de loftuitingen van zijn eerste onderwijzer. 'Als ik het goed begrepen heb, vervang je mij op een kundige manier. Zou het je spijten als ik volgende week weer terugkwam?'

Oei, nu wordt het moeilijk. Wat moet Eelke nu zeggen? Wat is wijsheid?

'Ik moet bekennen dat het waarnemend hoofdschap me goed bevalt,' tracht hij tussen de klippen door te zeilen.

'Ik weet het, Eelke, ik weet het.' Na elke komma een lichte zucht. Dan: 'Nou, jongen, ik denk dat je je maar klaar moet maken voor een langere periode dan wij eerst dachten.'

Eelke knikt begrijpend.

Er volgt een ogenblik van stilte. Het getik van de breipennen van mevrouw Datema, die zich met een mond als een streep buiten het gesprek heeft gehouden, klinkt nadrukkelijk.

'Weet je, ik vind het nog altijd doodzonde dat je de hoofdakte niet gehaald hebt.'

Eelkes hoofd zakt iets voorover.

'Ja, want stel je voor dat het werken op school mij helemaal verboden wordt.'

Dat heeft Eelke zich al dikwijls voorgesteld.

Datema blijft hem vragend aankijken.

Bij Eelke slaat het trauma weer toe. Examens! Is er iets ergers dan dat? Zie je wel? Hij begint alweer te zweten, nog even en de zakdoek moet erbij.

'Ik... eh... ben erg slecht in het afleggen van examens,' hakkelt hij, 'en bovendien liegt het hoofdakte-examen er niet om als het om de zwaarte gaat...' Zijn hand gaat alvast naar zijn broekzak.

'Tja.' Een oplossing heeft Datema ook niet voorhanden. 'Of het moest zijn dat je nog een jaartje naar de kweekschool ging, maar nee, dat is ook geen haalbare kaart, denk ik.'

Eelke wil hier weg en zoekt een fatsoenlijke manier om het zover te krijgen. 'Ik heb nóg een bezoek op mijn programma. Als u het me niet kwalijk neemt... Mevrouw Datema, bedankt voor de koffie, het was gezellig...'

Als hij bij de deur is zendt zijn gastheer hem nog na: 'Eén ding is wél zeker, je neemt op een voortreffelijke manier mijn functie waar!'

Het wordt nog een probleem, beseft Eelke op de terugweg naar huis. Stel dat Datema over een week of wat zover hersteld is dat hij het hoofdschap weer op zich mag nemen. Wat dan? Duidelijk, dan moet hij, Eelke, zijn functie afstaan en gewoon onderwijzer worden. Is dat zo moeilijk? Ja, dat is het! Zijn grootste vrees is dat dan vanaf de eerste dag zijn onzekerheid hem weer parten gaat spelen. Dan kan Dorien wel zeggen dat hij daar nou eindelijk eens een keer overheen moet stappen, maar wat weet ze ervan? Wie kan het diepste innerlijk van een mens peilen? Eén zekerheid heeft Eelke: hij kent zichzelf! Hij weet dat het leiderschap van de school een prima remedie is voor zijn trauma.

Die middag begint het al vroeg te schemeren – het zijn de donkere dagen tussen Kerst en Oud en Nieuw. In huize Couperus heerst een genoeglijke stemming. Dorien en Yvonne zijn bezig met het maken van beslag voor een cake, ze overleggen levendig over de juiste temperatuur van de oven en vragen zich af hoelang het ding daarin moet. Opa Age en Egbert zitten tegenover elkaar aan de huiskamertafel met een schaakbord tussen hen in en opnieuw krijgt de kleinzoon les van zijn grootvader. De lamp boven hen belicht twee kruinen, een grijze en een blonde.

Eelke krijgt een warm gevoel vanbinnen. Zó had hij het zich altijd voorgesteld: een gezin met voelbare harmonie. In zijn lage rookstoel neemt hij zich voor een tijdje helemaal niks te doen, alleen maar genieten. Even geen problemen, alsjeblieft.

Maar waar dwarrelen na een tijdje zijn gedachten heen? Zijn blik blijft hangen bij zijn vader. Zie hem daar zitten, de ellebogen steunend op tafel, ingespannen kijkend naar de stukken op het bord. Zijn stok bungelt aan de rugleuning van de stoel. Een prachtig gezicht: zijn vader die zijn zoon uitdaagt tot een gevecht op het schaakbord. Het is even alsof alle problemen de wereld uit zijn.

De wereld uit? Of in elk geval zijn huis uit? Was het maar zo! Want je kunt het wenden of keren, er zal een tijd komen dat zijn vader niet langer bij hen kan wonen. Het kan lang of kort duren, maar op een keer zal zijn gezondheid of lichamelijke gesteldheid leiden tot zijn vertrek. En waarheen dan?

Maar wat nu? Staat hij zijn gedachten toe weer de verkeerde kant uit te zwenken? Hij was toch van plan te genieten? Opeens staat hij op en buigt zich over het schaakbord: 'Hm, dat gaat aardig gelijk op, geloof ik. Allebei goed op je koning passen!'

Egbert maakt hem met een rood hoofd duidelijk dat hij maar beter weg kan gaan. Opa Age bevestigt die uitspraak met een zuinig hoofdknikje.

Goed, dan zal hij zich maar bemoeien met het bakproces in de keuken. 'Nog goede raad nodig?'

Ook daar wordt hij weggewuifd. 'Geen vreemde mannen in de keuken!'

Nou, dan weet Eelke wel wat anders: het is bijna vier uur, hij kan nog best een bezoekje brengen aan Jan en Aukje Visser. Even over schoolzaken praten, jawel!

Ook daar wordt de vakantie gevierd. En er is onmiddellijk koffie met een kerstkrans.

Eelke brengt verslag uit van zijn visite bij de Datema's.

'Die zien we voorlopig niet op school terug,' begrijpt Jan, 'dat kan problematisch worden, Eelke.'

Zo is het, dat had Eelke ook al bedacht. 'Ik zit er wat mee in mijn maag,' bekent hij. 'Als Datema afgekeurd wordt moet er een ander in zijn plaats worden benoemd. En ik...'

'... moet het veld ruimen,' vult Jan aan.

'Precies.'

'Niet leuk, voor jou niet en voor ons niet,' vindt Jan.

Dus toch problemen? Ja, inderdaad, beseft Eelke, maar dan wel op termijn. Voorlopig even aanzien, komt tijd, komt raad, bepeinst hij. En als uiterste consequentie de stap terug maar nemen.

Het wordt al donker als hij opstapt, in de meeste huizen zijn de lichten aan en kerstbomen staan in volle glorie. Eelke heeft er aardigheid aan en besluit nog een ommetje te maken. Even langs de school, en wat ziet hij daar verderop? Ook al lichtjes in het verzorgingshuis in aanbouw? Maar daar woont toch nog geen mens?

Hij wil er meer van weten. Vanaf de oprijlaan ziet hij de hoofddeur op een kier staan. Wie mag daar nog zijn? Even kijken, desnoods om een hoekje.

Waarom loopt hij nu zo voorzichtig? Moet hij zo nodig sluipen? Wat een onzin.

Hij stapt nu stevig door. Alleen is het wel uitkijken, het gaat nog niet om een gebaande weg en het is er vrij donker.

Schuin rechts voor hem ligt iets, half op het pad. Als Eelke er omheen wil lopen blijft hij opeens stokstijf staan. Daar ligt een mens! Een man! Het is... het is... Pieter Cnossen! Eelke pakt zijn arm op en zoekt naar een polsslag. Die is niet te voelen. Meteen heeft Eelke de situatie door. Op hetzelfde ogenblik weet hij wat hem te doen staat. Hij heeft het kortgeleden nog op de EHBO-cursus beoefend. Hij legt het slachtoffer op zijn rug, maakt zijn jas los, zoekt het hart en begint er met beide handen op elkaar ritmisch op te drukken. Hij hijgt ervan, maar maakt toch de mond van Cnossen open en stoot zijn adem naar binnen.

De bewusteloze man reageert niet. Dus gaat Eelke door, telkens maar weer pompen en beademen. Geen reactie.

Eelke kijkt om zich heen. Iemand die helpen kan? Nee, alleen een donkere, stille laan.

Plotseling springt hij op, rent naar de hoofddeur en zoekt het licht op.

Dáár! Wild opent hij de deur en staat midden in een vertrek. Daar zit ze, achter een typemachine.

'Aleida!' krijst hij, 'wil je snel het alarmnummer bellen? Buiten ligt iemand met een hartaanval!' Meteen is hij weer weg, hij holt naar de bewegingloze Cnossen en hervat zijn pogingen om het hart op gang te brengen. Hij gaat door en door en door, ook als zij al bij hem is met de mededeling dat de ambulance eraan komt.

'Zal ik ook eens even?' stelt ze voor, maar hij luistert niet. Als in trance herhaalt hij zijn bewegingen, minuten lang.

'Ik hoor de ambulance, geloof ik,' zegt ze. Eelke zwoegt verder.

Hij legt zijn oor op de borstkas van de man. Niks. Opnieuw aan het werk dus. Zij zit op haar knieën naast hem en helpt hem drukken. Eelke perst weer lucht in Cnossens geopende mond.

Het gegil van de sirene komt nu van vlakbij en meteen zwaait er een lichtbundel door de laan.

Dan gaat alles zo snel dat Eelke het niet meer kan volgen. Voor hij het weet heeft het ambulancepersoneel de patiënt op een brancard naar binnen geschoven. Daar behandelen ze hem verder en krijgen ze weer 'hart', zoals ze het noemen.

Het is onwerkelijk allemaal. Eelke geeft hijgend de naam van de patiënt door en laat zich dan door Aleida meetronen naar binnen. Uitgeput valt hij op een stoel tegenover haar bureau neer.

Zij is ook van haar stuk, weet even niet wat ze doen of zeggen moet. Dan: 'Zal ik koffie voor u maken? Is zo klaar, hoor.'

Ze wacht zijn antwoord niet af maar richt haar elektrische straalkacheltje op Eelke en scharrelt wat bij een tafel in de hoek. 'Hopelijk was u net op tijd,' zegt ze met een trilling in haar stem.

'Dat hoop ik ook, van ganser harte.' Zijn woorden klinken als die van een vreemde. Er is even stilte.

'Ik wil me nog verontschuldigen,' zegt hij dan.

'Verontschuldigen? Waarvoor?'

'Ik riep u bij uw voornaam, ik kon zo gauw uw achternaam niet bedenken.'

Ze lacht, als het ware met pareltjes. 'En u denkt u daarvoor te moeten excuseren?'

'Ja, en stom genoeg weet ik nu nog uw volledige naam niet.'

'Hoogma,' lacht ze.

'O ja, Aleida Hoogma.'

'Goed zo,' zegt ze.

Zij is de eerste die de normale conversatietoon hervindt, ze bespreekt de toestand op normale toonhoogte en in gewone woorden. 'Wat een geluk dat u langskwam. En wat goed dat u zo doeltreffend optrad.'

Hij knikt, maar de koffie is op, hij wil graag naar huis.

Toch wil ze eerst weten wat hij eigenlijk kwam doen. 'Zocht u hier iemand?'

Nee, niemand, hij maakte zomaar een ommetje.

Bij de deur heeft ze nóg een vraag: 'Hoe wist u dat ik Aleida heet?'

'Dat hebt u mijn zoon verteld. Hij was hier op een keer met zijn grootvader.'

'Zo! Ja, nu herinner ik het me weer. Uw naam is dus... eh... Couperus?'

'Precies. Maar hoe...?

'Zo heet uw vader. Uw zoon trouwens ook.'

De januarimaand is lang en somber. Voor Eelke bovendien wat verwarrend. Goed, hij kan terugzien op een geslaagd optreden van zijn koor, beter gezegd: zijn koren, thuis was het goed, maar nu zit hij met een nieuwe kwestie in zijn maag.

Toegegeven, het dorp weet van zijn doortastend handelen bij de hartaanval van Cnossen en hij heeft heel wat loftuitingen moeten aanhoren, dat was wel mooi, maar met het verzoek van Cnossen kan hij slecht uit de voeten.

Hij heeft hem een paar keer in het ziekenhuis bezocht en tot zijn blijdschap gezien dat de man aardig snel opknapte. Cnossen heeft hem toen uit het diepst van zijn hart gezegd dat hij Eelke altijd dankbaar zou blijven. 'Was jij niet zo vastberaden opgetreden, dan had ik niet meer geleefd.'

'Nounou,' had Eelke aarzelend gereageerd.

'Je hoeft er niets van af te knabbelen, je hebt kort en goed mijn leven gered!' was Cnossens vaste overtuiging geweest. En toen was hij met zijn eerste verzoek gekomen. Of Eelke hem ook eens weer wilde opzoeken als hij thuis was? Nee, niet bij hemzelf, hij zou voorlopig bij zijn zuster intrekken.

Goed, dat wilde Eelke wel. Toch schrok hij een beetje toen hij niet lang daarna hoorde dat het zo goed met Pieter Cnossen ging dat hij uit het ziekenhuis ontslagen werd.

Dus belt Eelke op een middag na schooltijd bij het nieuwe adres aan. Meneer Cnossen zit genoeglijk naast de haard, wijst hem een stoel en begint aan een nieuwe lofprijzing, die nu door Eelke stil wordt aangehoord. En dan volgt het tweede verzoek.

'Eelke, zo mag ik je toch nog wel noemen, hè? Je weet natuurlijk dat het tussen jouw vader en mij behoorlijk vastzit. Ik heb daar vanaf het begin veel last van gehad. Wij, jouw vader en ik, konden altijd goed met elkaar opschieten, we werkten op verschillende terreinen samen en we waren allebei ouderling.'

Eelke knikt en wacht af.

'Het moment waarop wij op elkaar afknapten was verschrikkelijk. Maar, Eelke, als ik heel eerlijk ben vind ik nog steeds dat het meer aan hem lag dan aan mij. Ik heb nog wel geprobeerd om toenadering te zoeken, maar hij wilde niks van mij weten. Hij negeerde me volkomen, ik was lucht voor hem. Tja, en wat krijg je dan? Toen heb ik me ook van hem afgekeerd.'

'Maar u hebt mijn vader een verrader genoemd!' zegt Eelke grimmig.

'Dat is één keer over mijn lippen gekomen en dat was tegen jou, toen bij het gemeentehuis, weet je nog wel?'

En of Eelke dat nog weet!

'Dat spijt me nog altijd. Geloof me, het is nooit meer voorgekomen.'

'Gelukkig maar,' zucht Eelke.

'En nu wilde ik je opnieuw wat vragen: zou jij willen bemiddelen tussen je vader en mij? Ik voel er behoefte aan deze vete eindelijk eens een keer uit de weg te ruimen. Echt waar, Eelke, ik heb aan den lijve ondervonden wat belangrijker is: het halsstarrig vasthouden aan eigen gelijk of het leven gebruiken zoals God het van ons vraagt: samen het beste zoeken. Wil je ertussen springen?'

Nu zit Eelke al voor de derde keer op het kamertje van zijn vader met een poging hem over te halen tot een ontmoeting met Cnossen. En opnieuw ziet hij angstige ogen tegenover zich. En hij hoort een uit het veld geslagen stem: 'Eelke, hij weet te veel van mij, hij kan mijn leven vernielen. Wie kan ik nog onder ogen komen als bekend wordt dat ik... dat ik... Elings naam genoemd heb?'

'Hoe lang is dat eigenlijk al geleden, pa?'

Het antwoord komt onmiddellijk: 'Op 3 mei wordt het achtentwintig jaar.'

'Is dat niet lang genoeg?' vraagt Eelke overredend.

'Cnossen veracht mij,' is het antwoord.

'Cnossen heeft op het randje van de dood gestaan. Hij ziet nu in dat hij fouten heeft gemaakt.'

'Hij? Fouten?' Het wil er bij zijn vader niet in.

'Goed dan, jullie hebben allebei hier en daar de plank misgeslagen. Maar moet je daarom elkaar achtentwintig jaar lang niet aankijken? Nee, wacht nou even, hij is helemaal niet van plan het aan de grote klok te hangen. Dat heeft hij ook nooit gedaan trouwens.'

De kin van zijn vader zakt weer even op zijn borst. Nu komt het erop aan, denkt Eelke, hij is er bijna!

'Een gesprek tussen jullie beiden hier op dit kamertje? Kan geen kwaad toch? En ik ben erbij!'

Het lukt. Age Couperus is over de brug. Al is het slechts met een stuk of wat zuinige knikjes.

'Wat hebben jullie toch te smoezen?' vraagt Dorien. Ze staat met de rug tegen de keukendeur: Eelke mag er niet uit voor hij iets heeft losgelaten over zijn gesprekken met opa Age.

'Nou, kijk,' begint Eelke, 'er komt geloof ik beweging in het spel.'

'Je spreekt in raadsels,' is het korte antwoord.

Dat heeft Eelke zelf ook in de gaten. 'Het is een heel verhaal, Dorien, vind je het goed dat ik het je vanavond in bed vertel?'

Een moeilijke opgave voor haar. Moet ze zó lang wachten? Kan ze dat eigenlijk wel? Onwillig stemt ze toe. Maar een beetje recalcitrant blijft ze wel. 'Als het erop aankomt houd ik niet van geheimzinnig gedoe.'

Maar luisteren kan ze ook. Het schemerlampje boven hun bed belicht haar profiel en haar blonde kapsel terwijl ze rustig en doodstil de geschiedenis van haar schoonvader over zich laat komen. Hoelang het duurt? Een kwartier? Een halfuur misschien? Als hij uitverteld is neemt Eelke haar hoofd in zijn beide handen en legt het op zijn schouder. 'Nu weet je alles, Dorien, maar dan ook alles.'

Ze blijft roerloos liggen. Na een poosje zegt ze: 'Als ik dit alles vanaf het begin geweten had, was het een stuk makkelijker geweest. Dan had ik ook mijn best voor hem kunnen doen. Waarom zei je het me niet?'

'Het ging om een belofte, Dorien. Mijn vader heeft me bezworen mijn mond hierover te houden, want hij had het gevoel dat hij op de punt van een rots stond waar hij zomaar af kon tuimelen.'

'Een belofte. Weet je wat je mij lang geleden eens beloofd hebt? Dat je voor mij geen geheimen zou hebben.' Dorien gaat weer op haar rug liggen.

Eelke heeft geen weerwoord. Ook hij ligt op zijn rug. Hun handen zoeken elkaar niet.

'Het is maar welk erewoord het zwaarst weegt,' zegt Dorien.

Ze blijven een tijdje roerloos naast elkaar liggen. Dan kijkt Eelke opzij. Uit haar ooghoeken kruipen twee transparante pareltjes tevoorschijn, haar mond trilt een beetje. Opeens breekt er iets in hem. Hij ziet ineens in dat hij te veel gefixeerd is geweest op zijn vaders zaak en dat hij daardoor zijn vrouw in zekere zin verwaarloosd heeft. Hij weet het plotseling heel zeker.

'Dorien,' zegt hij gesmoord, 'ik besef ineens dat je groot gelijk hebt. Het spijt me dat ik je erbuiten heb gelaten, terwijl ik nu weet dat je me had kunnen helpen. Want je kunt heel wat als je wilt.' Plotseling roept hij hoog en wild haar naam: 'Dorien!' Een noodkreet bijna.

'Ja?' vraagt ze zacht.

'Wil je me alsnog helpen?'

Wat heeft ze nou? Waarom draait ze zich om, waarom keert ze zich van hem af? Een beetje vertwijfeld kijkt hij naar haar. En komt dan tot de ontdekking dat ze alleen maar een zakdoek pakt, die onder haar kussen ligt. Opgelucht zakt hij terug in zíjn kussen.

Als Dorien haar tranen gedroogd heeft, komt haar antwoord: 'Eelke, ik wil je helpen, ik wil mijn best doen voor vader.'
Nu houdt híj het nauwelijks droog. Wat een prachtvrouw!

Nee, er niet met de kinderen over spreken, hebben ze afgesproken. Alleen maar zeggen dat Cnossen bij opa op bezoek komt, ze willen het nog eens over de oorlog hebben.
Egbert spitst zijn oren. 'Over de oorlog? Waarom?'
'Och, zomaar eens,' antwoordt zijn vader.
Maar Egbert ruikt wat. 'Gaat het soms over het verzet?'
Hoe weet die jongen dat! Eelke maakt er zich met een nietszeggend antwoord van af.
'Over het verzet! Vast en zeker! Daar wilde opa bijna niets over vertellen. En dat terwijl hij op zijn dorp de leider was!'
Eelke haalt zijn schouders op, maar de jongen ziet het onzekere van het gebaar.

Op een zaterdagmorgen in februari klinkt er een bescheiden belletje bij huize Couperus.
Opa Age staat meteen op en vlucht als het ware naar zijn kamer. Dorien ziet nog net zijn vreesachtige gezicht.
Eelke put zich bij de voordeur uit in vriendelijkheden. Cnossen moet maar gauw binnenkomen, er wordt op hem gewacht.
Cnossen ontdoet zich wat stuntelig van zijn jas en loopt achter zijn gastheer aan de trap op. De deur van Ages kamertje staat open en Eelke nodigt zijn gast met een weids gebaar uit naar binnen te gaan.
De ontmoeting! Een schouwspel is het. Naast zijn tafel staat Age als uit steen gehouwen. Op de drempel staat Pieter Cnossen, ook al van graniet, én duidelijk verouderd. Maar wel met een oogopslag waaruit betrouwbaarheid spreekt.
Stilte. Een diep zwijgen van weerskanten. Ogen die elkaar even vangen en meteen weer gaan dwalen.
'Als jullie nou eens begonnen met elkaar te begroeten?' oppert Eelke.
Een langzame stap vooruit van Age. 'Age Couperus,' zegt hij terwijl hij zijn hand uitsteekt.

Wat een voorstelling! Beter gezegd: wat een onzin. Alsof ze elkaar voor het eerst zien!

Dat beseffen ze alle drie en plotseling breekt er een lach door. Eelke wijst zijn gast een stoel met: 'En ik maar denken dat jullie elkaar al kenden!'

Er is een stukje van het ijs gebroken, nu moeten ze verder.

'Pa, als jij nu eens begint met te vertellen wat je al die jaren zo benauwd heeft,' stelt Eelke voor.

Nog te moeilijk. Zover is Age nog niet. Hij beeft alleen maar.

'Zal ik het overnemen?' zegt Cnossen. Hij geeft in grote trekken het vreselijke gebeuren van die derde mei van 1943 weer, vooral hun arrestatie, het verhoor en hun afspraak daarna om erover te zwijgen. 'En nu denk jij, Age Couperus, dat ik de enige op het dorp was die ons geheim bij zich droeg. Maar dat is niet zo, er waren wel meer die wisten dat jij de naam van Eling had doorgegeven. Hoe dat kon weet ik tot op de dag van vandaag niet, maar wat ik wél weet is dat men er niet moeilijk over deed. De ingewijden reageerden op een manier van: als je in zo'n situatie terechtkomt, laat je wel wat los. Het had mij ook kunnen overkomen. Wie is van steen? Niemand toch?'

Age Couperus schrompelt onder de woorden van Pieter Cnossen hoe langer hoe meer in. 'Ze wisten het?' vraagt hij ongelovig, met zijn gezicht naar de grond.

'Dat het een publiek geheim was kun je niet zeggen,' reageert Pieter, 'het ging maar om een stuk of wat mensen en na verloop van tijd hoorde je er niemand meer over.'

'Is het een opluchting, pa?' vraagt Eelke.

Zijn vader schudt zijn hoofd. 'Ik kan het allemaal zo gauw niet bijbenen.' Het komt er mompelend uit en voor Pieter en Eelke is hij de verpersoonlijking van verdriet en ongeloof.

'Mijn vader is jarenlang bang voor u geweest,' maakt Eelke zijn gast duidelijk. 'Volgens hem had u zijn levensgeluk in handen.'

'Dan bent u nodeloos bevreesd geweest,' richt Pieter zich tot Age. 'Ik heb nooit plannen gehad om u de vernieling in te helpen. En ik heb mijn mond gehouden. Op één keer na. Daar weet uw zoon van mee te praten en ik wil je dit zeggen, Age, ik heb er spijt van.'

Couperus senior is duidelijk met zijn houding verlegen. Zijn mond lacht, maar zijn ogen staan nog schrikachtig en stralen twijfel en ongeloof uit.

'Te grote verrassing in één keer?' veronderstelt Eelke. 'Te overweldigend misschien?'

Opeens kan Age woorden vinden om zijn gevoelens helder naar voren te brengen.

Hij noemt het geheim een dreigende wolk die zich op een keer wel ontladen móest. 'En wat mijn levensgeluk betreft: ik dacht werkelijk dat dat in jouw handen lag. Nu realiseer ik me dat ik me veel te veel in dat idee vastgebeten heb. Daarom zeg ik je, Pieter, ik ben blij dat je hier gekomen bent om dit allemaal tegen mij te zeggen.'

Mooi zo! denkt Eelke, ongemerkt tutoyeren ze elkaar, dit gaat de goede kant uit.

Age zit nu rechtop, hij kijkt zijn buurman van vroeger in de ogen en zegt opnieuw heel blij te zijn dat de dreiging uit zijn leven is. Maar zijn woordenstroom stokt als Dorien met een dienblad met koffie en koeken binnenkomt.

Age wil wachten tot ze weg is, maar als ze op zijn bed gaat zitten kijkt hij zijn zoon vragend aan. Hoort Dorien hierbij te zijn?

'Pa, het spijt me dat ik het moet zeggen, maar ik heb fouten gemaakt. Ik heb Dorien buiten deze zaak gehouden.'

'Fouten?' vraagt zijn vader.

'Ja, dat had ik niet mogen doen. Ik vind zelfs dat ik Dorien daarmee unfair behandeld heb. Het was beter geweest open kaart te spelen, stukken beter! Dan had ze mij en ons allemaal de helpende hand kunnen bieden. Dat ik daar nu pas achter kom kan ik mezelf maar moeilijk vergeven.'

'Als ik op de hoogte was geweest, had ik inderdaad wel wat voor jullie kunnen betekenen, denk ik,' brengt Dorien kalm in het midden, 'maar misschien kan ik dat vanaf nu ook nog.'

Het wordt lichter in het kamertje, de zon breekt door en alle dingen krijgen een vrolijker aanzien, ook de vier gezichten. Het gesprek wordt losser, vier mensen naderen elkaar en dat blijkt verrijkend te zijn.

Als Dorien wél verdwijnt maar met verse koffie terugkomt zijn er intussen afspraken gemaakt. Age zal een tegenbezoek brengen aan Pieter en – wie had dat ooit gedacht? – de beide buurmannen van vroeger zijn van plan om af en toe samen een loopje te maken.

Het samenzijn krijgt zelfs een feestelijk tintje, als Pieter lachend bekent óók een fout te hebben gemaakt – hij had uit zichzelf met Age moeten gaan praten, en wel veel eerder dan nu.

Drie mensen met bekentenissen. Waar blijft nummer vier?

Dorien snuift en er trekt een grimas over haar gezicht.

'En?' vraagt Egbert als Cnossen weg is, 'ging het over het verzet?'

Eelke knikt bedachtzaam. 'Misschien wil opa Age er nu wel over praten,' zegt hij met een milde lach.

De druk is weg, Age weet niet wat hem overkomt – hij kan nu blij leven. Hij is na het verhelderende gesprek met Pieter veel minder op zijn kamer te vinden. Direct na het ontbijt al grijpt hij zijn stok en maakt zijn ommetje. Dat brengt hem nogal eens in de buurt van Pieters zuster.

Age kan het nog steeds maar moeilijk geloven, maar vanbinnen weet hij dat hij en Pieter vrienden zijn, ondanks de nare geschiedenis die hem zoveel levensvreugde heeft ontnomen.

Pieter op zijn beurt voelt zich aangetrokken tot zijn voormalige buurman, collega-ouderling en leeftijdsgenoot Age.

Ze lopen inderdaad wel eens met elkaar op, sterker nog, ze zoeken elkaar op.

Merkwaardig. De bordjes zijn wel totaal verhangen. Wie had dit kunnen voorzien? Eelke soms? Nee. Dorien dan? Ja, zij wel, als ze maar op de hoogte was geweest.

Wat ook opmerkelijk is, is het feit dat de beide wandelaars vaak het aanstaande verzorgingshuis in hun route opnemen. Alleen maar om te kijken, jawel! Schiet het al op met de bouwerij?

Op een keer treffen ze daar mevrouw Hoogma. Ze zwaait net iemand uit en krijgt hen in het oog. Meteen zwaait ze opnieuw. Of zwaaien? Het is meer wenken.

De mannen haasten zich naar haar toe.

'Ik zag direct dat u het was,' zegt ze met een hoofdknik naar Pieter. 'Het gaat gelukkig goed met u zo te zien. Cnossen is de naam, hè?'

Pieter wil haar voor de zoveelste keer bedanken voor haar optreden van toen, maar ze houdt hem met twee bezwerende handen tegen. 'En met meneer Couperus ook alles in orde?'

Age hoeft niet te antwoorden, zijn gezicht zegt genoeg.

'U houdt het tempo van het bouwen in de gaten?' vraagt ze. 'Nog een beetje geduld en dan weet ik iets leuks. U zou hier mettertijd allebei kunnen gaan wonen. Lijkt u dat wat?'

De beide mannen kijken elkaar verbluft aan – hoe zullen ze hierop reageren? Maar langzaam plooit zich een lach over hun gezicht. Verdraaid! Is dat een goed idee of niet?

'We komen hierop terug,' voorspelt Pieter vrolijk.

'Niet te lang wachten,' adviseert Aleida Hoogma.

Eelke en Dorien horen ervan op. Ze zeggen tegen elkaar dat ze mogen spreken van een gelukkige wending. De toekomst ziet er eensklaps veel zonniger uit.

En Eelke betoogt: 'Dorien, wat ik hiervan óók geleerd heb is dit: ik moet me nooit meer vastpinnen op één aspect van het leven.'

'Precies! Dat zeg je goed! Weet je misschien een voorbeeld te noemen?'

Dat weet Eelke, hij heeft er lang genoeg over nagedacht. 'Het hoofdschap bijvoorbeeld.'

Ze reageert met een snelle kus. Een voltreffer!